LE PETIT SOLDAT
DE L'EMPIRE

GUY GEORGY

LE PETIT SOLDAT DE L'EMPIRE

Récit

FLAMMARION

© Flammarion, 1992
ISBN 2-08-066704-1
Imprimé en France

A Odette

Une brume laiteuse flottait sur une mer aussi plate qu'un lac suisse. Depuis l'horizon, le chemin crayeux du sillage ne parvenait pas à s'effacer. Des giclées de poissons volants jaillissaient devant l'étrave du navire et disparaissaient comme des galets de rivière au dernier ricochet.

Le « Marrakech » de la Compagnie maritime des Chargeurs Réunis venait de doubler les îles Canaries et je cherchais vainement le célèbre volcan du pic de Teyde au-dessus de Ténérife, pour savoir si la fumée allait en sens inverse de l'alizé comme me l'avait enseigné, dans mon enfance, l'Ange Gabriel, charpentier de marine de mon village.

Le pont du navire était encombré de passagers de tous âges qui rejoignaient leur poste en Afrique après quatre années de guerre. Le vieux roulier des mers, dont c'était le dernier voyage, les avait pris pêle-mêle à son bord et s'apprêtait, en ce mois de novembre 1944, à les déposer le long de sa route entre le tropique et l'équateur.

Il y avait, sur cette « Arche de Noé », un échantillonnage étonnant d'un demi-siècle de colonisation française. Des commandants de cercle en fin de carrière, des magistrats, des militaires, des fonctionnaires grands et petits, des techniciens, des commerçants, des missionnaires, quelques colons et une brochette d'élèves administrateurs fraîchement diplômés de l'Ecole nationale de la France d'Outre-mer, au terme de cinq années de tribulations militaires et scolaires.

Sous l'effet des premières chaleurs, la plupart des passagers avaient revêtu leurs tenues coloniales conservées, pendant tant d'années, au fond des malles métalliques. Elles flottaient autour de leur buste amaigri comme des déguisements d'un théâtre de province.

Il y avait peu de femmes à bord, en dehors de quelques infirmières et d'une poignée de jeunes épouses sans enfant qui accompagnaient leur mari pour la première fois. Elles logeaient par petits groupes dans une demi-douzaine de cabines qui subsistaient sur le pont supérieur.

Les hommes s'entassaient au fond des cales dans des aménagements de fortune : des couchettes en planches grossières, des bâches à eau pour les ablutions et des tables de réfectoire encombraient les coursives. Deux escorteurs de la Marine nationale accompagnaient le navire pour parer à toute attaque de sous-marins. Les Allemands, disait-on, avaient concentré leurs flottilles de U-Boats dans l'Atlantique pour anéantir les convois alliés qui se rendaient en Extrême-Orient.

A longueur de journée, les passagers désœuvrés, penchés sur les bastingages, guettaient le trident de Neptune ou le sillage d'un périscope qui aurait pu surgir de la mer d'huile. Chacun se réjouissait de la fin prochaine du cauchemar, du retour de l'abondance et des retrouvailles avec les habitudes et le métier. Les administrateurs occupaient un coin du bar et écoutaient devant quelques canettes de bière détestable les conseils et les récits des plus anciens. Les militaires aux uniformes et décorations défraîchis parlaient de leur drame : la défaite de 1940, les combats obscurs et mal vécus dans la Résistance, la mauvaise conscience de s'en aller outre-mer alors que d'autres retrouvaient un peu de gloire dans les derniers combats de la guerre. Tous avaient conscience que partir, malgré l'illusion d'un renouveau, ne permettait jamais d'échapper à soi-même. Ils ruminaient leurs chances perdues, ce qu'ils auraient dû faire et qu'ils n'avaient pas fait et se consolaient en sublimant les tâches qui les attendaient.

Les quelques colons qui rejoignaient à la hâte leurs affaires supputaient la reprise, le boom des après-guerre et s'inquiétaient de l'état de leurs entreprises tombées aux mains d'adjoints inexpérimentés au cours des dernières années. « Ah! se lamentaient-ils, le drame de la colonie, c'est le second. Ou bien il est intelligent et il vous vole pour s'établir à son compte ou il est incapable et vous met en faillite. » Leur univers semblait, pour l'essentiel, se réduire aux boutiques, aux marchés de brousse, à l'arachide, au cacao, à l'huile de palme, aux cotonnades. Ils plaçaient leurs espoirs dans un gouvernement à poigne qui permettrait à la France de se redresser et d'échapper à l'ogre américain.

Le tout-venant, c'est-à-dire le restant des passagers, jouait aux cartes et se préoccupait des prochaines affectations. « Alors, la douane ? alors, la mécanique ? alors, le bâtiment ?... »

Cette interrogation n'appelait aucune réponse, puisqu'elle n'était qu'un signe de reconnaissance. On se plaignait de la gamelle tout en relatant des souvenirs de marché noir, de Résistance ou d'aventures africaines d'avant-guerre.

Bientôt, le « Marrakech » doubla le Cap Blanc et le ciel, le soleil et la mer virèrent au blanc sale, la chaleur se fit plus lourde et l'air plus oppressant. Le soir, au couchant, l'horizon prenait des teintes violines où le disque solaire plongeait comme une boule rouge incandescente. Par le travers du banc d'Arguin, où avait dérivé si tragiquement le fameux radeau de « La Méduse », une pirogue mauritanienne légèrement pontée, avec une longue étrave effilée, croisa notre route par bâbord. Ses trois passagers levèrent leurs rames pour nous saluer. Ce premier contact avec l'Afrique vivante me donna,

11

ainsi qu'à mes camarades, une émotion inexprimable. Le lendemain, le « Marrakech » contourna lentement l'îlot de Gorée, une sorte de Mecque de la présence française en Afrique, et entra dans le port de Dakar.

Des agents de l'Administration montèrent à bord et déplièrent de longues listes où la destination de chacun était précisée. Ceux qui étaient affectés dans les colonies de l'intérieur en Afrique occidentale resteraient à Dakar. Ceux qui étaient prévus pour les territoires côtiers débarquaient également mais pour être transférés sur le croiseur « Duguay-Trouin » qui les égrènerait le long de la côte, au cours de sa mission de surveillance anti-sous-marine. Notre hébergement, dans une caserne désaffectée, fut donc de courte durée et ne nous laissa guère le temps de parcourir la ville. J'en profitai pour demander audience à mon compatriote, Pierre Cournarie, du village de la Bachellerie en Périgord, gouverneur général de l'Afrique occidentale française. Il me reçut sans délai dans son vaste palais et me parla longuement du Cameroun auquel j'étais destiné et où il avait effectué la totalité de sa carrière. Administrateur en chef de renom dans le nord du pays en 1942, il devait sa promotion foudroyante à la chute de l'avion du général de Gaulle dans sa circonscription administrative, près des marais de Goudoum-Goudoum, sur les bords du Logone. Il s'était démené pour arracher le Général à son marécage et le ramener sain et sauf à Maroua. La légende prétendait que madame Cournarie avait demandé au chef de la France libre, au moment où il prenait congé de ses sauveteurs : « Général, n'oubliez pas mon Pierre » et celui-ci, bon prince, avait tenu parole.

Ce n'est évidemment pas de cette aventure dont me parla le gouverneur général mais du rôle héroïque que le Cameroun avait joué dans la guerre et de la poignée d'hommes, dont il faisait partie, qui avaient, « malgré le défaitisme et la veulerie nationale », sauvé la France.

Je compris, à travers ses propos, qu'il redoutait l'arrivée prochaine de tous ces Français « collabos et parachutés » qui n'allaient pas manquer, avec leurs idées subversives, de mettre la colonisation en péril.

Au retour de cette audience, je traversai le marché de Sandaga et me laissai emporter par le flot irrésistible de la foule africaine. Les couleurs, les odeurs, la pestilence des poissons secs, les relents d'épices, la pâte humaine en fermentation, l'opulence des ménagères sénégalaises drapées dans des cotonnades bariolées, me submergèrent comme un raz de marée et c'est la tête ivre de bruits, de chants et de parfums que j'atteignis le port où m'attendaient mes compagnons de route.

Le lendemain, nous embarquâmes sur le croiseur « Duguay-Trouin », une antiquité qui avait repris du service avec la guerre. Il était doté de superstructures désuètes, de turbines à vapeur qui devaient développer plus de 100 000 chevaux-vapeur, et d'une artillerie qui avait dû faire ses preuves au Jutland et aux Dardanelles. Sa vitesse était théoriquement de 30 nœuds, mais à partir de 20, la coque était soumise à des vibrations inquiétantes. Armé en guerre, le croiseur portait son équipage maximum et ne disposait que de peu de place pour les intrus que nous étions. Les femmes, tradition de la marine oblige, étaient restées à Dakar, les hommes couchaient dans des hamacs tendus la nuit dans les coursives où le vacarme et la chaleur étaient intenables. Dès la disparition du soleil, les minuscules hublots étaient fermés et toutes les lumières éteintes sur les ponts.

A l'intérieur, le long des coursives surchauffées, les hamacs, ventrus de leurs dormeurs, se balançaient en ligne comme des monstres marins fantomatiques dans la lueur spectrale des falots. A tout instant, les équipes de relève aux machines allaient et venaient, heurtant de leurs épaules les candidats au sommeil, déclenchant un vacarme d'enfer en provenance des entrailles du navire, quand ils ouvraient les portes de service. Bien que ce fût interdit, les plus éprouvés abandonnaient leur couche et se glissaient à l'extérieur pour s'étendre en plein air sur les ponts supérieurs. L'énorme masse obscure du navire fonçant dans les ténèbres, sous la simple protection de ses feux de position, était hallucinante. Enfouis sous leurs couvertures pour échapper au vent coupant du large, les dormeurs faisaient penser à une cargaison de gisants partant pour l'au-delà. Je chassais de mon esprit toutes les images macabres que mes lectures y avaient déposées. Le Hollandais volant et les vaisseaux fantômes, et à neuf pieds sous la quille, l'esprit du pôle qui poussait le vieux marin de Tennyson vers les banquises inconnues. Je contemplais, avec sérénité, le ciel féerique des tropiques où les constellations les plus connues se fondaient dans la poudre d'or des millions d'étoiles. J'identifiais la Croix du Sud, le Poisson austral et Fomalhaut, l'Hydre et Sirius brillant avec éclat. Je reconnaissais le Scorpion et la Grande Ourse couchée sur l'horizon, enfin la Polaire à peine perceptible. Je m'endormais dans le grondement lointain des machines et les frémissements du spardeck. L'air glacial et les premiers rougeoiements de l'aube redressaient les gisants qui se faufilaient à nouveau dans les coursives où l'air brûlant les suffoquait. La toilette accomplie et le petit déjeuner avalé, une lente déambulation commençait le long des bordages. Après avoir tracé sa route nocturne, cap à l'ouest, le « Duguay-Trouin » virait de bord et repartait vers les terres. La journée se passait en conversation avec les anciens. Les administrateurs contaient leurs aventures riches d'anecdotes et les médecins mettaient en garde les novices contre le coup de bambou, le paludisme, les amibes et la bilieuse hématurique. Ils préconisaient la désinfection à l'alcool et au permanganate, l'hygiène alimentaire, la sieste méridienne, la quinine et l'infusion rituelle de citronnelle ou de quinquiliba. Le brouet quotidien de ces fonctionnaires ne semblait constitué que de débrouillardise et d'autorité.

Donner des ordres, exiger, être juste mais sans faiblesse, avoir ses gens à la main, être craint et respecté, alors que nos professeurs à l'Ecole coloniale nous conseillaient, plutôt, la participation et la case des palabres. Changement de génération ou nouvelle philosophie, nous nous sentions plus en accord avec cette approche qu'avec le caporalisme, même éclairé, de nos aînés. « Cessez de rêver, les enfants, rétorquaient-ils, on vous verra sur le terrain et vous ne tarderez pas à comprendre. » Le terrain s'approchait à chaque tour d'hélice. De temps en temps, au hasard des évolutions mystérieuses de notre surveillant des mers, une ligne sombre apparaissait à l'horizon. Nous nous approchions jusqu'à distinguer une frange de palmiers sur le cordon grisâtre de la barre. Cette côte abritait des ports aux noms connus : Conakry, Freetown, Abidjan, Cotonou. Nous y relâchions le temps de faire le plein de mazout en rade foraine. Pendant que la barge de ravitaillement nous accostait, nous portions des regards avides sur les appontements aux pattes grêles qui s'avançaient dans la mer et sur la terre où l'on devinait quelques maisons blanches piquées dans la verdure. Rituellement, une flottille de pirogues se détachait du rivage et venait tourner autour du navire. Elles débordaient d'agrumes et de pêcheurs musclés. Des enfants plongeaient dans la houle pour attraper les pièces de monnaie que les passagers leur jetaient. Quelques couffins de fruits, négociés de loin avec de grands gestes, atterrissaient laborieusement sur le pont. Il y avait des ananas avec leur toupet de feuilles vertes, des bananes et des mangues mûres. Ces dernières, d'un beau jaune rosé avec des tavelures violettes, m'étaient inconnues ; leur pelure lisse et vernie m'attirait comme une tentation exotique. J'y mordis à belles dents, mais la peau était épaisse et coriace et sentait la térébenthine ; à l'intérieur, un gros noyau filandreux ne laissait qu'une becquée de pulpe succulente à mes papilles alléchées, symbole peut-être de cette

Afrique qui pénétrait tout doucement en moi avec son atmosphère lourde et cotonneuse, ses nuages plombés qui envahissaient peu à peu le ciel, ses fruits tentateurs, et les lourdeurs de migraine de ses midis suffoquants. A l'approche du mont Cameroun et de l'île de Fernando Poo, le pot au noir nous accueillit, la mer vira de l'étain fondu au zinc oxydé, les vagues se creusèrent et se frangèrent d'écume sous un vent de tornade, le tonnerre et les éclairs se déchaînèrent, la pluie crépita puis l'horizon se dégagea. Le « Duguay-Trouin » remonta un immense bras de rivière bordé par la mangrove, quelques immeubles aux toits rouillés apparurent le long d'un quai où se balançaient deux ou trois navires. Nous étions parvenus à Douala, terme de ce long voyage. Je pris congé du groupe d'amis qui continuait vers le Gabon et le Congo, et avec mes compagnons camerounais, nous descendîmes la coupée pour sentir enfin, sous nos pieds, le pays de notre longue attente.

I

DES BLANCS, DES NOIRS
ET DES NÈGRES

« *Les Africains, les Noirs et les Nègres* »
Léopold Sedar Senghor

Beaucoup de monde se pressait sur les quais, des Blancs qui venaient aux nouvelles, des Noirs en costume européen et des Nègres dépenaillés. Les premiers voulaient voir les nouveaux visages et recueillir quelques informations sur la situation en France. Peut-être attendaient-ils un courrier provenant d'une mère, d'une épouse ou d'un ami. Ils me parurent vêtus avec négligence. Ils portaient des shorts trop courts sur des jambes blafardes et des vareuses tire-bouchonnées par la transpiration. Leurs visages ombragés par des casques blancs ou kaki étaient bouffis ou marqués d'anémie.

Les Noirs étaient, me sembla-t-il, vêtus avec plus de recherche que les Européens ; ils arboraient plus fréquemment des pantalons de toile, des chemises blanches à manches courtes ou des sahariennes à ceinture. Je distinguais même, sous les casques uniformes, quelques cravates et des lunettes noires. Ils représentaient, de toute évidence, la société mutante qui secondait les Blancs, agents de l'Administration, clercs de maisons de commerce, préposés portuaires ou chefs de bureau.

17

Les autres, ceux qui déambulaient tête et torse nu avec pour tout vêtement une simple culotte ou un pagne effrangé, ceux qui avaient des bras poussiéreux et les pieds sans chaussures, étaient les Nègres. Ils représentaient la main-d'œuvre courante, les débardeurs, les balayeurs, les transporteurs. Ils allaient par petits groupes nonchalants en traînant leurs outils et leurs chariots et s'interpellaient avec des cascades de rires. Des femmes, moulées dans des boubous de cotonnade et portant des cuvettes ou des corbeilles sur la tête, dérivaient dans la foule, proposant aux chalands des beignets, des fruits ou du poisson séché.

Des représentants de l'Administration nous attendaient sur le quai pour nous conduire avec nos maigres bagages dans les deux hôtels de la ville. Les logements étaient trop rares et trop exigus, nous dit-on, pour accueillir le flot des arrivants. C'est ainsi que nous échouâmes au Grand Hôtel, un bâtiment vétuste au centre de la ville. Construit au début du siècle par l'administration allemande pour abriter le mess des officiers, le Kaiser Hof, devenu, sous le mandat français, un hôtel de passage, faisait penser, malgré son perron à cinq marches et son auvent triangulaire, à un hangar de traite ou à un entrepôt. Dans la pénombre humide des pièces que les « brasseurs d'air » ne parvenaient pas à émouvoir, flottait une odeur de cafard, de moisi et d'huile de palme rance. La salle commune était ornée d'un bar monumental en acajou massif, flanqué de tabourets rustiques, derrière lequel se profilait l'embonpoint provocant du tenancier-gérant. Les chambres comportaient des lits de camp pourvus de moustiquaires sales. Des coffres verticaux y tenaient lieu d'armoires. La nourriture était abondante et nous l'appréciâmes avec une fringale aiguisée par cinq ans de privations que nous ne parvenions pas à assouvir.

Le lendemain, nous revêtîmes nos plus beaux habits pour aller nous présenter aux hautes autorités administratives.

Le gouvernement colonial occupait, depuis 1940, date à laquelle le général Leclerc avait transféré la capitale de Yaoundé à Douala, l'ancien palais et les bureaux de l'administration allemande. Ces bâtiments, solidement construits et d'un style pesant, étaient situés dans un parc ombragé de palmiers et de manguiers qui dominait le Wouri.

Le secrétaire général de la colonie, un personnage au visage poupin, rebondi et frisotté, nous accueillit et nous communiqua nos affectations. L'un de mes camarades, René Borne, fut dirigé, en raison de son nom prédestiné sans doute, sur le service du domaine et Albert Petitjouan, d'esprit contestataire, sur le palais de justice. Quant à moi, je fus affecté au cabinet du gouverneur. On m'assigna un bureau provisoire et lorsque je demandai où était le chef du territoire, il me fut répondu que ce haut personnage était invisible, qu'il ne quittait plus son palais et qu'il se considérait comme relevé de sa mission, bien que Paris prétendît le contraire. Je passai une première semaine à découvrir ce que pouvaient être mes fonctions et je n'y parvins pas. On me soumit pourtant quelques papiers, mais faute d'expérience, je me contentai de les classer au hasard, jusqu'à ce qu'un petit homme chauve et maigre, vêtu d'un simple short et d'une chemise saharienne ouverte sur les flancs, force ma porte. Il s'approcha gaillardement de ma table, passa lestement une jambe par-dessus le dossier d'un fauteuil, prit appui sur les accoudoirs, effectua une pirouette aérienne et se rétablit dans le siège. Je me demandai, anxieusement, ce qu'il convenait de faire dans une telle circonstance, mais le quidam me toisa et dit : « Tiens, mais vous êtes nouveau, vous, ici ? » et, me tendant la main avec un grand rire : « Hubert Carras », s'exclama-t-il. C'était le gouverneur. Je me levai pour bafouiller quelque chose mais il ne m'en laissa pas le temps : « Avez-vous reçu un télégramme pour moi de Maroua ? » s'informa-t-il. Non ! je n'avais rien vu de tel. « Je me demande ce

19

que fait ce damné garagiste, poursuivit-il, voilà plus de huit jours que j'attends et la voie saharienne est longue. » Je compris qu'il avait projeté de quitter le Cameroun pour se rendre à Alger par voie de terre et je déduisis qu'ayant fait toute sa carrière dans les subdivisions du nord, il voulait entrevoir une dernière fois les populations nomades et les steppes arides. Il repartit comme il était venu, avec un petit geste d'adieu de la main et je ne devais plus le revoir car il reçut son message dans la nuit et se mit en route de bon matin.

Ma carrière venait donc de commencer par un changement de gouverneur.

En attendant l'arrivée d'un nouveau patron et surtout la venue de ma jeune épouse qui s'apprêtait à me rejoindre à travers le Sahara, je pris possession d'une petite maison à l'entrée du parc et j'engageai deux serviteurs.

Le premier acte du colonial, le plus urgent, le plus indispensable, était en effet d'engager un boy. Sans cet auxiliaire fondamental, la colonisation aurait tourné court. Livré à lui-même, malgré son prestige de conquérant, le Blanc n'aurait été qu'un intrus impotent. Pour pouvoir se nourrir, boire, cuisiner, laver son linge, faire son lit, balayer sa case ou faire le marché, disposer d'un interprète en toutes circonstances, les plus nobles comme les plus terre à terre, il n'existait qu'un seul recours : le Boy.

Ce personnage omnipotent constituait, pour les arrivants étrangers, la principale courroie de transmission avec le pays réel et ses habitants. Il était l'informateur et le traducteur obligé des mœurs et des coutumes, tout ce que le Blanc parvenait à connaître de son environnement lui arrivait par son canal. Sans lui, les fonctionnaires, les commerçants, repliés sur le cocon de leurs amis ou de quelques Noirs évolués déjà coupés de leurs racines, n'auraient eu d'autre connaissance de l'Afrique que leurs escapades furtives en automobile sur une plage ou une piste de brousse. Il n'est pas jusqu'aux anecdotes ou aux jugements à l'emporte-pièce que les Blancs aimaient à colporter sur les Nègres qui n'eussent pour origine les confidences plus ou moins fabulatrices d'un serviteur de la maison.

Enfin, cet oiseau rare était le symbole de la promotion sociale du Blanc. Combien de fois devais-je assister, plus tard, à l'occasion de l'arrivée d'un agent métropolitain, à la cérémonie de la photographie : autour de la table familiale dressée avec art pour la circonstance, deux boys, équipés de tabliers et de gants blancs, flanqués du cuisinier en toque, servaient cérémonieusement leurs nouveaux maîtres. Ces photos étaient destinées à des parents modestes dans des banlieues populaires ou des villages de campagnes reculées de France, pour témoigner de l'incomparable réussite du petit Durand qui était parti, un jour, pour les terres lointaines.

La vie du boy et de ses patrons était une symbiose très équitable où les uns trouvaient leur intérêt et l'autre sa subsistance.

Il y avait d'abord l'engagement qui s'effectuait sur présentation de l'homme providentiel par un ami de confiance, un boy déjà en place ou un démarcheur volubile, puis la lecture des états de service établis sur une liasse de papiers informes par des maîtresses de maison dont seule la perspective d'un prochain départ pouvait expliquer l'euphorie : honnêteté, dévouement, propreté, confiance et connaissances culinaires remarquables puisque acquises à la maison. Si le postulant pouvait de surcroît mentionner des services chez un commandant, un procureur ou un directeur commercial, il était engagé sur-le-champ.

Voici donc le boy installé dans la place. Il réclamait d'entrée un pantalon, une chemise et un boubou « pour tous les jours », et une tenue de gala où l'imagination de ses maîtres se manifestait par des réminiscences de l'Asie, de l'Inde des Anglais, de l'Orient des califes, ou des « loufiats » du théâtre de

21

Labiche. Il forçait toujours son air innocent et son français approximatif pour émouvoir sa patronne à qui il présentait sans tarder un de ses enfants, fort dépenaillé mais avec un visage si attendrissant qu'il recevait généralement une culotte neuve. Ce vêtement était aussitôt revendu au marché et remplacé par une fripe qui pouvait, à la rigueur, servir d'alibi en cas de curiosité ultérieure de la donatrice.

Ensuite, il commençait la collecte des objets inutiles ou mal recensés, vieux habits, lames de rasoir, trognons de bougie, savonnettes hors d'usage, emballages, bouteilles vides et allumettes soigneusement retirées des boîtes d'origine où il convenait d'en laisser quatre ou cinq pour ne pas déclencher la colère du Blanc au cas où il n'aurait pu allumer sur-le-champ sa cigarette. Ces allumettes dérobées étaient fendues avec les lames de rasoir et vendues sur le marché, par boîtes de récupération de cinquante, au prix de 20 centimes. Votre linge était souvent, entre deux lessives, loué à des tiers du quartier pour une fête ou une cérémonie. Nous ne parlerons pas de l'art de vider subrepticement les bouteilles du bar sur lequel il avait tout pouvoir, malgré les clés du maître de maison. Cette prééminence d'échanson avait été consacrée de tout temps par la définition classique du terme boy : « Cri que poussent les Européens à la colonie quand ils ont soif. »

Enfin, pour mettre une dernière touche à ce tableau, sachez que le boy était d'une débrouillardise fabuleuse. Un jour, un de mes collaborateurs, qui logeait au troisième étage d'un immeuble collectif, invita ses amis à un grand dîner ; sa femme avait prévu au menu un gros poisson appelé capitaine et donné ses ordres en conséquence. Au milieu du repas, le cuisinier portant majestueusement le monstre aquatique fit son entrée, se prit les pieds dans la carpette, et tomba de tout son long avec le plat dont le contenu se répandit sur le sol. Consternation générale et émoi de la maîtresse de maison.

« Ce n'est rien ! ce n'est rien, dit le gâte-sauce en ramassant précipitamment le poisson et le riz, Madame ne bouge pas ! j'ai tout prévu », et il disparut dans les cuisines. Le temps de servir à boire et de passer le pain et voici le maître-queux qui revient avec une magnifique dinde rôtie ; étonnement général, éloges admiratifs à la maîtresse de maison abasourdie et inquiète et le repas se poursuit dans l'euphorie générale.

Quelques jours plus tard, en papotant dans l'escalier avec la voisine du deuxième étage, l'épouse de mon collaborateur apprit que le cuisinier de cette personne était excellent mais un brin cabochard. C'est ainsi qu'à l'occasion d'un dîner qu'elle avait donné à la même date et où elle avait prévu une dinde rôtie, ce fantaisiste lui avait servi un délicieux capitaine...

Ainsi pourvu de l'essentiel, je fus à même d'observer, tout à loisir, mon entourage.

Une curieuse atmosphère régnait à Douala et, me sembla-t-il, dans l'ensemble du pays. Le personnel administratif et les membres de la colonie européenne étaient au terme de cinq années de séjour ininterrompu et présentaient, outre leur épuisement physique, une paranoïa bénigne généralisée.

La fatigue des corps relevait certainement de l'inaction, car les déplacements étaient difficiles et la torpeur du climat accablante. De plus, les siestes prolongées, l'abus de boissons, le manque d'hygiène alimentaire, les nuits sans sommeil avaient éprouvé les organes et les systèmes nerveux. Enfin, la cohorte des endémies tropicales, qu'une pharmacopée rudimentaire ne parvenait pas encore à enrayer, avait eu raison des défenses naturelles. Le paludisme était général et les sulfates de quinine que l'on extrayait artisanalement sur place ne pouvaient triompher ni des accès de fièvre, ni des bilieuses hématuriques. Il en allait de même de la myriade de parasites, vers intestinaux, amibes, filaires, ryckettsies, typhus, fièvres quartes et quintes, oncocercose, pian, trypanosomiase et ulcères. Les uns avaient le foie atteint, les intestins délabrés, l'estomac distendu et d'autres, des affections mystérieuses comme ce malheureux chef de région martiniquais qui souffrit longtemps d'un mal étrange, jusqu'à ce qu'un jeune médecin découvre qu'il avait le foie dévoré par des douves microscopiques inconnues.

Tous ces « bobos » étaient monnaie courante, prétendait l'administrateur en chef Léon Salasc, maire de Douala.

Ce personnage, aux allures un peu équivoques, avait accueilli, dans sa popote, quelques-uns des jeunes arrivants. Ancien élève du Grand Séminaire de Rome, il était réputé pour sa belle intelligence, sa finesse politique et la sûreté d'un diagnostic sans complaisance. Les désordres du corps ne sont rien, affirmait-il, en regard des syndromes mentaux qui affligent l'humanité en général et les coloniaux en particulier. Au premier rang de ces troubles figurait l'infatuation du moi. Selon lui, tout individu qui rompait avec son milieu d'origine et partait pour les terres éloignées était convaincu de devenir quelqu'un. Il cessait d'être un ruminant anonyme dans le troupeau car il reviendrait un jour fortune faite et nimbé de gloire.

Confronté à des peuples attardés, son ignorance devenait science. Ses connaissances étaient rudimentaires certes, mais il occupait désormais la chaire du professeur. S'il exerçait des responsabilités, son ego s'exaltait, « ma circonscription, mes gens, mes routes, mon port, mon hôpital, mon tribunal », disait-il à tout propos. Cette hypertrophie était si naturelle, en Afrique, que le moindre journaliste de passage intitulait ses articles : « Ma remontée du Niger en kayak, ma traversée du désert, ma rencontre avec les mangeurs d'hommes ». Comme les acteurs étaient peu nombreux et les structures environnantes élémentaires, l'expatrié était amené à s'occuper de tout. Aussi se prenait-il rapidement pour un homme à la compétence universelle. Le responsable de l'appontement de Grand Popo se prétendait l'égal du directeur du port du Havre. L'unique médecin du dispensaire de Yabassi, baptisé hôpital général, disait : « Je suis le Val-de-Grâce à moi tout seul, généraliste, pédiatre, cardiologue, épidémiologiste, kinésithérapeute et chirurgien. » De là à penser qu'il avait désormais les capacités de tout ce monde, il n'y avait qu'un pas qu'il franchissait allègrement.

Il en résultait, affirmait Salasc, des mutations de caractère : autoritarisme, verbe péremptoire, impatience, indiscipline, susceptibilité. Toutes les sagas coloniales débordaient d'exemples du brave type qu'on avait envoyé avec un compagnon ingénieur, médecin ou instituteur au fond d'une brousse isolée et qui, après avoir travaillé en silence pendant un an, s'aigrissait tout à coup et se mettait à écrire. « Le signe du dossier », disait-on. Ses griefs ne variaient guère. On méconnaissait ses mérites, on le brimait de parti pris car il était trop loin du soleil. On ne prenait pas ses plans au sérieux, pourtant, il sautait aux yeux que sa thébaïde était une plaque tournante de première importance ; si on traçait sur la sphère une ligne droite allant de Tokyo à Buenos Aires ou de Canberra à Philadelphie, on passait exactement au-dessus de sa résidence et de ses terres. Ses administrés, affirmait-il, étaient les plus travailleurs et les plus méritants du territoire. Son style changeait, il devenait persifleur et plein de sous-entendus. Il se fâchait avec son compagnon d'infortune, ne le désignant plus que sous le vocable de « l'Autre » ou « ce Monsieur » et soulignait à tout propos qu'il avait dépassé, quant à lui, le stade du certificat d'études. Il ne communiquait plus avec son vis-à-vis que par notes et accusés de réception dont les doubles étaient adressés à ses chefs. Il constituait un énorme dossier qui ferait du bruit en haut lieu, quand il le montrerait à qui de droit. A ce stade, on lui accordait généralement un congé et dès la coupée du bateau, il avait tout oublié.

La colonie blanche du Cameroun était déboussolée par cinq ans de claustration, beaucoup de ménages s'étaient défaits et recomposés de façon inattendue, des tyranneaux locaux étaient apparus et chacun fabulait à sa guise. Il était clair, en tout cas, que les héros étaient essoufflés et que la France paraissait lointaine et inefficace. Les agents de relève arrivaient au compte-gouttes et la poignée d'anciens qui géraient encore les services ne parvenaient plus à imposer discipline et autorité. L'état du pays était préoccupant, les infrastructures routières, le chemin de fer rendaient l'âme, les équipements n'avaient pas été renouvelés, l'effort de guerre avait englouti tous les revenus, la vie économique stagnait. Seuls les crédits américains de l'US Lend Lease et du Prêt et Bail décidés par un lointain comité tripartite maintenaient une activité de subsistance.

C'est sur ces entrefaites qu'un nouveau gouverneur arriva. Vigoureux et sportif malgré le bras qu'il avait perdu à la fin de la Première Guerre mondiale, il avait fait une carrière métropolitaine et s'était distingué dans la Résistance. Malheureusement, il n'avait gardé d'un premier séjour colonial, en 1921, qu'une expérience superficielle de la réalité africaine et ses souvenirs avaient pris, avec les années, une coloration romantique, un peu surréaliste. Comme le gouverneur Carras, il avait, en ces temps lointains, quitté le territoire par les steppes du nord, non pas en automobile mais à cheval avec un animal de bât qui portait ses bagages. Il avait mis six mois pour atteindre Alexandrie via Khartoum et Le Caire. Le ministère des Colonies s'était ému d'un aussi long périple et avait réglementé plus strictement les délais de voyage par un texte fameux, le « décret Nicolas ».

Homme droit et généreux, le nouveau gouverneur s'inquiéta, dès son arrivée, de l'état d'esprit des populations et des problèmes de développement. Il prit un directeur de cabinet jeune et dynamique,

Louis Sanmarco, remplaça les principaux directeurs, remania profondément le commandement territorial et me confirma dans mes fonctions de « chef adjoint » de cabinet. L'essentiel de mon travail consista, dès lors, à préparer le rapatriement de l'ancien personnel administratif en place et des ressortissants du secteur privé éprouvés par un trop long séjour. Tâche ardue s'il en fut car les partants étaient légion et les moyens d'évacuation infimes. Les avions militaires étaient rares et de faible capacité, quant aux navires, il n'y en avait qu'un, le « Hoggar », qui effectuait une rotation sur Marseille tous les trois mois. Non seulement cette misérable patache était à bout de souffle et totalement dépourvue du plus élémentaire confort, mais son commandement et son équipage étaient des gens de sac et de corde. A son bord régnaient trois puissants syndicats comprenant une section pont, une section hôtellerie et une section machine. Le commandant Pellegrini passait son temps à palabrer et à capituler devant les diktats des responsables et les états d'âme de la base.

Dussé-je offusquer la classe ouvrière tout entière, je me dois de dire que ces prétendus syndicalistes, toujours si diserts sur la défense des pauvres gens, n'étaient, sur les côtes d'Afrique, que des trafiquants sans scrupule, préoccupés uniquement de leurs petits intérêts.

Alors que j'avais sur les bras des malades à évacuer d'urgence, de pauvres femmes soucieuses de retrouver leurs familles dispersées par la guerre, des enfants de tous âges avec leurs yeux trop grands et leur teint d'anémiques, ils refusaient de prendre une personne de plus que l'allotement réglementaire le permettait. A moins, disaient-ils, que la colonie ne prenne à sa charge les installations de fortune sur le pont et dans les cales et veuille bien dédommager l'équipage par un cadeau de plusieurs tonnes de café qui, vendues au marché noir à Marseille, leur procureraient quelques douceurs. Il fallait discuter pendant des heures avec les représentants de chaque section qui se renvoyaient la balle ou se contredisaient après consultation de leur fameuse base. Le commandant Ponce Pilate s'en lavait les mains et le représentant local de la compagnie tremblait de perdre son emploi ou de voir son propre personnel se mettre en grève par solidarité de classe.

Quand, après avoir rempli toutes les exigences, le navire consentait à lever l'ancre, mon bureau devenait le mur des lamentations pour tous ceux qui n'avaient pu trouver de place à bord. Les malheureux voyaient, dans cet état de fait, la conséquence d'un inexplicable favoritisme, l'assouvissement de rancunes politiques, une méconnaissance coupable de leur état et de leurs services, la vengeance des « collabos » contre les héros de la France libre.

Souvent le ton montait et les gestes d'hystérie étaient fréquents. C'est ainsi qu'une brave mère de famille s'empara, un jour, de la hampe du fanion du général Leclerc qui ornait mon bureau et fonça sur mon adjoint. Ce trophée historique était assorti d'une pointe de bronze forgée dans les ateliers du chemin de fer, et faillit transpercer mon collaborateur. Un réflexe irréfléchi de ma part lui sauva la vie. Je saisis un encrier qui se trouvait à portée de ma main et je le lançai à la figure de l'assaillante. La giclée d'encre inonda son cou et son corsage et dévia la trajectoire de la lance. Déroutée, la brave dame s'abattit sur le parquet en proie à des convulsions et je dus l'asperger d'eau pour l'aider à retrouver ses esprits. Quand elle se redressa, ruisselante d'une étrange bouillie couleur des mers du Sud, elle jeta l'épouvante dans la file d'attente qui se pressait à ma porte.

Mes mésaventures de transitaire maritime et aérien m'auraient certainement ruiné le moral, si ma femme n'était enfin arrivée, après vingt-cinq jours d'un périple en camion à travers le Sahara, soit près de 6 500 kilomètres de piste entre Alger et Douala. Jeune Parisienne ayant peu voyagé, elle n'avait pas hésité à se lancer dans cette aventure avec une ou deux compagnes et avait réussi à se joindre à un convoi de médecins militaires en partance pour l'Afrique centrale. En dépit de tous les ennuis d'une route difficile et semée d'embûches et malgré une lourde fatigue, elle débarqua toute pimpante et prit courageusement en main notre installation. En quelques semaines, tout fut au point, depuis le personnel dont elle bousculait les habitudes jusqu'aux rideaux, à l'ameublement sommaire, aux petits coussins, au linge de table et aux bouquets. Elle souffrait bien un peu de la chaleur étouffante de la lessiveuse camerounaise, du rituel compliqué du Frigidaire à pétrole dont il fallait régler la lampe plusieurs fois par jour, dans une position acrobatique, au ras du sol, du maniement du filtre à eau et de la prolifération des cafards, mais l'environnement exotique la fascinait et elle découvrait, avec autant de curiosité que moi, les comportements de ce nouveau monde.

La scène camerounaise était entièrement occupée par les Blancs dont le nombre était estimé à environ trois mille deux cents personnes et qui étaient représentés, pour une moitié, par les agents des services publics, et pour l'autre, par les colons, les commerçants, les professions libérales et les religieux. Ils étaient les maîtres et se comportaient comme tels. Séparés de la métropole depuis 1939, les colons avaient médité, à l'occasion de vacances ou de voyages d'affaires, l'exemple de l'Afrique du Sud. Ils rêvaient d'un statut de dominion avec un parlement blanc devant lequel le gouverneur exerçant le pouvoir exécutif serait responsable. Ils reprochaient au général de Gaulle d'avoir voulu brûler les étapes en ignorant les lois d'évolution de l'espèce humaine et estimaient que, pour l'instant, l'essentiel était de s'opposer à tout changement politique qui sonnerait le glas de leur suprématie.

Bénéficiant de complicités dans l'armée et dans la police, soutenus par quelques avocats, directeurs de banque, chefs de région ou hauts dignitaires de la hiérarchie ecclésiastique, ils venaient de fonder l'Association des colons du Cameroun (l'ASOCAM) pour défendre les intérêts de tous ceux qui n'étaient ni africains, ni fonctionnaires. Pour donner une assiette politique plus présentable à leur mouvement, la plupart se réclamaient de la France libre et laissaient entendre que « le grand Charles », à un moment ou à un autre de l'épopée libératrice, n'avait dû son salut qu'à l'action clairvoyante et décisive des Camerounais. Dès la première heure, disaient-ils, leur choix avait été irrévocable, oubliant toujours de préciser qu'à 6 000 kilomètres de la ligne Maginot, le recul les avait quand même favorisés pour déceler le vrai sens de l'Histoire.

Malgré sa belle assurance, le bloc des Blancs était de moins en moins homogène ; les nouveaux arrivants avaient une autre optique et des idées libérales. Les jeunes chefs d'entreprise parlaient de dépoussiérer la maison et certains religieux refusaient même, disait-on, de suivre leurs évêques ou leurs pasteurs traditionalistes. Enfin, le syndicalisme implanté à la veille de la guerre avait, contre vents et marées, obtenu sa reconnaissance officielle mais les cheminots et les agents de l'Administration, blancs et noirs, hésitaient encore sur la forme à donner à leurs groupements, entre le cercle de gens évolués et l'association de fonctionnaires. A Yaoundé, un nouveau directeur d'école, Gaston Donnat, militant du parti communiste, accélérait le mouvement en créant un cercle d'études marxistes pour offrir une formation tactique et idéologique aux futurs cadres politiques et syndicaux.

A la popote où j'avais pris mes derniers repas, l'administrateur Salasc nous avait fait part de son inquiétude. Syndicaliste chrétien et progressiste comme son confrère, le Guadeloupéen Jules Ninine, directeur du domaine, il appréhendait la marxisation accélérée et surtout la généralisation de l'étiquette communiste qui servirait, pensait-il, de prétexte aux conservateurs pour étouffer toutes les velléités de réforme de la société coloniale.

Face aux Européens, la population africaine s'apparentait à une nébuleuse opaque et menaçante. Les récits des anciens nous présentaient le Cameroun comme un conglomérat de tribus aux caractères bien marqués, dont les structures complexes étaient encore intactes. Les chefferies empreintes de l'ordre allemand étaient toujours vigoureuses et les coutumes respectées, mais l'entre-deux-guerres et le dernier conflit qui s'achevait avaient introduit de nombreux bouleversements. L'autorité des anciens, la tradition, les rites initiatiques de la jeunesse avaient tendance à s'affaiblir. Quelques têtes frondeuses se levaient parmi les étudiants sortant des écoles publiques et des missions. Les instituteurs, écrivains-interprètes, catéchistes, agents commerciaux, fonctionnaires, médecins auxiliaires ou infirmiers s'ouvraient au monde et s'interrogeaient.

Déjà, des groupes de travailleurs réquisitionnés pour les grands chantiers ou les plantations s'ébrouaient. Ils constituaient un sous-prolétariat où tous les racolages étaient possibles. Ils écoutaient leurs frères noirs, qui, s'exprimant comme des Blancs, parlaient de syndicalisme, de lutte des classes, de justes salaires et d'indépendance. Des cadres subalternes européens se mêlaient parfois à eux et racontaient leurs hauts faits dans la Résistance en France, comment, par exemple, ils avaient fait sauter les trains ou avaient saboté le matériel de transport et les installations allemandes, démontrant ainsi, inconsciemment, la grande vulnérabilité des Occidentaux et la puissance des organisations clandestines.

Sous l'action des meneurs venus d'Europe ou des « frères noirs » évolués comme Moumé Etia, Ruben Um Nyobé, ou Charles Assale, un grand nombre d'associations voyaient le jour dans les centres.

Les premiers meetings réunissaient des foules de quelques milliers de personnes dans les faubourgs des villes.

Dans leur bastion du café Le Lido ou lors des séances de la chambre de commerce, les activistes blancs exagéraient encore la dimension du phénomène et organisaient leur défense. Ils convoquèrent, à Douala, en liaison avec l'association des colons d'AEF et le syndicat agricole européen de Côte d'Ivoire, des états généraux de la colonisation. Une sourde inquiétude gagna alors les quartiers populaires africains de Douala. Des rumeurs se répandirent dans le monde misérable des bas-quartiers où les prix flambaient de jour en jour. Les produits vivriers se raréfiaient et triplaient de valeur. Plusieurs journées de salaire devenaient nécessaires pour acheter un yard de drill ou un pagne. On disait que certains commerçants stockaient leurs marchandises pour spéculer sur la pénurie et attiser le mécontentement. Enfin, on insinuait que les colons préparaient une provocation d'envergure pour briser dans l'œuf toute action revendicatrice. Les chefs syndicalistes, encore mal assurés, ne parvenaient plus à contenir leur base. Les cheminots de Bonaberi se mirent en grève, suivis presque immédiatement par ceux du chemin de fer du Centre. Le gouverneur demanda à l'Union régionale des syndicats d'arrêter le mouvement mais les dirigeants furent conspués. Au moment où une accalmie s'esquissait, des grévistes essuyèrent quelques coups de feu tirés dans le secteur du chemin de fer et de la mission catholique d'Akwa. Ce fut l'émeute. La populace, armée de bâtons, déferla sur la ville, pillant au passage les magasins et agressant les travailleurs. La gendarmerie, squelettique et peu sûre d'elle, se mit à poursuivre les émeutiers au hasard. Le gouverneur appela l'armée à la rescousse mais celle-ci se déclara incapable de mettre sur pied plus d'une section opérationnelle. Les colons n'attendaient qu'une occasion pour passer à l'action ; plus d'une centaine d'entre eux, conduits par l'avocat Viazzi, se rendirent chez le gouverneur et, dramatisant à l'excès la situation, lui arrachèrent une distribution d'armes et de cartouches « pour maintenir l'ordre », disaient-ils. Leur troupe, grossie de soldats sympathisants, de gendarmes dévoyés et de quelques officiers aviateurs de l'escadrille Béthune, se répandit dans la ville, ouvrant le feu au hasard sur tous les suspects. A la tombée de la nuit, un calme relatif s'établit mais le gouverneur, désemparé, se demandait comment « rendre compte » à Paris, tant la situation était confuse et les pouvoirs publics débordés.

Les informations fantaisistes qui parvenaient au palais faisaient état de dizaines de morts et de blessés, d'autres parlaient de soulèvement général et de commandos africains venant au secours de leurs frères. Le gouverneur Nicolas décida de replier les familles de ses collaborateurs européens dans l'enceinte du palais. La nuit se passa en alerte et au petit jour, l'administrateur René Tirant, le nouveau directeur de cabinet, qui avait succédé à Louis Sanmarco, rapatrié sanitaire, me manda aux nouvelles aux confins de la ville blanche et des quartiers africains. J'avais à peine franchi le pont de la Besseke, en direction d'Akwa, que je fus arrêté par des bandes de jeunes voyous qui repartaient piller la ville. Je me repliai sur le carrefour Pezzana où un groupe de policiers et une section de tirailleurs venaient de prendre place. L'adjudant qui commandait le détachement fit tirer une salve en l'air qui eut pour effet de disperser les assaillants comme une volée de moineaux. Je me préparais à repartir vers le village lorsque l'état-major des colons arriva en voiture et pénétra dans le café Heyman qui donnait sur la place. La foule européenne grossissait à vue d'œil, en proie à une excitation violente, les femmes hurlaient des menaces de mort, les hommes vociféraient qu'il fallait pendre les syndicalistes, fusiller les communistes et décimer sans pitié les Nègres pour rétablir l'ordre.

Je rentrai précipitamment au palais pour informer le gouverneur du danger que couraient les syndicalistes Soulier et Lalaurie, qui étaient sous la protection du commissariat central où la poignée de gendarmes de l'adjudant Auger était bien incapable de les protéger. Le gouverneur décida alors de transférer au Gabon, par avion militaire, le plus menacé d'entre eux, Roger Lalaurie. Il téléphona au capitaine qui commandait l'escadrille et lui intima l'ordre de préparer immédiatement un appareil. En quelques minutes, une camionnette conduite par un gendarme prit Lalaurie à son bord et démarra en trombe pour l'aéroport. Le temps d'être prévenue par le premier mouchard venu, une meute de Blancs pétaradants prit la camionnette en chasse. Celle-ci avait cinq minutes d'avance et quand les poursuivants arrivèrent sur la piste, l'avion avait déjà décollé et pris de la hauteur. Leur riposte fut prompte, ils enjoignirent le sergent de service de rappeler l'appareil. Celui-ci obtempéra. Quand le Anson se fut posé, les valeureux chasseurs s'emparèrent du gibier, plus mort que vif, et le ramenèrent brutalement devant leur PC du café Heyman. La foule était au comble de l'excitation et hurlait « qu'on le fusille ! »; Lalaurie fut plaqué contre le mur de l'entrepôt Pezzana et un peloton où figuraient quelques militaires prit position, l'arme à l'épaule, prêt à l'exécuter. C'est alors que l'on vit surgir de la cohue le vieil administrateur Vergès, que les colons pensaient nommer gouverneur du territoire. Il se précipita, les bras en croix, devant le condamné et faisant face à la multitude, s'écria de sa voix de fausset : « Mes enfants, nous sommes devenus fous, on ne tue pas un homme sans jugement. » Le brouhaha s'arrêta, un flottement se produisit et Lalaurie disparut miraculeusement. En fait, il venait d'être escamoté et conduit au tribunal par un jeune officier de gendarmerie, le lieutenant Bocchino, à peine débarqué de France où il avait participé à quelques opérations risquées pendant l'Occupation et qui agissait encore sur sa lancée.

Le calme semblant revenu dans les villages et la colère étant partiellement tombée, la populace se dispersa et les colons refourbirent leur strategie car la discorde s'aggravait dans leurs rangs. Le premier bilan faisait état d'une soixantaine de morts. Le lendemain matin, Lalaurie, maintenant sous bonne garde, s'inquiéta du sort de ses jeunes enfants qui étaient restés sans assistance dans son logement du chemin de fer et demanda à leur faire une courte visite. Une fois de plus, les colons furent prévenus et un commando armé, sous les ordres du secrétaire de la chambre de commerce, Edmond Ollivier, se rua vers la cité des cheminots. Des cris fusèrent, quelques coups de feu retentirent et Ollivier escalada les marches de l'escalier, mitraillette en main, pour sommer le pauvre syndicaliste de se rendre, « Lalaurie, rends-toi, tu es cerné ! » Au lieu de se rendre, Lalaurie, qui s'était procuré un revolver, tira à travers la porte et le tua net. C'était la première victime blanche et le commando, désarçonné, arrosa de balles la façade de l'immeuble (cent cinquante impacts, devait affirmer le rapport de police). Le chef du service d'hygiène mobile et de prophylaxie, le médecin commandant Courdurier, qui passait par hasard, emporta le cadavre de la victime dans sa voiture, pour le déposer à l'hôpital. Dans son bureau, le gouverneur Nicolas faisait face à l'état-major du colonat au grand complet qui lui intimait l'ordre de démissionner et de céder sa place à leur représentant. Je me tenais sur le perron, me demandant comment allait s'effectuer notre arrestation, lorsque le médecin commandant survint avec sa camionnette et me dit : « Ollivier vient d'être abattu par Lalaurie, au cours de l'attaque de sa maison. Je porte le cadavre ! » Je me précipitai dans le bureau du gouverneur qui faisait front, depuis trois heures, à une meute déchaînée. Mon entrée intempestive attira tous les regards sur moi. Je débitai d'une voix blanche ce que je venais de recueillir. Dans le silence glacial qui s'ensuivit, maître Viazzi se leva et dit d'un trait : « Oh, nom de dieu, cas de légitime défense, un avocat communiste, acquitté ! »

C'est ainsi que la guerre de Troie tourna court et que le tribunal de Brazzaville prononça le non-lieu quelques mois plus tard.

Malgré leur véhémence, les colons avaient agi davantage sous le coup de l'émotion et de la passion que par volonté délibérée de faire un coup d'Etat. La conflagration mondiale se terminait, les nations reprenaient leurs droits, Paris allait de nouveau dicter sa loi et envoyer des forces ; que pouvaient-ils, poignée d'hommes déboussolés à neuf cents lieues de leur patrie ? La récréation tragique était finie. Le lendemain, le gouverneur fit écrouer, par précaution, les syndicalistes blancs, en attendant l'enquête officielle définitive sur les événements et le jugement.

Dès le début des incidents, ma femme avait été accaparée par l'épouse du gouverneur qui, sous prétexte de sécurité, la transformait en dame de compagnie pour se rassurer. C'était une curieuse personne, ancienne reine des halles et copropriétaire d'une charge de mandataire. Elle avait un langage haut en couleur, un sens aigu des affaires et une rondeur peu protocolaire. Elle tutoyait tout le monde : « Appelle-moi Clé-Clé, mon p'tit gars ! » La société des femmes coloniales l'horripilait, « des gonzesses tout juste bonnes à se faire reluire ». Ce qui la frustrait particulièrement, c'était de ne pouvoir faire seule son marché et acheter en gros. Un jour, un commerçant africain en fruits et légumes, appelé M'Bappé, dit « cornichon vert de Paris », essaya de la voler sur un sac de pommes de terre. Mal lui en prit car il se fit traiter de pauvre minable, de petit « marle » qui ne faisait pas le poids, elle en avait manipulé d'autres, vous pensez ! Au demeurant, Clé-Clé était une femme pleine d'intelligence, de volonté et d'autorité. Comme elle nous aimait bien, elle nous apprit tout sur l'art de présenter les carottes nouvelles et de transformer les poulets du Mans en poulardes de Bresse.

Nous regrettâmes son départ car le gouverneur fut relevé de ses fonctions dans les jours qui suivirent et les inspecteurs de la France d'outre-mer arrivèrent pour enquêter longuement sur ce qu'il « aurait fallu faire » pour éviter de tels incidents.

Le nouveau chef du territoire, qui portait désormais le titre de haut-commissaire de la République, prit ses fonctions quelques semaines plus tard.

C'était l'ancien directeur de l'Ecole coloniale, le gouverneur général Robert Delavignette. Comme il me connaissait, pour avoir été mon professeur, il me confirma dans mes fonctions de chef adjoint de cabinet et me chargea plus spécialement de l'information. En dix mois de séjour, j'en étais déjà au troisième gouverneur et je n'avais toujours vu que Douala, sa banlieue et la subdivision de M'Banga dont René Borne était devenu le chef. Si je parle de cette bourgade perdue dans la forêt, parmi les plantations de palmiers et les bananeraies, c'est parce qu'elle fut mon premier contact avec la brousse africaine. Je n'avais pas choisi le métier d'administrateur colonial pour vivre dans un bureau, classer des bordereaux, rédiger des lettres, bavarder avec des politiciens européens ou me chamailler avec des transporteurs maritimes. Je voulais fouler la terre, me pencher sur les cultures avec les paysans, tracer des routes, construire des ponts, organiser la production, comprendre la vie des villages, pénétrer leurs coutumes et le peu de leur âme qu'il me serait donné d'entrevoir. Je voulais connaître le monde des plantes, des oiseaux et des bêtes sauvages, voir s'il n'existait pas, quelque part, une autre façon de comprendre le temps et les choses.

A M'Banga où nous nous évadions souvent pour la

fin de semaine, j'arpentais de grandes plantations de bananiers, je parcourais les chantiers que mon camarade avait ouverts et m'initiais au séchage du palmiste, du café et du cacao. Parfois, j'allais au dispensaire pour voir à quoi ressemblaient les malades, leurs infirmités et leurs ulcères. Comme par exemple ce pêcheur attaqué par les « hommes caïmans » que l'on apporta à mon camarade en l'absence de l'infirmier. Le patient avait eu la hanche emportée par un crocodile alors qu'immergé jusqu'à la ceinture, il tirait une senne dans le fleuve. Le saurien avait prélevé en deux ou trois morsures deux bons kilos de viande et de muscle. Tout autour de la plaie sanguinolaient les perforations profondes pratiquées par la puissante denture de l'animal. Le col du fémur était à découvert et l'intestin palpitait sous le péritoine dénudé. Nous entreprîmes de rincer la plaie béante du patient au permanganate et de lui faire une piqûre de morphine pour calmer sa douleur. Le malheureux, qui avait été transporté à longueur de kilomètres à travers la forêt, enveloppé dans des feuilles de bananier, ne se plaignait ni ne gémissait. Il racontait paisiblement son histoire. Il n'avait rien vu venir, pas le moindre remous, pas le moindre frémissement de l'eau, le choc violent n'avait duré qu'une seconde, ce qui prouvait bien que c'était un esprit, un homme incarné dans un caïman qui avait longuement prémédité son coup. Le traitement de la blessure ne relevait pas de la médecine des Blancs mais de la magie, disait-il. Mais où trouver un sorcier ? Il venait du bas Mungo et seuls les magiciens de la région de Tycho avaient les formules et les ingrédients nécessaires. Pour nous, pauvres agents de la République, nous ne connaissions que l'hôpital régional de Douala comme remède à ses maux. Nous l'embarquâmes le soir même, avec de grandes précautions, sur le train régulier qui descendait des monts Manengoubas. Je ne sais à quelles tribulations il fut encore soumis, mais il mourut de gangrène quelques jours plus tard. Je me serais quand même senti plus à l'aise si j'avais pu appeler un sorcier à son chevet. Cette croyance aux « hommes caïmans » était répandue dans les régions côtières et les mangroves de l'Ouest africain. Sans doute à cause des attaques fréquentes et mystérieuses des sauriens. Les pêcheurs jugeaient ce comportement trop élaboré pour n'être pas le fruit d'une malice humaine et diabolique. Dans les rivières de savane où les crocodiles se prélassent en plein jour sur les bancs de sable, ils n'étaient que des fauves dangereux parmi bien d'autres mais dans les eaux noires et les marécages amphibies du sud où ils se dissimulaient, ils semblaient être d'essence surnaturelle.

Des années plus tard, à quelques lieues de M'Banga, devait disparaître ainsi un jeune administrateur nommé Ferry. Il venait d'être affecté à Yabassi depuis quelques jours, et son chef de région l'avait emmené faire une tournée en pirogue sur la rivière N'Kam qui descend des montagnes Bamilekés. Au retour, alors que le canot filait à toute allure dans les rapides, un piroguier manqua d'une fraction de seconde le coup de perche qui lui aurait permis d'éviter un rocher caché par les eaux, et le frêle esquif chavira. Comme d'habitude, chacun se débattit dans les flots et repéra où allaient atterrir les fusils et les impedimenta attachés pour flotter à des scions de parasolier. Ferry, un peu écarté par le courant, atterrit sur un bloc émergé et appela ses compagnons ; ceux-ci lui répondirent mais, le temps de se retourner, le naufragé avait disparu. On le recher
cha fébrilement mais en vain, ce n'est qu'un jour plus tard que le fleuve rendit sur une plage quelques ossements du festin que s'étaient offert les hommes caïmans, « aux dépens de l'Administration », dirent les piroguiers.

Quand je retrouvais mon bureau à Douala, le lundi matin, j'avais la tête pleine de luxuriance végétale, de sortilèges africains, de problèmes de briques, de ciment et de main-d'œuvre pour l'entretien des routes.

J'avais acquis également quelques notions nouvelles de « pidgin english », langue de communication originale qui se pratiquait sur toute la côte ouest africaine et notamment dans le Sud-Cameroun.

Cet idiome inimitable était nécessaire pour s'entretenir avec le petit peuple des boys, des manœuvres, des artisans et des boutiquiers. Elaboré au XIXᵉ siècle au contact des marins et des trafiquants britanniques, il avait été adopté par les missionnaires de la mission protestante de Bâle, du pasteur Saker, pour diffuser le christianisme. La Bible des austères réformés avait fait l'objet d'une traduction désopilante où l'Ancien Testament commençait par « First day God was walking slowly behind the trees, second day he made birds, fishes and animals » : le premier jour Dieu se promenait lentement derrière les arbres, le second jour il fit les oiseaux, les poissons et les animaux. Noé était qualifié de « Big master for Helder Dempster » : grand patron de la Compagnie de navigation anglaise. Un piano devenait dans cette langue, « small class box music for white man you knock teeth for him, it sing songs » : une sorte de petite boîte à musique pour le Blanc, tu lui frappes les dents, il chante. Pour le violon c'était la même chose, mais il fallait préciser qu'on lui grattait le ventre — « You scrap bailey for him » — pour qu'il chante. Gonfler un pneu se disait « to put breath for foot for motor » : mettre de l'air dans le pied du moteur, des jumeaux se traduisaient par « two pikins, one time, one bailey » : deux petits, un seul coup, un seul ventre. Vous demandiez où travaillait votre interlocuteur, « Où ça you dé work ? ». Il vous répondait « I work for balaton » : je travaille au chemin de fer — « Bahn leitung » en allemand. Grâce à mes progrès hebdomadaires, le dialogue avec l'Afrique pouvait enfin commencer.

40

Tout cela ne me dispensait pas de m'occuper également de mes nouvelles fonctions d'informateur, tâche qui paraissait d'autant plus difficile que le gouvernement ne disposait d'aucun journal, bulletin ou revue. Les deux seules publications hebdomadaires du pays étaient privées, *Le Cameroun libre* de Charles Lalanne à Douala et *L'Union camerounaise* d'Henri Coulouma à Yaoundé, qui ne publiaient que des faits divers de la colonie. La radio était représentée par le poste émetteur et récepteur des PTT à Douala, qui ne servait qu'à la transmission des messages officiels et de certains télégrammes. Sur les postes privés à lampes triodes, on ne pouvait capter, à certaines heures, que la BBC et la Voix de l'Amérique. Enfin, il n'y avait qu'une seule imprimerie privée dans la capitale provisoire. Je n'avais ni papier ni crédit pour faire fonctionner mon service. A toutes mes doléances, le haut-commissaire hochait la tête et me répondait d'un air grave et sentencieux : « A la guerre comme à la guerre ! » Je m'occupais donc comme je pouvais et je regroupais clandestinement les archives allemandes que j'avais découvertes, quelques mois auparavant, dans la vieille pagode des Douala Bell et dans le grenier de la délégation. Le gouverneur Nicolas, informé de mes trouvailles, m'avait d'abord enjoint de les brûler, mais devant mes protestations, avait fait marche arrière et comme il était lui-même germanisant, il m'avait finalement offert la première édition de 1901 du livre de Hans Dominik, *Cameroun, six ans de guerre et de paix dans les tropiques allemands*, qu'il avait acheté à la foire de Leipzig.

La leçon des événements de Douala avait été méditée. Le bicéphalisme du territoire, la dispersion des services à plus de 450 kilomètres les uns des autres, les divergences entre les Nègres de Douala et ceux de Yaoundé, l'esprit de clocher des Blancs, exigeaient un regroupement rapide des structures et un renforcement de l'autorité. Le haut-commissaire décida donc de retransférer la capitale à **Yaoundé** et d'y reloger toutes les directions administratives. Il me chargea de suivre l'opération et m'adjoignit, à cet effet, un jeune camarade, Georges Valot, qui venait d'arriver de France.

Il n'était resté, durant toute la guerre, que quelques services dans l'ancienne capitale mais par l'effet du foisonnement administratif, ils avaient occupé peu à peu toute la place disponible. A les entendre, la moindre restitution provoquerait des troubles de portée incalculable et c'est mètre carré par mètre carré qu'il fallut reconquérir les bureaux nécessaires et les maisons d'habitation du personnel. Les capacités de construction des quelques entrepreneurs locaux et de la Division des travaux publics étaient si réduites qu'il ne fut pas possible de mettre en chantier plus de quatre ou cinq maisons nouvelles. Par manque d'architecte, on adopta des modèles empruntés à d'anciennes revues : des cases basques et anglo-normandes que l'on établit à mi-pente sur le rebord du plateau Atémengué.

Au retour d'un de mes premiers va-et-vient entre les deux capitales, mon adjoint mourut subitement. C'était un camarade de promotion très brillant, fils d'un officier supérieur, militant chrétien, bon fils, bon père et bon époux. Il avait une très jeune femme et un enfant de quelques mois qui l'avaient rejoint une huitaine de jours auparavant. Lui-même était arrivé trois semaines plus tôt, après avoir traîné dans un ancien camp de réfugiés à Marseille. On pensa qu'il avait contracté là-bas cette étrange maladie, qui l'avait terrassé en quelques heures en lui donnant une couleur violet noir impressionnante. La douleur de sa petite épouse fut déchirante, elle errait, hébétée, dans l'hôpital, avec son nourrisson dans les bras et l'appelait avec les mots de leur plus tendre intimité. Elle voulait partir au ciel sur-le-champ pour le retrouver et refusait toute consolation. On enterra Georges Valot dans le vieux cimetière allemand d'Akwa, dans la fournaise de l'après-midi, « Fern von seiner Heimat und Vaterland » — loin de son lieu de naissance et de sa patrie —, disaient les inscriptions des tombes autour de nous. Je ne me souviens pas d'avoir jamais entonné le « Dies irae » avec un tel sentiment de détresse.

Le transfert de la capitale était juste terminé quand les réformes institutionnelles se précipitèrent. La IVe République et l'Union française avaient à peine vu le jour que le Parlement choisissait le double collège et le suffrage restreint pour la représentation des indigènes des colonies. Le 21 octobre 1945, deux députés, un Blanc et un Noir, furent élus à l'Assemblée constituante française, le docteur Aujoulat pour le premier collège, et le prince Alexandre Douala Manga-Bell pour le second. Deux personnages originaux. L'Européen, né en Algérie, avait été pendant dix ans médecin d'une fondation religieuse, Ad Lucem, fondée à Efok en pays Eton, proche des Yaoundés, par le cardinal Liénart, archevêque de Lille. Il était petit et rond, portait lunettes et était affligé d'un strabisme provocant. Missionnaire laïc, humaniste et généreux, oscillant entre la gauche et la droite, il était un ardent partisan de l'émancipation des Africains dans un christianisme social et se déclarait ennemi juré du communisme. Devenu plus tard membre du gouvernement français, il devait faire adopter le Code du travail outre-mer et joua un rôle éminent dans la formation de nombreux hommes politiques camerounais modérés. Finalement, ses convictions idéologiques et les compromis politiciens qu'il ne cessait de conclure devaient le couper des Blancs et des Noirs. Il fut battu au deuxième collège, dix ans plus tard, en janvier 1956, dans la circonscription d'Efok où il avait été un médecin exemplaire parce que son concurrent Assale avait simplement dit aux électeurs : « Je n'ai rien contre le docteur Aujoulat, mais je ne comprends pas pourquoi il est allé dire aux Blancs, à l'Assemblée nationale à Paris, que les Etons étaient comme de grands singes, avec une longue queue. »

L'indignation avait été générale et les dénégations du pauvre docteur, pas plus que son dévouement passé, ne purent prévaloir. Libre aux historiens et aux politologues d'expliquer l'Histoire par le jeu des idées nobles et des passions profondes, la réalité est souvent plus prosaïque et plus inattendue.

Ce n'est pas le député noir du deuxième collège, le prince Douala Manga-Bell, qui se serait perdu dans les analyses cartésiennes, ni étonné de l'irrationnel. Il était l'incarnation de l'imprévisible et du fantasmagorique. Prince de quelques palétuviers, en bordure de la mangrove du Wouri, il était le petit-fils du King Bell, simple chef de quartier d'une petite bourgade de pêcheurs qui avait signé en 1885, avec ses deux homologues Akwa et Deido, un traité de protectorat avec le consul d'Allemagne, Gustav Nachtigall. Comme les Allemands l'avaient peu à peu chassé du plateau de Joss qu'il occupait à l'origine et lui avaient attribué un vaste espace dans la périphérie, le King Bell, chef de la communauté traditionnelle, s'appropria abusivement les nouvelles terres avec la complicité des agents du « Grund Buch * ». Voilà donc notre prince cueilli à treize ou quatorze ans par le colonisateur germanique et envoyé à Bichtetesfelde, près de Potsdam, à l'école des pages des hussards de la garde impériale. Il y apprit le latin et le grec, le claquement de talons et la courbette rigide devant les dames. Plus ou moins déserteur en 1919, il épousa, dans les faubourgs de Hambourg, une Cubaine dont il eut deux enfants et se retrouva finalement à Gif-sur-Yvette, dans la banlieue parisienne, où il entra en contact avec les nouveaux maîtres de son pays. Il créa, chemin faisant, une compagnie fantôme des cacaoyères du Mungo qui sombra promptement dans la déconfiture. Inquiet des fantaisies, pour ne pas dire davantage, d'un prince camerounais qui pouvait être utile pour le nouveau protectorat, le

* Service du cadastre allemand.

44

gouvernement français épongea les dettes les plus voyantes et renvoya le noble héritier sur ses terres. L'extension de Douala, sur les terrains de son grand-père, lui procura de sérieux revenus qu'il mangea fastueusement. Il sut ménager le pouvoir colonial tout en entretenant l'opinion noire d'une future indépendance. Il fraya finalement avec les colons et prit parti contre les progressistes, les syndicalistes et les communistes. Elu député, il défraya la chronique parisienne par ses frasques; admis dans la bonne société et au Jockey Club, il aimait à conduire lui-même ses amis blancs au volant de sa 4 CV qui arborait la cocarde tricolore de député et à emprunter les sens interdits. Les agents de la circulation le sifflaient et s'adressaient immanquablement au passager blanc, assis à côté de lui : « Dites donc, le parlementaire, vous feriez mieux de prendre le volant au lieu de faire conduire le Nègre ! » Douala Manga-Bell répliquait alors avec un sourire malicieux : « Erreur, Monsieur l'Agent, le parlementaire, c'est le Nègre ! » Il avait également la réputation de se faire couper des costumes chez les meilleurs tailleurs à la mode et de ne jamais les payer, « Privilège de prince », disait-il !

A Douala, il se promenait fréquemment dans la ville, vêtu en gentleman-rider, et s'était rendu célèbre pour être entré à cheval dans le café du Lido et avoir fait servir à sa monture un seau de champagne.

Sa popularité, qui lui valait des succès électoraux plébiscitaires, était le résultat d'artifices inattendus. Il menaçait, au cours de ses campagnes, ses contradicteurs du fouet ou de la chicote, il distribuait des pièces de monnaie frappées à son effigie, il répandait le bruit qu'il était présent dans tous les avions qui sillonnaient le ciel camerounais, qu'il passait à travers les murailles ou sautait par-dessus les maisons. J'ai vu, dans les montagnes Bamilékés, dans l'ouest du Cameroun, de vigoureuses paysannes qui sarclaient leur champ se relever en voyant passer un avion et s'écrier Manga-Bell ! Manga-Bell ! Délégué aux Nations unies, il étourdissait de citations grecques et latines les représentants du tiers-monde qui l'écoutaient avec stupéfaction. Enfin, je possède encore au fond d'un vieux portefeuille une reconnaissance de dette de 7 millions de francs CFA, datée et signée du prince fantasque pour que je puisse boire du champagne à sa santé jusqu'à la fin de mes jours. Ce personnage hors du commun, histrion de génie, ludion farfelu qui jouait tous les rôles avec le talent mimétique inégalable de l'homme africain, n'aura laissé, aux yeux des Européens, qu'une empreinte négligeable dans l'histoire de son pays. Il faut savoir pourtant, pour comprendre l'Afrique, qu'il incarnait bien des aspects fondamentaux de ce continent et qu'il jouissait de la confiance de son peuple. S'il avait, en effet, usurpé les biens de sa communauté, escroqué ses semblables, dilapidé son argent, trompé tout le monde, trahi son mandat de député, joui cyniquement de la vie, tué son propre fils dans une rixe d'ivrognes, il y eut plus de cent mille personnes qui se pressèrent à son enterrement en 1966.

Le gouverneur général Delavignette, haut-commissaire de la République, prenait sans relâche le pouls du territoire et multipliait les contacts avec les tendances politiques, syndicales, religieuses, des Blancs et des Noirs. Je l'accompagnais souvent dans ses tournées, ce qui me permettait de connaître l'Afrique, les régions naturelles du Cameroun, la forêt, les hauts plateaux et les savanes. Je rencontrais les chefs traditionnels, les notables, les peuples avec leurs fastes, leurs décors, leurs danses et leur musique ; je notais le comportement des administrateurs, leur art de parler et de commander, j'écoutais les chefs de région se référer à leur expérience, les associations de planteurs et de commerçants africains et européens exposer leurs doléances. Le haut-commissaire lui-même se laissait aller à des confidences ou à des réflexions sur sa philosophie de la colonisation. C'était un humaniste qui était convaincu d'œuvrer pour le progrès des peuples, pour leur liberté et leur indépendance, mais il était sans illusions sur les capacités évolutives rapides des individus et des sociétés. Il se méfiait des apparences et des slogans. Il puisait son grand amour de l'Afrique dans ses souvenirs de jeune administrateur chez les paysans noirs de Doba et de Banfora au Niger et en Haute-Volta. « Faisons tout le bien dont nous sommes capables aujourd'hui, disait-il, mais Dieu que le temps est court et les hommes lents à mouvoir ! » Il m'enseignait, chemin faisant, les recettes du métier. Après une journée de piste latéritique exténuante dans une camionnette surchargée et rougie de poussière, il s'arrêtait au dernier ruisseau, se lavait, se rasait, sortait de sa cantine métallique son uniforme blanc immaculé, vérifiait ses médailles et sa cravate de commandeur de l'ordre de Léopold, frottait ses chaussures, époussetait son casque et s'assurait de la bonne tenue de ses collaborateurs. Il débarquait quelques kilomètres plus loin devant les chefs et les populations rassemblées, net comme une image, majestueux, marchant l'amble, sacramentel comme un grand prêtre car l'autorité est une grâce qui ne s'accommode pas de négligé, de précipitation, de bonne franquette ou de familiarités démagogiques.

Le 10 novembre 1946, de nouvelles élections eurent lieu à l'Assemblée nationale française ; le Cameroun y eut trois représentants, Aujoulat, Douala Manga-Bell et Ninine, et devint territoire associé de l'Union française avec une assemblée locale de quarante membres. Les mouvements de jeunesse se politisaient. La naissance d'un Rassemblement démocratique africain (RDA), présidé par l'Ivoirien Houphouët Boigny, sympathisant du parti communiste, se répandit à travers le continent.

Dans ce tourbillon, le haut-commissariat était toujours dépourvu de moyens d'information. Aucun journal métropolitain ne parvenait encore au territoire, aucun poste de radio international n'était commodément audible. Seule la station de télécommunications de Douala assurait le trafic postal et véhiculait les messages officiels. La colonie européenne et les Noirs évolués se plaignaient de cette carence. Le haut-commissaire me convoqua et me dit : « Je croyais vous avoir chargé de faire un bulletin d'informations bi ou tri-hebdomadaire pour savoir au moins ce qui se passe d'essentiel dans le monde, qu'attendez-vous ? » Ce que j'attendais ? ah ! le brave homme. Je n'avais ni argent, ni papier, ni imprimerie, ni radio, ni collaborateur. Il hocha la tête d'un air grave, cet air « Bob » que nous connaissions à l'Ecole coloniale et me dit : « Eh bien, comme Lyautey au Maroc, faites un inventaire serré des moyens, et vous vous apercevrez qu'il y a toujours des phosphates, utilisez-les et débrouillez-vous ! »

Me débrouiller ! Je savais qu'un administrateur de la France d'outre-mer, dût-il s'identifier à Robinson Crusoé, était jugé sur ses capacités à remplir toutes les missions qu'on pouvait lui confier. Le moment était donc venu de faire mes preuves.

Je me dirigeai vers la modeste imprimerie gouvernementale du Journal officiel qui occupait un hangar près du palais. Le directeur, M. Brault, était un vieux prote parisien, à l'accent faubourien prononcé ; il avait pris son poste en 1921 et approchait de la retraite ; ses connaissances techniques avaient peu évolué depuis Gutenberg. Il s'était contenté de former, pendant vingt-cinq ans, la poignée de typographes noirs qui lui étaient nécessaires pour la composition du Journal officiel. Il écouta patiemment l'exposé de mes problèmes et conclut qu'il n'y avait rien à faire : « Je n'ai moi-même, me dit-il, que le minimum de presses plates et de matériel, je n'ai pas de caractères neufs, tout mon stock est ovalisé par des roulages trop fréquents, enfin je manque de papier. » Je lui demandai de me faire visiter ses installations et je lui posai toutes les questions imaginables concernant sa profession. Il était content de satisfaire ma curiosité : on ne s'était pas intéressé à lui depuis si longtemps. Il me parla des protes de sa jeunesse à Courbevoie, des caractères d'imprimerie, de leurs numéros, de leur gros et petit œil. Bref, nous nous quittâmes bons amis. Quand je le retrouvai le lendemain, il avait réfléchi à mon affaire, il avait retrouvé dans un débarras une vieille presse allemande cassée, mais on pourrait peut-être la réparer en reforgeant une ou deux pièces aux ateliers du chemin de fer. Il y avait également, dans le magasin des finances, un lot de papier américain inemployé à cause du format qui ne cadrait pas avec celui du Journal officiel. On pourrait voir s'il n'était pas moisi. De toute façon, il faudrait fabriquer à la menuiserie quelques meubles supplémentaires, un lot de casses parisiennes. Il avait assez de signes, d'interlignes, de composteurs, etc., dans ses bas de casse. Malheureusement, il ne voyait pas de solution pour les caractères, car lui-même en était dépourvu.

Le jour suivant, il se souvint qu'en 1921, il avait enterré, sous un rosier de la cour, du plomb allemand inutilisable. Nous fîmes des fouilles et nous le retrouvâmes. Il y avait beaucoup de caractères gothiques sans emploi, mais de l'Elzevir corps 10 à 14, type Albertus, qui pouvait être remis en casses. Pour le tout-venant, corps 8 à 10, aucune perspective d'acquisition ne se dessinait. Ce fut l'imprimeur privé, Henri Coulouma, tout aussi démuni que le gouvernement, qui me mit sur la voie. Il y avait à Ebolowa, à la mission protestante américaine d'Elat, une fondeuse monotype qui pouvait peut-être me fournir un Baskerville n° 8 gros œil. Je me rendis à la lointaine mission et après de longues discussions, le préposé à l'imprimerie se déclara prêt à me céder les caractères désirés contre un poids équivalent de plomb. Il me ferait cadeau, ajoutait-il, des 5 % d'antimoine de l'alliage. J'acceptai le marché bien que je ne possédasse pas encore le premier gramme de métal. Dans la semaine qui suivit, je découvris une mine inespérée sous la forme d'un cimetière de vieilles batteries d'accumulateurs, derrière le garage administratif. Je les fis fondre une à une dans un creuset de fortune et j'obtins 50 kilos de plomb de qualité acceptable. Grâce à la bonne volonté du « père » Brault et d'un chef d'atelier compatissant, je disposai bientôt du matériel de base indispensable à mes travaux d'impression.

Il ne me manquait plus que la matière première : l'information. On conviendra que pour le lancement d'un bulletin de nouvelles, j'aurais peut-être dû commencer par là. De toute façon, ma seule source d'approvisionnement était la fameuse radio de Douala. J'y connaissais un jeune opérateur, Guy Vinay, que cette aventure intéressait et qui me proposa de m'envoyer, chaque matin, un long condensé en style télégraphique des bulletins de la nuit, captés au casque sur les ondes françaises ou sur la BBC. J'obtins un modeste crédit pour le dédommager de ce surcroît de travail qui tenait du prodige et à une capacité d'écriture sténographique peu commune. Il m'envoyait également, par la poste, ses relevés manuscrits qu'une secrétaire restituait tant bien que mal en langage clair. Pourvu de ces matériaux, je rédigeais le bulletin de nouvelles que je transmettais à la composition. A cinq heures de l'après-midi, j'allais à l'imprimerie faire la mise en page sur le marbre et corriger les épreuves. Le tirage était effectué dans la nuit, sur la vieille presse allemande ressuscitée d'entre les épaves, et distribué aux premières heures de la matinée. Le bulletin paraissait tous les deux jours, sur une page imprimée recto-verso, dans un format insolite puisqu'il s'agissait du papier d'origine américaine et s'appelait *Radio Presse Information*. Il était tiré à deux cent cinquante exemplaires et était diffusé par porteur. Le titre était composé avec les caractères allemands exhumés de la basse-cour. Il y manquait malheureusement la lettre R en corps 20 que je dus dessiner et graver sur un coin en bois de goyavier, dont le grain rappelle celui du poirier. Quand je remis triomphalement la première épreuve au haut-commissaire, il ne fit aucun commentaire sur la forme ni le fond mais me conseilla de moins user du conditionnel et des tics de langage. Il n'y avait d'ailleurs que moi pour être conscient d'avoir réalisé une prouesse ; mes collègues, plus friands de discussions politiques que de besognes matérielles, me disaient, avec une nuance de commisération : « Alors ! ça vient ton canard ? Hier j'y ai relevé une belle coquille, tu avais écrit la Blennorussie au lieu de la Biélorussie et tu parlais du détroit de Corps Fou », un lapsus dû évidemment à ma secrétaire ou au prote africain. Je parvins à tenir le rythme de parution pendant quatorze mois, jusqu'au rappel du gouverneur général Delavignette, au printemps 1947.

Le conseiller d'Etat René Hoffher apparut alors dans le ciel camerounais. C'était un pur esprit qui ne parvenait pas à lacer correctement ses chaussures, ni à enfiler les manches de son imperméable. Il parlait d'une Afrique qu'il ne connaissait pas mais qu'il rêvait à la lueur de théories économiques d'un rose très libéral. Son directeur de cabinet, ancien contrôleur civil du Maroc, avait une intelligence subtile formée aux intrigues du Mechouar * et était résolument moderniste. Mes acrobaties techniques renouvelées lui semblaient grotesques face à la grande presse internationale, aux agences spécialisées qui s'organisaient, aux ondes courtes et aux premiers téléprinters. Il avait certainement raison sur ce point mais je ne pouvais m'empêcher de trouver étrange ce mépris spontané de l'intellectuel français pour l'« homo faber ». A l'image en somme de cet émir du Tagant, en Mauritanie, à qui un

* Lieu de réunion du conseil des ministres au Maroc.

administrateur présentait un énorme bulldozer qui déblayait une dune et qui demandait si c'était les Français qui construisaient ces machines. « Non ! celui-là, ce sont les Américains, fit le commandant. — Ah ! je vois, répondit l'émir avec un clin d'œil, vous aussi vous avez vos forgerons. »

Pendant que je battais le plomb et pourchassais les nouvelles, l'évolution des idées et des hommes s'accélérait tant en France qu'au Cameroun. J'en suivais les étapes au sein du cabinet puisque chaque nouveau gouverneur ou haut-commissaire qui apparaissait dans notre firmament me conservait dans son équipe comme une mémoire nécessaire ou un meuble commode.

Au printemps 1947, mon fils aîné naquit dans la charmante maison basque, toute neuve, que nous habitions, au flanc de la colline Atémengué, parmi les « sissongos * ». Notre case blanche à toit de tuiles émergeait d'une saignée rouge brique dans un océan de verdure.

La venue au monde de ce premier enfant fut laborieuse. L'hôpital de Yaoundé où ma femme devait accoucher était très peu équipé. Une seule femme docteur en pédiatrie y officiait. Elle venait également d'avoir un enfant et relevait à peine de ses couches. La délivrance de mon épouse étant difficile, elle dut avoir recours aux forceps, mais n'ayant pas assez de force pour les tirer avec la main, elle demanda trop d'effort à la vis du tracteur de l'appareil et le cassa. Terrassée par la fatigue, elle s'affaissa et s'évanouit. La matrone qui l'assistait s'affola et vint me chercher dans la pièce voisine en me demandant ce qu'il fallait faire. Je n'en savais rien. Ma femme était sous anesthésie et il n'y avait guère de temps pour réfléchir. « Je vous aide à tirer », lui dis-je. Elle attacha une bande de pansement aux branches du forceps, la lia solidement à mon poignet et je tirai de toutes mes forces. La tête

* Le chiendent africain.

du bébé apparut mais elle me parut si énorme que j'eus l'impression de la déchiqueter. La matrone n'en avait cure, « Tirez, tirez », disait-elle, cramponnée à mon bras, et effectivement, une masse rougeâtre s'extirpa d'un seul coup. « Ça y est », fit-elle, en s'affairant après le cordon. Sur quoi, la doctoresse reprit progressivement ses sens et ma femme se réveilla. Mon pauvre fils me parut très malmené, mais comme il respirait avec vigueur, on m'assura que tout allait bien.

En général, les accouchements se passaient bien, même au fond des brousses, mais si une complication survenait les matrones n'étaient pas toujours préparées pour y faire face. C'est ainsi qu'un de mes collaborateurs perdit successivement trois enfants, étranglés par le cordon.

Tandis que la nouvelle maman s'empressait auprès de son garçon qui la rendait si fière, le travail du cabinet accaparait tous mes instants.

Le nouveau haut-commissaire était, comme je l'ai dit, plus attiré par les problèmes économiques que par la politique. Il jugeait sévèrement le sous-équipement du Cameroun et se proposait, grâce aux crédits du FIDES, de remodeler et de moderniser le réseau routier et le chemin de fer. Les ponts de Japoma, sur le fleuve Sanaga, et de Bonaberi, qui s'étaient effondrés de vétusté au cours des années précédentes, venaient à peine d'être remis en service. Il projetait également de développer l'enseignement technique, d'attirer les grandes entreprises de travaux publics, de favoriser l'agriculture et rêvait de construire un grand barrage à Edea pour disposer d'une source d'énergie permanente et compétitive. Les tribulations politiques étaient suivies par le directeur de cabinet et les services spécialisés. A vrai dire, en ce premier semestre 1947, personne ne savait où l'on allait. Des vents capricieux soufflaient de Paris. Tantôt des risées de liberté qui semblaient vouloir balayer l'ordre colonial ancien, abolir les discriminations entre citoyens et sujets, remettre en question le régime du travail, l'autonomie financière, les liens de dépendance. Tantôt, c'était une bise de frilosité conservatrice et nostalgique provoquée sans doute par des tensions douloureuses à Madagascar, en Indochine ou en Algérie et qui relevaient probablement de la défense du lopin de terre cher à la France paysanne.

Voulait-on aller vers l'indépendance ou vers une assimilation renforcée ? Comment fallait-il interpréter ces nouvelles dispositions qui, sous couvert d'initiation politique, ouvraient aux nouveaux élus des territoires coloniaux à Paris les portes de l'Assemblée nationale de l'Union française et du Sénat ?

La seule formation politique métropolitaine qui avait un programme précis était le parti communiste. Conforté par son action habilement gérée dans la Résistance, étayé par le grand frère soviétique victorieux, devenu la nouvelle Mecque du bonheur planétaire, camouflé sous le vocable « français » qu'il venait de s'arroger, il développait une véritable stratégie de dénigrement et de sape intérieure de la colonisation française.

Ses agents, généralement infiltrés dans la fonction publique et les entreprises étatiques, étaient subversifs, démagogues, toujours prêts à envenimer la moindre éraflure, prêchant, la main sur le cœur, la révolution universelle à une humanité vulnérable et balbutiante, organisant des groupes de pression sous forme de comités, de cercles d'études et de syndicats. Dans la masse atone et conservatrice de la colonisation blanche, ces nouveaux apôtres auraient dû constituer un virus foudroyant s'ils n'avaient subi, comme tout le monde, les effets pernicieux de l'Afrique. Non seulement ils ne voyaient, comme tout Blanc, que ce qu'ils savaient mais, comme tout idéologue, que ce qu'ils croyaient. Ils étaient victimes des quiproquos permanents que leur enseignement candide et dogmatique faisait naître dans l'âme africaine.

Si, au cercle d'études de Yaoundé, quelqu'un se

permettait une évocation historique, le camarade professeur le rappelait à l'ordre : « l'histoire bourgeoise » n'avait pas sa place dans la réflexion marxiste. La lutte des classes, la révolution prolétarienne, le matérialisme dialectique n'étaient pourtant, pour les auditeurs noirs, qu'un autre catéchisme de Blancs. Eux, quand ils deviendraient riches, ils seraient des bourgeois, les plus gros possible, et si les petits n'étaient pas contents, ils seraient mangés, comme d'habitude, conformément à la loi de la nature ! Quant à la négation du pouvoir divin et des fétiches qu'enseignaient ces nouveaux prédicateurs, que Dieu leur pardonne leur ignorance car Lénine devait avoir plus d'une amulette dans son sac pour avoir fait un tel remue-ménage dans le monde. Enfin, les prêcheurs du Parti n'avaient ni le goût du sacrifice personnel ni l'élan des mystiques. Ils recevaient leur solde mensuelle du budget de l'Etat, ils ne perdaient aucun des avantages, primes, indemnités et congés que leur assurait la société qu'ils voulaient abattre. Cela, le moindre Africain s'en rendait compte car la malice humaine est assez équitablement partagée dans le vaste monde. Et puis la vie n'est qu'une course de nuages vaporeux arbitrée par le vent. Tout passe et recommence ; voyez Gaston Donnat, par exemple, l'instituteur exalté de Yaoundé. Il s'était agité pendant deux ans, le temps de devenir secrétaire général de l'Union des syndicats confédérés du Cameroun (USCC) puis s'était envolé sans espoir de retour à Paris en avril 1947. Il devait siéger à l'Assemblée de l'Union française au côté de son ami Raymond Barbé, président du groupe communiste. Position des plus confortables pour téléguider, sans transpirer, les révolutions tropicales.

Le monde blanc était donc profondément divisé, il y avait les tenants d'un paternalisme dépassé défendant leurs petits privilèges et invectivant les réformateurs, les libéraux bien-pensants qui s'efforçaient d'entonner avec la droite parisienne le chant de la patrie une et indivisible et les socialistes qui songeaient surtout à se démarquer des communistes. La masse des expatriés moyens et des fonctionnaires sans conviction militante était dévouée au gouvernement quel qu'il fût et remplissait ses tâches quotidiennes en harmonie avec les Camerounais. Elle attendait les évolutions futures et leurs malaises endémiques avec une bonne dose de résignation. Il y avait enfin les missions religieuses.

Installées depuis un bon siècle dans le pays, qu'elles soient catholiques ou protestantes, leur action éducative et religieuse et leur influence morale étaient considérables. Compagnes de route de la colonisation, elles contribuaient à l'encadrement physique et moral du pays, prêchant le respect du prochain et la soumission au pouvoir, tout en veillant au respect des droits de l'homme. Certains pères s'étaient élevés autrefois avec vigueur contre les recrutements forcés de main-d'œuvre, la réquisition des femmes et des enfants. Souvent, leurs catéchistes se faisaient les défenseurs des villageois contre les tracasseries de l'Administration ou du pouvoir coutumier. Constamment en tournée, les missionnaires entretenaient des rapports étroits avec la société rurale et grâce à leurs auxiliaires, à la durée de leur séjour et aux dialectes locaux qu'ils parlaient couramment, ils avaient une connaissance profonde des traditions et de la psychologie de leurs fidèles.

Le millier d'écoles et d'établissements d'enseignement que dirigeaient les Églises leur conférait un pouvoir considérable sur les cent mille élèves qu'elles formaient et, en règle générale, sur la jeunesse dont elles assuraient la promotion individuelle et l'émergence de l'anonymat communautaire. Il en allait de même des dispensaires et hôpitaux qu'elles avaient construits dans les lieux les plus déshérités et qui leur valaient l'attachement des populations de brousse.

Cette position de force convenait parfaitement

aux différentes confessions qui ne songeaient pas plus à remettre en question le système colonial qu'à cautionner une quelconque aventure ayant pour bannière l'indépendance ou la démocratie prolétarienne. Elles avaient conscience d'être un contre-pouvoir et une force de contestation suffisante. Contre toute logique, les hiérarchies se réfugièrent dans l'atermoiement et au lieu d'épauler, ne serait-ce que pour les modérer, les organisations ouvrières ou populaires, elles jugèrent en bloc que le syndicalisme était un concurrent dangereux et que ses chefs de file n'étaient que des suppôts du communisme athée.

Le mot de nébuleuse était donc celui qui convenait le mieux pour définir le monde blanc dans le ciel du Cameroun, et celui de trou noir pour l'univers parisien. D'un côté, une vie politique qui tentait de s'organiser à tâtons et de l'autre, une métropole lointaine qui se contentait d'absorber les représentants des colonies qu'on lui envoyait, en les escamotant dans ses palais nationaux sous des sigles surprenants.

En face de cette double énigme, se dressait, pour moi, l'écran opaque de l'Afrique. Malgré mes conversations avec le personnel de commandement, les techniciens, les missionnaires, les colons, les notables, je ne parvenais pas à en cerner les contours.

Je comprenais seulement qu'il y avait deux types de sociétés à distinguer : les Noirs et les Nègres. Je sais qu'il ne manquera pas d'esprits éclairés pour se gausser d'une telle classification, car trop d'hommes qui s'en défendent ont encore la tête encombrée de racisme primaire et de couleur de peau. Il ne s'agit pas ici de coloration, ni de pedigree mais de structure sociale. Les Noirs représentaient un groupement d'individus qui tendait à imiter le monde blanc et à s'y intégrer. Ils en adoptaient l'apparence, les signes extérieurs, la langue, l'éthique et le mode de vie. Les Noirs ressemblaient aux « Américains » du Libéria, aux affranchis de la côte d'Afrique, à la haute classe haïtienne. Les Nègres, par contre, restés à l'état pur, constituaient la masse de base originelle, qui cultive, pêche, chasse, craint ses dieux, danse, pâtit et meurt pour retrouver ses ancêtres qui veillent, par tradition, sur son destin.

Des Noirs, j'en connaissais de nombreux spécimens ; je les rencontrais tous les jours, fonctionnaires, interprètes, maîtres d'école, infirmiers, contremaîtres, conseillers territoriaux, députés, syndicalistes, petits entrepreneurs. Ils avaient été formés dans les écoles de la mission ou du gouvernement, certains avaient étudié à Dakar ou à Paris. Ils appartenaient sans exception à la première ou à la deuxième génération d'évolués et étaient déjà coupés de leurs racines. Elèves appliqués, ils avaient acquis de leurs maîtres une nouvelle discipline de l'esprit qui séparait graduellement les circuits de l'intelligence rationnelle des postulats de la foi ancestrale. Ils avaient appris à penser les choses en faisant confiance aux messages des sens plutôt qu'aux dogmes de la tribu. Ils avaient perdu de ce fait l'antique allégeance aux chefs traditionnels, qui ne leur semblaient plus dépositaires de la vérité et de la sagesse. Ils s'étaient tournés vers le colonisateur qui forçait secrètement leur admiration en même temps qu'il les humiliait, qui leur ouvrait des horizons nouveaux tout en bousculant leur âme profonde. Ils manifestaient à la fois une volonté d'être et une impossibilité à se définir. On les sentait en quête d'un espace d'identification pour y jouer le rôle de premier plan que le sens de l'Histoire leur promettait. A ce groupe appartenaient Paul Soppopriso à Douala, André Fouda, Charles Okala, Paul Monthe, Léopold Moumé Etia, Arouna N'Djoya, Charles Assale, André Marie M'Bida et plus tard, Félix Moumié, Ruben Oum Nyobé et Amadou Ahidjo. En somme, toutes les figures politiques du futur Cameroun. Cette génération de Noirs, vêtus le jour à la mode européenne et le soir en boubou, mangeant la bouillie et le manioc traditionnels préparés par leurs épouses venant du village devant des copies de buffet Henri II ou des créations locales de style « Louis Caisse », dans les petites cases en dur des périphéries urbaines, étaient en majorité issus du bas peuple. Ces origines modestes leur conféraient, quoi que l'on pense, une indépendance et une ductilité bien supérieure à celle des fils de chefs ou de notables.

Ceux-ci, bridés par la coutume et soumis à l'autorité d'une famille dépositaire d'un pouvoir ancestral, ne pouvaient se laisser aller au gré du vent et de l'aventure politique. Je me souviens d'un jeune conseiller de l'Union française, Daniel Kemadjou, fils du grand chef bamiléké de Bazou, qui avait dû revenir de Paris où il étudiait en Sorbonne pour succéder à son père défunt. La consécration de son nouveau pouvoir consistait, entre autres, à honorer en priorité les cent vingt-deux veuves du disparu. Epreuve redoutable et de longue haleine qui ne favorisait pas spécialement l'apprentissage de la politique à l'occidentale. Cet état de choses, joint au souci des chefs de préserver leur fils aîné de toute tentation d'évasion pour assurer leur succession, devait priver la société africaine d'une élite aristocratique, issue du terreau d'origine, dressée au commandement des hommes, avertie des traditions et moins vulnérable au chant des sirènes du monde blanc.

II

VICE-ROI SANS COURONNE

« *Empereurs sans sceptre* »
William B. Cohen

Si je m'étais fait quelques idées sur les Noirs, je ne connaissais, par contre, rien du peuple nègre, de ses structures mentales et sociales, de ses rites et de ses rêves. Je n'en savais que le peu que les Blancs enjoliveurs ou détracteurs colportaient à l'heure du conteur. Mon avenir était donc tout tracé : je serais, un jour prochain, administrateur de brousse.

Mon premier séjour colonial de trois ans étant sur le point de se terminer, j'avais sollicité un congé réglementaire de six mois. Je m'embarquai avec femme et enfant, au milieu de septembre, pour tenter de réparer, dans la fraîcheur de l'automne et de l'hiver périgourdin, l'anémie tropicale de nos globules. Le salaire d'un administrateur adjoint était si faible, 7 000 francs anciens par mois, toutes indemnités comprises, que je n'avais pas beaucoup épargné. Avec ma femme qui avait été contrainte de travailler pour joindre les deux bouts, nous ne disposions, au terme de trois ans, que de 40 000 francs d'économies. A l'époque, une automobile Juvaquatre Renault valait 120 000 francs, nous étions loin du compte. Nous achetâmes deux bicy-

61

clettes et consacrâmes le reliquat aux réparations de la vieille chaumière de ma tante, qui menaçait ruine. Une fois de plus, une amie de longue date, madame Lalande, vint à mon secours en me prêtant le château du Bos. Cette grande bâtisse, conçue pour les vacances, n'avait pas de chauffage, si ce n'est une cheminée géante pourvue d'un énorme déflecteur en fonte qui masquait aux trois quarts l'ouverture du foyer. Un couple de chats huants habitait le lierre qui surmontait la porte d'entrée et une colonie de rats des champs nous tenait compagnie, le soir, devant les flammes. Ils se chauffaient derrière le déflecteur et laissaient pendre leurs queues, qui défilaient devant nos yeux, comme si une procession cachée de fantoches n'avait laissé apparaître que les bouts de ses ficelles. Ma femme et mon fils s'accoutumèrent peu à peu aux hululements lugubres de nos colocataires et au ballet nocturne des rats champêtres.

Après cinq mois d'oxygénation et de tronçonnage de bois, nous décidâmes de repartir pour le Cameroun et de prendre le « Foucault », un cargo mixte antédiluvien, qui profitait du dernier souffle de ses chaudières pour rechercher, j'imagine, le long des côtes d'Afrique, un paisible cimetière de navires où terminer dignement sa carrière. Vu la grande misère de la France, en ces temps de reconstruction nationale, je voyageai une fois de plus au fond de la cale et ma petite famille dans un phalanstère de femmes, établi dans une cabine de luxe depuis longtemps déclassée et sans confort.

Quand nous débarquâmes à Douala, un pli urgent nous attendait pour m'intimer l'ordre de rejoindre dans les meilleurs délais M'Balmayo, où j'étais affecté comme chef de subdivision.

Une camionnette du gouvernement nous prit à son bord pour nous conduire à Yaoundé où je devais recevoir, du chef de région, les dernières instructions qu'imposaient les circonstances : mon prédécesseur, l'administrateur Jean Boyer, venait d'être assassiné dans sa résidence.

Un grand émoi régnait dans la population blanche. La propagande de l'UPC noyautait, disait-on, les cantons sud du Nyong, des villageois s'étaient révoltés et avaient dérobé le matériel d'une équipe de prospection forestière. Le responsable de ce groupe ayant été menacé, quarante gardes camerounais avaient investi les lieux et arrêté une centaine de villageois qui étaient sous haute surveillance à la prison de M'Balmayo. Ma mission était simple : ramener le calme !

Les 50 kilomètres séparant Yaoundé des rives du Nyong furent parcourus en une heure de cahots et de patinages, sur une route de terre défoncée par les pluies. A l'époque, M'Balmayo était une grosse bourgade, au terminus d'une des deux branches du chemin de fer du Centre. Située au cœur d'une riche région forestière, elle drainait également la production des plantations d'Ebolowa et de Sangmelima. Le bois en grumes, les sacs de cacao, de café, de palmiste et les fûts d'huile de palme s'entassaient sur les quais de la gare ou dans les entrepôts des maisons de commerce. La population européenne ne dépassait pas trois cents personnes, commerçants et forestiers pour la plupart, et les Africains étaient cinquante mille pour l'ensemble de la circonscription. La majorité d'entre eux appartenaient à la tribu des Betis, mais il y avait quelques fractions de Boulous et de Bakokos à la périphérie. Le fleuve Nyong, noir et profond comme l'Erèbe, traversait la subdivision d'est en ouest sur sa plus grande largeur. Les villages s'égrenaient le long des pistes sinueuses qui serpentaient dans la forêt. De-ci de-là, des clairières, débroussées régulièrement au feu, portaient les cultures vivrières, les peuplements de palmiers à huile, les plantations de caféiers et de cacaoyers que cultivait la population. Enfin, la selve résonnait tous les matins du grondement des centaines d'arbres que les exploitants forestiers abattaient sous leurs haches. Le poste était bâti sur une série d'épaulements qui descendaient vers la rivière.

Au centre, se trouvaient les hangars du commerce, les logements en dur des factoreries, les résidences modestes et les bureaux des fonctionnaires. Les Africains se concentraient dans les quartiers alentour, Obek, Oyak et New-Bell, construits selon les méthodes traditionnelles, en adobe, toit en nattes de palmier tressées et larges vérandas frontales soutenues par des piquets de bois imputrescibles.

Notre arrivée, devant le portail de la résidence, ne fut pas triomphale, deux gendarmes camerounais montaient la garde et les volets de la maison étaient clos. Un long personnage en short, avec de hautes chaussettes blanches, survint en trombe et se présenta comme étant le préposé à l'agriculture, chargé de nous accueillir. Il n'avait pas été prévenu de notre arrivée et c'était une chance que son intuition infaillible l'eût amené à passer par là au bon moment. Il nous dit que l'épouse de l'administrateur assassiné n'était partie que l'avant-veille avec son enfant et qu'elle lui avait laissé la clé. Toujours grâce à son intuition, il l'avait dans sa poche et nous ouvrit la porte d'entrée. « Ah ! remarqua-t-il, après avoir soulevé les persiennes, ils ont quand même lavé le ciment, c'était plein de sang un peu partout. Tenez, voilà le premier tir de chevrotine qui manqua ce pauvre Boyer. » Il y avait effectivement, dans le dossier d'acajou du canapé, un large groupement de grains de plomb qui avaient déchiqueté le bois. « Il était assis là, commenta-t-il, et jouait avec sa petite fille qu'il faisait sauter sur ses genoux, le coup leur est passé à quelques centimètres du visage. Il s'est levé d'un bond en jetant l'enfant derrière un fauteuil et s'est précipité sur l'assassin pour le désarmer. Mais c'était trop tard, l'autre lui a tiré à bout portant dans le ventre et l'a abattu. » Ma femme dissimulait mal son émotion et serrait contre elle notre petit garçon qui commençait à pleurer. Heureusement, l'épouse du narrateur fit son apparition, c'était une charmante personne au visage fragile qui avait eu le temps de s'aguerrir et qui s'employa à banaliser l'événement et à parler de provisions dans le Frigidaire, de cuisinier et de boy à tout faire. Elle entraîna ma femme vers la chambre à coucher et les communs et je restai seul à écouter la version des faits distillée par mon agriculteur détective.

Le chef de région m'avait déjà révélé les grandes lignes du drame, mais rien ne valait les appréciations d'un témoin du cru. L'assassin, un nommé Essono, était un agent des Postes originaire des environs. En service à M'Balmayo depuis de nombreuses années, il était connu pour sa serviabilité, son honnêteté et sa conscience professionnelle. Chrétien pratiquant et bon père de famille, il paraissait le dernier à pouvoir commettre un crime. Alors, que s'était-il passé ? Le directeur de la Poste était un Blanc, célibataire et fantasque, qui voulait lui prendre une de ses filles pour en faire momentanément sa maîtresse. Essono ne voulait pas de cette prostitution déguisée et lui disait : « Si tu veux ma fille, épouse-la, puisque tu n'es pas marié, elle est bonne chrétienne et a été éduquée à la mission », mais le prétendant se moquait bien de la chrétienté et de la morale ; c'est une fille qu'il voulait pour meubler ses siestes, aussi persécutait-il le père pour le faire céder. Un jour qu'il l'avait convoqué une fois de plus pour le faire fléchir, Essono perdit patience et prenant un poids de fonte qui traînait près d'une balance, il le jeta avec violence sur le bureau de son supérieur. Un manque de respect aussi caractérisé à l'égard d'un préposé des Postes de la République française en service dans un pays sous tutelle des Nations unies, méritait un châtiment exemplaire. L'offensé fit appeler le chef de subdivision qui commit la faute de se rendre aussitôt sur place et sermonna sévèrement le coupable en public, sans l'avoir préalablement entendu. Essono quitta les lieux sans dire mot, alla chercher un fusil au village, et à la tombée du jour, se rendit à la résidence, demanda à voir le commandant et l'abattit de sang froid. Il se rendit ensuite à la mission catholique, remit son arme au père supérieur, demanda à se confesser et à communier et dit simplement : « Les Blancs vont me tuer parce que j'ai assassiné le commandant mais j'ai lavé mon honneur ! » Ainsi fut remis à la justice ce criminel chargé de symbole qui fut jugé quelques années plus tard, mais ce n'était pas mon affaire. J'entrepris d'apaiser les Européens qui fantasmaient sur des projets d'auto-défense, non pas contre la libido abusive de l'un d'entre eux, mais pour assurer leur sécurité contre les communistes, disaient-ils.

Mon deuxième problème était celui de la centaine de villageois accusés de rébellion ouverte contre les agents forestiers et qui étaient toujours incarcérés dans la prison du poste. J'allai les voir et risquai quelques mots avec leur chef. Ils avaient des visages hostiles et ne répondaient pas à mes questions. Je renouvelai mes visites tous les matins jusqu'au moment où le chef de village me parut s'habituer à mon manège. « Tu vas venir avec moi, lui dis-je, nous allons nous rendre à Bilon. Il est temps que tu me remettes les chaînes d'arpenteur et les appareils que tu as cachés et que nous fassions la paix. Je te rendrai tous tes hommes. C'est le temps des récoltes, ils sont nécessaires aux champs et dans leur famille. » Nous partîmes le jour suivant, à pied, avec un porteur et un interprète, et nous fîmes escale à Akœman chez le chef supérieur Jean Awoumou, un homme âgé, plein de modération et de sagesse, que je voulais entretenir de mon projet. Nous couchâmes dans une case de passage, ouverte à tout vent, et palabrâmes à la lueur du feu jusqu'à une heure avancée de la nuit. En arrivant en fin de matinée à Bilon, les tam-tams avaient déjà parlé et un groupe d'anciens et de femmes, renfrognés, nous atten-daient sur la place centrale. Le chef fut accueilli avec quelques youyous et happé par ses gens. Je m'installai, solitaire, dans la case des palabres, parmi les poulets et les cabris. Quand les premiers enfants apparurent, je sus que l'hostilité avait désarmé. Peu de temps après, le chef revint avec quelques adolescents qui portaient deux caisses d'instruments de topographie, des chaînes d'arpenteur et deux mires. Je dis simplement : « Je vous confie tout cela, en attendant que je revienne avec les hommes. » Les femmes nous apportèrent du riz, de la viande de chasse et du vin de palme, les notables s'assirent en rond autour de la cuvette en émail qui contenait le repas et je demandai, en plongeant mes doigts dans la sauce : « Alors chef, raconte-moi cette histoire. » Ce fut très long, très embrouillé, coupé de ahans d'approbation de l'assistance, mais pour l'essentiel, je compris ceci : la direction des Eaux et Forêts, inquiète du recul de la selve primaire devant les feux de brousse et la savane, avait décidé d'établir une ceinture de défense, et de protéger les zones encore intactes par des règlements concernant l'exploitation des sols et les brûlis. Pour relever les secteurs critiques, elle avait envoyé des équipes topographiques dirigées par un prospecteur blanc et composées de jeunes géomètres africains, sortis des écoles de Yaoundé et de Douala. L'Européen ne parlait pas la langue, n'avait rien à dire aux villageois et ne s'intéressait qu'à ses cheminements tachéométriques. Les jeunes collaborateurs noirs n'avaient pas tardé à voir le parti qu'ils pouvaient tirer de la situation. Aux paysans qui s'inquiétaient de ce remue-ménage, ils disaient que les Blancs allaient s'approprier la forêt, interdire de couper les arbres, empêcher les cultures et même chasser les habitants. Sous prétexte de plaider leur cause auprès de leurs patrons, ils réclamaient cadeaux, argent, nourriture, femmes. Le Blanc, qui ignorait tout, restait impavide et les Nègres étaient indignés d'un tel mépris ; un jour, n'y tenant plus, ils se révoltèrent pour défendre leurs biens qu'ils croyaient menacés. Ils saccagèrent la case des géomètres et s'emparèrent de leur matériel. Le Blanc eut d'autant plus peur que ses collaborateurs lui rapportaient qu'on allait l'assassiner, que l'UPC avait donné l'ordre de chasser les Européens. Il fit des rapports si alarmants que le gouvernement décida d'organiser une expédition punitive exemplaire. Une cinquantaine de gardes s'abattirent donc sur le pays et, sans donner d'explication, arrêtèrent et rudoyèrent la population.

Aussi surprenant que cela puisse paraître, personne ne s'était avisé, entre-temps, qu'il eût été plus sage de mener une enquête approfondie et d'informer les paysans. Les cloisonnements entre services et les blocages de l'autorité étaient souvent à l'origine de ce genre de quiproquos. J'entrepris donc de faire la lumière et de rassurer mes interlocuteurs. Quand j'eus rapatrié les prisonniers de M'Balmayo et rendu au chef le fusil qu'on lui avait confisqué, la paix se rétablit d'elle-même et je n'eus jamais d'administrés plus loyaux que les habitants de Bilon.

Il me restait encore à vérifier les allusions répétées sur le rôle de l'UPC et à mesurer le degré de crainte qu'elle inspirait. J'avais suivi, au cours de mon premier séjour, quand j'étais à l'information, l'éclosion du Rassemblement camerounais (RACAM) et son noyautage progressif par les syndicalistes de gauche et les anciens du cercle d'études marxistes, mais j'ignorais l'évolution récente du mouvement. Je me rendis donc à Yaoundé pour interroger le directeur de cabinet Henri Mazoyer, dont les analyses subtiles me séduisaient. Il me dit que la nouvelle formation, bénéficiant à Paris du parrainage des élus communistes à l'Assemblée de l'Union française, Donnat et Barbe, s'était dotée d'une charte, d'un programme indépendantiste et nationaliste et de structures inspirées du Parti communiste français. A l'instigation, ajouta-t-il, de D'Arboussier, devenu le mentor du Rassemblement démocratique africain (RDA), le RACAM s'était transformé en UPC (Union des populations du Cameroun), filiale camerounaise du RDA. Malgré des précautions oratoires et un programme expurgé pour échapper dans un premier temps aux foudres coloniales, le nouveau mouvement était si manifestement révolutionnaire qu'il avait provoqué l'ostracisme du haut-commissariat.

Désormais les noms de ses meneurs, Ruben Oum Nyobé, Félix Moumié, Ernest Ouandié étaient devenus la migraine du pouvoir.

A vrai dire, malgré ces éclaircissements, je ne savais à peu près rien des activités réelles du mouvement ni de ses méthodes de propagande. Le haut-commissariat n'envoyait ni circulaire, ni notes de réflexion, surtout au bas de l'échelle. La tradition de l'Administration, issue des structures militaires de la conquête, voulait que le général sache tout, que les officiers supérieurs participent, à la rigueur, à l'élaboration de la doctrine et que les subalternes se bornent à exécuter les ordres. S'il n'y avait pas d'instructions, les caporaux n'avaient qu'à se débrouiller, c'était leur devoir. L'information politique devait toujours monter, jamais redescendre. J'étais donc contraint d'observer l'UPC de l'extérieur avec mes faibles moyens. Mes premiers renseignements faisaient état d'apparition de noyaux de propagande parmi la jeunesse des villages du sud et de l'est. J'entrepris de vérifier ces rumeurs auprès des missions chrétiennes, catholiques et protestantes. A Obout, le supérieur, le père Mader, était le prototype du vieux missionnaire broussard, bourru, autocrate, réactionnaire et rugueux avec l'Administration. Non ! il ne connaissait pas de cellules d'endoctrinement, ses fidèles le lui auraient dit, de plus les sans-dieu étaient plutôt du côté des Français que chez les Nègres. Il me parla de son établissement de jeunes filles, le « sixa », qu'un de mes prédécesseurs avait tenté de fermer. Enfin, il me conseilla de m'occuper des routes qui étaient détestables et de laisser en paix ses fidèles.

A N'Gomedzap, le père Müller, un Alsacien de langue allemande, était arrivé au Cameroun en 1921. En un quart de siècle, il avait construit de ses mains l'ensemble imposant de la mission, bâtiments conventuels, cathédrale, cuisines, ateliers. L'église était son chef-d'œuvre. Il en avait peint les colonnes et les parois de ciment en marbré griotte et en vert antique. Tous les tableaux et le chemin de croix étaient de sa main. A la Noël, il construisait une immense crèche à l'image des peintres primitifs flamands avec des remparts, des mâchicoulis et des poternes. Les soldats étaient revêtus d'armures en papier d'étain, le peuple de Jérusalem costumé sur le modèle des kermesses de Breughel l'ancien. L'enfant Jésus était noir. A plus de soixante-dix ans, le vieil homme ne peignait plus que des paysages d'Alsace avec la flèche de la cathédrale Notre-Dame, le mont Sainte-Odile, les maisons de la Petite France, un monde de fermettes à colombages avec des cigognes sur les cheminées comme dans les dessins de Hansi. Les rues étaient peuplées de Nègres à genoux, habillés en premiers communiants avec des brassards blancs. Dans un fourré ou sous les arbres paissaient des antilopes, des situtungas à rayures et des céphalophes rouges de forêt. Il n'était revenu que deux fois dans son pays natal, au cours de ses trois décennies d'apostolat. En me présentant sa dernière œuvre, il se mit à pleurer silencieusement ; deux ruisselets d'argent coulant sur sa barbe grise, il me dit : « Que voulez-vous, c'est ma façon à moi d'associer dans mon cœur ce que j'ai le plus aimé en ce monde, mes chrétiens noirs et mon petit village au bord de l'Ill. » J'appris qu'il souffrait d'urémie et je lui envoyai un médecin de Yaoundé, mais il ne suivait pas les prescriptions et travaillait inlassablement à ses bâtiments, et à sa tombe qu'il avait creusée au cœur de la mission. Quand il mourut à la petite saison des pluies, ses funérailles furent grandioses. Des dizaines de milliers de fidèles descendirent des montagnes, des forêts et des clairières depuis Lolodorf jusqu'à N'Kolbewa. Hommes, femmes et enfants se pressèrent en pleurant et en se lamentant au bord de sa fosse. Le vicaire apostolique, monseigneur Graffin, m'avait demandé quelques gardes et un peloton de jeunes gens pour empêcher les femmes de se donner la mort sur sa tombe comme le voulait une ancienne coutume. Il avait vu naître, grandir, souffrir tous ses paroissiens, il les avait baptisés, mariés, soignés, sans jamais les abandonner ou les repousser, sans autre pouvoir que sa foi et ses mains nues. Là, je savais que l'UPC manquerait toujours d'apôtres à cette échelle.

Le troisième missionnaire, que je fréquentais tous les jours puisqu'il habitait M'Balmayo, était le révérend père Moll. Cet autre enfant d'Alsace, jeune et vigoureux, était pétri d'intelligence et de bonté. Sa largeur d'esprit, sa tolérance, ses capacités de travail, sa curiosité étaient remarquables. Toujours par monts et par vaux, il était informé de tout, de la coutume, des comportements, des petites et des grandes histoires. Il connaissait parfaitement les frémissements de l'opinion, les états d'âme de la jeunesse et les enracinements des anciens. Il savait où s'étaient présentés les militants de l'UPC, qui ils étaient, quelles étaient leur audience et leur faiblesse. Il n'y avait rien de sérieux encore, mais il était temps de prendre de court le mouvement sur le terrain, c'est-à-dire d'organiser et d'occuper la jeunesse en se fondant sur les valeurs ancestrales, les classes d'âge, l'apprentissage collectif, les rites d'initiation, en d'autres termes, chercher à enraciner l'homme dans son terreau plutôt qu'à le dépoter selon les recettes de Karl Marx. Ce difficile projet fut mené à bien en quelques mois, grâce à un collaborateur exceptionnel, l'administrateur adjoint Louis Capelle, que l'on venait d'affecter à la subdivision. Originaire du Causse de Gramat, il avait l'éloquence persuasive, la force de conviction et la subtilité des paysans du Lot. De plus, il était féru de scoutisme et d'animation populaire. Nous choisîmes trois gros centres représentatifs des trois principales ethnies et nous nous installâmes successivement dans chacun d'eux, pour quinze jours, avec un programme fourni, comportant la révision des registres de recensement et de l'impôt, la visite des cultures et des travaux collectifs, le tribunal du premier degré, l'école, le dispensaire, les routes. Le soir, Louis Capelle rassemblait la jeunesse et lui faisait construire de grands feux autour desquels il organisait des jeux. Quand il avait repéré les meilleurs éléments, il leur proposait de créer une société des amis de l'administrateur, avec une organisation libre et des objectifs à la demande. Le résultat était surprenant et surtout inimitable parce qu'intégralement du cru. Les hiérarchies rigoureuses propres aux sociétés traditionnelles y étaient strictement respectées mais avec des titres cocasses : gouverneur, adjudant, agent spécial, cuisinier, premier danseur, trésorier général, nomenclature à la fois comique et sérieuse qui provoquait l'adhésion et le rire du village. Les derniers jours de la tournée étaient consacrés à un grand rassemblement et à l'établissement d'un programme de travail. La société était invitée par le commandant à passer un mois au chef-lieu de la subdivision.

C'est là qu'il avait fallu innover ; tout d'abord, construire des hangars et des cases de paille pour abriter les invités, monter un circuit de ravitaillement, car il faut manger abondamment en priorité, aménager les commodités et les abords, se procurer des couvertures, enfin établir un calendrier attractif des activités. L'objectif était de maintenir la cohésion des classes d'âge et d'apprendre aux jeunes gens des tours de main utiles en milieu rural : façonner et cuire des briques et des tuiles, équarrir un tronc d'arbre à l'herminette ou le scier de long, confectionner un tenon et une mortaise, faire un entrait, raboter une planche, connaître le fonctionnement d'un moteur, apprendre à se servir d'outils simples, un marteau, un ciseau à bois, une pince, etc. Pendant leur séjour, les jeunes gens ne percevaient aucun salaire mais à leur départ, ils emmenaient leur couverture, recevaient un coupon de cotonnade, de la pacotille pour leurs petites amies et quelques outils à usages multiples.

Les maisons de commerce me cédaient, à bon compte, leurs fins de stock et des pièces défraîchies ou abîmées pendant la traite, des émaillés, des verreries, des caissettes, des couteaux, des pipes en terre et des parfums d'Orient. Le tout était de ne pas rentrer au village les mains vides pour couper court aux sarcasmes des détracteurs, upécistes par exemple, qui avaient de beaux discours abscons, mais pas la moindre cotonnade. Un proverbe courant comme « celui qui te donne un conseil te met du vent dans la main, celui qui te donne un grain de blé te met du pain dans l'estomac » avait finalement plus de portée que l'incantation à la révolution prolétarienne. Pour l'approvisionnement en nourriture, Louis Capelle avait organisé des circuits de troc à date fixe, en liaison avec les sociétés de femmes. En pays éwondo, ces sociétés sont puissantes et redoutables, les femmes sont sérieuses, pratiques, tiennent parole et ne se payent pas de mots. Elles avaient besoin de sel, de savon, d'huile, de fil, de mercerie, de pétrole, de cuvettes en émail. Je leur apportais ce qu'elles désiraient, à dates et lieux précis, elles me donnaient leurs produits en échange et me faisaient plus que bon compte. Mes pensionnaires de M'Balmayo étaient copieusement nourris et les commerçants français se piquaient au jeu parce que c'était nouveau et inattendu dans l'Administration. Désormais, ces jeunes gens nettoyant les rues en chantant, moulant des monceaux de briques, tournant même des poteries utilitaires que je troquais avec les ménagères, construisant les bâtiments publics, créaient une animation communicative qui contrastait avec la torpeur habituelle des bourgades forestières.

La relève de la première équipe fut immédiate, et bientôt tous les villages me demandèrent de participer au mouvement. Je ne pouvais malheureusement pas les satisfaire car il m'aurait fallu organiser un véritable service rural, ce qui dépassait mes moyens.

Le chef de la région, l'administrateur en chef Joseph Clerc, qui venait de Madagascar et n'avait pas les réflexes d'autorité stéréotypée des commandants d'Afrique, considérait mon entreprise avec bienveillance et me laissait la bride sur le cou. Je ne saurais dire combien cette expérience me procura de plaisir. Chaque fois que j'allais en tournée dans un village, j'étais accueilli, non seulement par les notables, mais par la société des jeunes qui me rappelaient leur séjour à M'Balmayo ; je les interpellais par leurs grades fantaisistes, ce qui avait pour conséquence de mettre tout le monde de bonne humeur. Je leur commandais des bois de charpente, des briques, des tuiles pour les constructions locales, je leur payais les matériaux au prix du marché, je visitais les fours qu'ils avaient construits, la case des palabres qu'ils avaient restaurée. Le révérend père Moll, qui bâtissait la cathédrale de M'Balmayo et avec qui j'échangeais des camions de briques en fonction du rythme de marche de nos fours respectifs et de nos besoins, profitait bien de la situation pour améliorer ses taux de conversion, mais là, je payais en fermant les yeux mes vieilles dettes d'enfant de chœur. De toute façon, nous étions quittes car il devait en partie à mes briques de qualité exceptionnelle d'avoir pu élever le clocher de son église à 34 mètres de hauteur. Mettant à profit mon expérience briquetière de la tuilerie Peyrat, dans mon village de la Roque-Gageac, en Périgord, j'avais modifié la technique primitive du malaxage de la terre et de la cuisson. J'avais développé les mélanges d'argile sèche et d'argile grasse, en ouvrant des carrières dans les zones à mica et à feldspath, et en ajoutant de la terre humifère de marigot pour empêcher les fentes de retrait au séchage. Par contre, c'est le père Moll qui m'avait donné la recette du « sonnant » : brûler du bois à haut pouvoir calorifique pendant les six dernières heures de la cuisson, ce qui permet de vitrifier légèrement les tuiles et d'augmenter leur étanchéité.

Les activités d'un chef de subdivision dépendaient essentiellement de son imagination créatrice, de son dynamisme, de sa curiosité et de sa documentation. C'est ainsi que je découvris, dans une vieille saisie de biens allemands qui moisissait au fond d'un garage, les deux volumes de *Die Pangwe*, la célèbre monographie du docteur Günther Tessmann, directeur de l'expédition de Lübeck en 1907-1909, publiée en 1913 chez l'éditeur Ernst Wasmuth à Berlin. Tout ce qui concernait ma région était dans cet ouvrage : le pays et les gens, les croyances et les coutumes, la chasse, l'agriculture et les arts, la décoration et la musique, la faune et la flore. J'en entrepris aussitôt la traduction durant de longues nuits de brousse sans sommeil, à la lumière de ma lampe tempête. Il faut savoir, en effet, que dans chaque village important du pays, l'administrateur disposait d'une case de passage où il établissait son campement, lors de ses tournées. Ces visites étant nécessairement très espacées, les villageois avaient pris l'habitude d'utiliser cette construction pour abriter leurs moutons. Quand le commandant était annoncé par la voix des tam-tams, les femmes chassaient le bétail, raclaient soigneusement le fumier, répandaient du sable frais sur le sol, repeignaient les parois avec du kaolin blanc et installaient une calebasse d'eau fraîche sur un billot de bois. Les cafards qui mangeaient habituellement le crottin se réfugiaient dans les nattes de palmier du toit. Le boy de l'administrateur n'avait plus qu'à apparaître pour déposer la cantine de son maître, déplier le lit de camp et fixer la moustiquaire sur quatre sagaies fichées en terre.

Quand le couperet du crépuscule tropical s'abattait sur la brousse, le village se refermait sur lui-même, les voix se taisaient, les hommes rabattaient portes et fenêtres pour se protéger des esprits de la nuit et l'administrateur se retirait dans sa bergerie empuantie de suint. Il allumait sa lampe, suspendait par leurs lacets ses souliers au plafond pour éviter les chiques. Ces acariens s'introduisent la nuit au

fond des chaussures, pour pouvoir pondre le lendemain à la racine des ongles des orteils du propriétaire. Il se glissait sous la moustiquaire pour échapper à la pluie de cafards qui tombaient du plafond et
prenait son livre et son crayon. Au-dehors, la vie
nocturne s'éveillait, hululements d'oiseaux mystérieux, crissements d'insectes, appels des paresseux
Aye-Aye qui disent : « je descends ! je descends ! »
quand ils montent et « je monte, je monte » quand
ils descendent pour mieux tromper la panthère et,
surtout, bêlement des moutons qui, ne comprenant
pas pourquoi on les avait chassés de leur bergerie,
voulaient entrer et grattaient à la porte.

Il n'y avait rien d'étonnant à faire avancer la
traduction dans un tel accompagnement.

Au petit matin, le village s'éveillait dès les gri-
sailles de l'aube, les brumes s'accrochaient aux
branches ruisselantes de la forêt, la fumée bleue des
premiers feux s'exhalait paresseusement du toit des
cases alourdi d'humidité. Les villageois apparaissaient sur le pas des portes, frileusement entortillés
dans leurs couvertures, les bras croisés sur la poitrine et toussant à fendre l'âme. Une nouvelle
journée de travail commençait et je me préparais à
vérifier autour de moi ce que j'avais appris durant la
nuit.

Quand j'avais examiné la propreté extérieure des
maisons, la santé générale des enfants, inspecté le
moniteur de l'école, écouté les plaintes interminables des uns et des autres, et énoncé mes dernières
instructions, je donnais l'ordre du départ pour le
village suivant. Le tambour avait battu dès le lever
du jour, scandant *le avo, avo, avo, lavo* — vite, vite,
dépêchez-vous, voici le chef qui arrive. Une colonne
se formait avec les notables, les femmes, les jeunes
gens pour m'accompagner jusqu'à la « limite », ce
lieu fatidique où l'étroite piste de terre glissante,
polie par des milliers de pieds nus, coupait le lit d'un
ruisseau dans le sous-bois. Quelques paroles de
remerciements et un bref rappel des recommanda-

tions marquaient le franchissement du gué. Sur l'autre rive, le village suivant au complet m'attendait. La marche reprenait en file indienne, le soleil montait, la chaleur moite devenait étouffante, la colonne marmonnait à voix basse et tout à coup, la première des femmes entonnait un chant très rythmé pour soutenir la marche. En pays éwondo, le thème traditionnel était un message de courtoisie qui disait *N'Zoé bot te niouli a swé* (bis) *bèmbé N'tangan anyebegue a dze e wa!* — Le voici venir le chef. O Blanc comme tu es joli! — et bientôt la chanteuse improvisait sur le thème de l'amour et des prouesses que ces dames se promettaient de m'enseigner. Les hommes et les femmes s'esclaffaient à l'énuméré de ces trouvailles que malheureusement je comprenais mal, faute, sans doute, de traduction simultanée satisfaisante. Parvenu à pied d'œuvre, mon cuisinier glanait une ou deux calebasses de braise qu'il versait dans une grande jarre, demandait quelques œufs, un poulet et une poignée de légumes pour préparer mon déjeuner. Il pétrissait un peu de farine qu'il aspergeait de vin de palme pour faire lever la pâte, façonnait un petit pain qu'il plaçait dans la poterie brûlante dont il avait retiré les braises. Bientôt, le pain était cuit et le volatile plumé et désossé. La viande était hachée avec des aromates de brousse, recousue dans la peau, soigneusement écorchée et mise à rôtir sur un couvercle de bidon calé sur trois pierres. Un repas de sybarite s'ensuivait dont le menu ne variait guère mais qui s'ornait parfois de quelques fantaisies, de gros vers blancs du palmier, encore vivants, des cossettes de manioc frites à l'huile d'arachide pimentée, une salade de jeunes pousses d'ananas croquantes comme des endives et des baies juteuses de la forêt. On ne m'offrait jamais de vin de palme car j'interdisais d'abattre les palmiers et même de les saigner pour en récolter la sève, pas plus que d'alcool de bicyclette dont je savais pourtant qu'il était de consommation courante. Cet alcool, aux effets désastreux, était interdit par le service d'hygiène du Cameroun et j'avais ordre de punir sévèrement les contrevenants. Sa fabrication était simple. En voici la recette : prenez un vieux cadre de bicyclette, de marque Hercules de préférence, enlevez le guidon, la fourche, le pédalier et la selle, bouchez avec deux tampons de palmier raphia les deux orifices avant, vissez le pédalier sur le bouchon d'une touque métallique Sun flower qui, par miracle, a le même pas-de-vis, remplissez le récipient de la mixture fermentée à distiller, bouchez avec soin l'autre côté du pédalier et posez la touque sur le feu. Le cadre de bicyclette est donc en position horizontale, vous l'arrosez doucement avec de l'eau fraîche et vous recueillez l'alcool par l'orifice de la selle. Ce distillat brut possède les éther-sels les plus nocifs et provoque des paralysies, des épilepsies et des cécités. Tous les villageois faisaient serment qu'ils ne buvaient jamais d'alcool et que personne ne cultivait le chanvre indien loin des chemins. Le soir, autour du feu, les femmes apportaient une sorte d'infusion de citronnelle et de grains de quinquiliba qui était, paraît-il, antipaludique et qui, surtout, permettait de garder l'esprit clair. C'est dans ces académies de palabres vespérales que l'on racontait des histoires, comme autrefois dans les veillées du Périgord, les uns philosophaient sur la vie, d'autres se plongeaient dans la généalogie de leur tribu, d'autres encore inventaient des sobriquets ou des chasses fabuleuses d'animaux magiques.

C'est ainsi que je connus le surnom dont j'étais affublé, « le commandant Missasoif », comprenez Miss Asworth, une vieille missionnaire américaine qui prêchait toujours la même chose, une sorte de rabâcheuse en somme. Ma grand-mère m'avait donné le surnom de « raficou * » dans mon enfance. Le moindre tic de langage, la moindre disgrâce physique était aussitôt épinglée. Un homme très

* _La Folle Avoine._

maigre était *Bissi iméni* — c'est fini la viande ; un commerçant trop avide était surnommé *Mendib metzili* — le bouillon de la viande, c'est-à-dire ce qui vous restait quand il avait mangé le pot-au-feu. Un forestier européen qui grommelait sans cesse était « le poisson chat », un autre qui portait lunettes, *tala-tala*, et ainsi de suite. Un jour, j'avais demandé au vieux chef d'un village quels étaient les mots pour dire la couleur blanche, l'Européen, le lait. Il me dit l'Européen, c'est *N'Tangan*, mais il y a également un autre mot qui peut se traduire par une petite bête qui a une longue queue. Comme je m'étonnais de cet appendice, il ajouta : « Quand un Blanc passe quelque part pour la première fois, il est tout seul, tout petit, tu pourrais ne pas le rencontrer ou même le tuer sans dommage, mais une fois qu'il est passé, plus rien n'est jamais pareil et aussi vieux que tu deviennes, il aura laissé derrière lui une queue de conséquences dont tu ne verras jamais la fin. » Quand les considérations de vocabulaire et même de grammaire dont elle était très friande étaient épuisées, l'assistance passait aux proverbes. Et là, j'apprenais que si le margouillat, qui est un gros lézard tricolore, se moquait du dindon, c'est que l'arbre n'était pas loin, que l'antilope qui quittait sa mère finissait toujours sur le tam-tam, qu'aux bêtes qui n'avaient pas de queue, Dieu leur chassait les mouches, que l'homme qui se fait des compliments est comme une chèvre qui se tète, qu'avant de montrer son soleil, il faut cacher sa lune et qu'il est vain de piler son mil avec une banane mûre.

Ces conversations interminables, coupées de fous rires, de petits chants improvisés, voire de prises de bec étaient non seulement précieuses pour connaître les mécanismes de la pensée de mes administrés, mais le moyen de gagner leur confiance et d'être accepté dans leurs structures.

La deuxième forme d'enrichissement et d'échange était le recensement et, aussi inattendu que ce soit pour un esprit européen marqué chroniquement par des siècles de gabelles, la collecte de l'impôt. L'une et l'autre de ces manifestations donnaient lieu à un grand rassemblement populaire et à une confrontation entre chaque individu et le commandant. L'établissement des registres d'état-civil permettait de connaître les filiations, les taux de natalité et de mortalité, l'organisation clanique, les mouvements de population, les préoccupations du groupe et les querelles propres à chaque collectivité.

En pays éwondo, chaque individu appartenait à une tribu issue d'un ancêtre commun, l' « Ayong », à un clan, l' « Ayom », constitués par les frères, la famille étendue « M'Vogo » et la cellule familiale « N'Dabot ». Toutes divisions rigoureusement respectées et régies par des règles strictes. Je me souviens d'avoir dressé un grand tableau de cette structure pour les cinquante mille habitants de la subdivision et de l'avoir affiché dans mon bureau. Il était régulièrement consulté par les chefs de groupements et les notables qui, en définitive, se fiaient plus à lui qu'à leur mémoire. J'avais rédigé également un coutumier des personnes et des biens en m'appuyant sur la science de mes assesseurs au tribunal du premier degré et sur l'ouvrage de Maurice Bertaud sur les Boulous, cousins des Ewondos. Armé de ces deux outils, l'administration directe devenait plus facile et l'autorité plus spontanément acceptée. Quant au recouvrement de l'impôt de capitation, fixé à 5 francs par an, soit le prix d'un poulet, il était versé sans réticence par les contribuables réunis.

L'immersion de l'administrateur dans la population était la raison de sa force et de son acceptation par la collectivité. Il était l'arbitre commode des conflits, et, puisqu'il n'était pas africain et ne favorisait pas un clan au détriment d'un autre, ses jugements et ses sanctions étaient respectés et son équité reconnue. Combien de fois ai-je entendu l'éloge d'un lointain et sévère commandant exprimé en ces termes : « Monsieur Ferdinand, il brûlait comme le feu, mais il disait vrai et il dansait avec nous le 14 juillet. »

Quoi que les belles âmes aient pu dire de la colonisation, de ses abus, de ses méfaits et de sa coercition, l'administrateur vivait seul au milieu du peuple et se déplaçait toujours sans arme et sans escorte. Il ne disposait, en général, que d'un gendarme et de quelques gardes armés d'un fusil et de cinq cartouches pour assurer les tâches de police de plusieurs dizaines de milliers d'individus. Toutes les décisions étaient prises après de longs palabres et dans un large consensus. Comment d'ailleurs aurait-il pu en être autrement ? Souvent, les initiatives les plus risquées, les travaux les plus difficiles étaient entrepris à la demande des collectivités. Quand la chefferie des M'Bida-M'Bané me demanda d'ouvrir une route de 40 kilomètres de N'Gat au Nyong pour pouvoir évacuer sa production, c'est uniquement avec des villageois volontaires, armés de pelles, de pioches et de machettes que la percée en grande forêt fut réalisée. Quant à la digue, qu'il fallut construire à travers les rives inondées du fleuve, ce furent des millions de petits paniers de terre qui en vinrent à bout. Louis Capelle et moi nous relayions tous les jours pour diriger les travaux. La chaleur était étouffante et nous étions assaillis par des milliers de mouches tsé-tsé. Ce fut miracle si nous échappâmes à la maladie du sommeil. L'inauguration de la nouvelle piste donna lieu à un cérémonial mémorable. Le chef supérieur Paul Medza, qui dans sa jeunesse avait été domestique du célèbre major allemand Hans Dominik, était magicien et virtuose du balafon, cet instrument à percussion dont les languettes de bois sont associées à des courges de différentes grosseurs qui servent de caisse de résonance. Tous les matins, il donnait le coup d'envoi des travaux avec un air entraînant de sa composition, et le jour de l'inauguration, il prétendit faire les 40 kilomètres du voyage assis dans la cabine de notre camionnette pour prouver l'excellence de la chaussée.

En fait, la piste, convenablement dessouchée, était à peu près praticable, mais nous n'avions pas eu le temps de construire les ponts, qui exigent un gros effort de recherche et d'abattage d'arbres appropriés, une traction laborieuse des grumes en sous-bois et un équarrissage soigné. Nous avions donc érigé des ouvrages provisoires en branchages tressés de lianes, établis sur des fourches et des pieux branlants qui suffisaient au passage des piétons, mais qui étaient impraticables aux véhicules. Le chef prétendait que son féticheur avait le pouvoir de faire voler les automobiles et exigea de franchir lui-même tous les ponceaux en voiture.

Effectivement, à l'entrée de chaque ouvrage, le sorcier faisait un sacrifice avec des plumes de poulet et de l'huile de palme et oignait le capot du véhicule. Que faire ? Allions-nous invoquer des empêchements matériels, chercher un prétexte mécanique au risque de porter atteinte au prestige du chef et de son magicien ? « Tant pis, me dit mon adjoint qui conduisait le véhicule, nous allons essayer ! » Je traversais d'abord à pied les fragiles édifices en vérifiant qu'il ne manquait pas d'éléments au platelage, puis je me postais dans l'axe à la sortie pour constituer un repère. Louis Capelle reculait sa machine de quelques mètres pour lui donner l'élan nécessaire, faisait un grand signe de croix et se lançait, moteur rugissant, dans ma direction. Le plus extraordinaire est qu'il réussissait à passer ainsi tous les ponts, dans des gerbes d'éclats de bois qui volaient derrière lui dans tous les sens, tandis que les ouvrages titubaient ou fléchissaient. Le chef supérieur triomphait et moi je me demandais qui, du sorcier ou du signe de croix, était responsable de ce miracle. A notre arrivée au village terminus qui portait le nom prédestiné de « Biyébé » — le cœur angoissé —, le chef local nous offrit un festin de produits de la forêt dont les fameux vers vivants du palmier qui me contractaient toujours l'estomac. Le maître des lieux était un personnage dans la lignée de ce pays magique, puisqu'il était né du sexe féminin. Son père, le terrible M'Bida Mengué, qui avait donné tant de soucis aux Allemands lors de leur retraite vers la Guinée espagnole en 1915, ne pouvait attendre qu'un mâle pour lui succéder, aussi porta-t-il la fillette dans la forêt, prépara les médicaments qui convenaient et revint avec un beau et solide garçon. Expérience pleinement réussie me sembla-t-il, à en juger par la stature virile du sujet.

Paul Medza était un fin connaisseur de la brousse. Sa science des poisons et des contre-poisons, des mœurs des animaux, des pièges, des rites et des légendes des M'Bida-M'Bané, était encyclopédique. C'est lui qui m'apprit à capturer les poissons des marigots à l'aide de stupéfiants pour améliorer mon ordinaire en tournée. J'en donne la recette précise car elle est efficace et valable pour toute la forêt pluviale africaine : un tiers de feuilles et gousses de *Thephrosia Vogelii* (Ndawölö) — c'est une légumineuse buissonnante vert cendré à fleurs violettes qui pousse dans les clairières ; un tiers d'écorce d'*Erytrophleum Guineense* (Thali) dont le poison est très violent et servait habituellement aux ordalies — c'est un grand arbre au bois jaune clair dont la sciure est toxique ; un tiers de grandes gousses du *Tetrapleura Thoningii* (Agbwä) dont la résine mielleuse attire le poisson. On broie, on enveloppe le tout dans une large feuille de *Sarcrophrynum* qui abonde au bord des ruisseaux et on confectionne un paquet de la grosseur des deux poings que l'on jette dans la mare. Au bout de quatre à cinq minutes, les poissons s'affolent, sautent hors de l'eau la gueule ouverte, les ouïes frémissantes et tournent dans tous les sens ; on les capture à la main ou avec un chapeau. La pêche peut durer quelques minutes et tout rentre dans l'ordre. Les prises sont généralement des cyprins (*Barbus Guirali*) ou des characinidés (*Sarcodaces*) qui font d'excellentes fritures. Je portais toujours une provision de ces plantes dans mon bagage et je la renouvelais au fur et à mesure de mes trouvailles.

Mon professeur connaissait un grand nombre de pièges pour capturer les antilopes de forêt (*Cephalophes*), les potamochères, les situtungas, les singes, les pintades, les francolins, les râles d'eau et même les éléphants, disait-il, avec assurance. J'avais relevé le schéma de construction de quelques-uns de ces montages mais j'avoue les avoir peu utilisés.

Paul Medza était adepte du fétiche N'Gui et me décrivit les étapes du grand rite d'initiation « Sso » auquel toutes les classes d'âge masculines étaient soumises. Ces épreuves étaient cruelles. Les jeunes gens complètement nus, peints en blanc avec du kaolin et portant des étuis péniens et une coiffure plate, dansaient pendant quatre jours devant un phallus géant fait d'un tronc d'arbre dressé sur la place du village ; le quatrième jour, ils devaient passer en rampant dans un long et étroit fourreau d'épines qui leur lacérait la peau, tandis que l'on déversait sur eux à travers les branchages de grandes quantités de fourmis aux piqûres douloureuses. A la sortie du boyau, ils étaient arrosés de jus de piment rouge et hurlaient de douleur en souhaitant la mort. Ils étaient ensuite enfermés dans une case et laissaient cicatriser leurs blessures. A la sortie, ils étaient considérés comme ressuscités et pouvaient entrer dans le clan des hommes.

Paul Medza était expert en magie : c'est ainsi qu'il m'avait donné une argile d'un noir anthracite profond qui se trouvait près de sa case à N'Gat pour que je me confectionne un bol, et celui-ci était devenu d'un blanc de porcelaine à la cuisson. En fait, cette argile était un kaolin très chargé en particules organiques que le feu détruisait.

Paul Medza n'était pas le seul à commander aux puissances occultes ; toute la contrée baignait dans le merveilleux et malgré les efforts des missions catholiques et protestantes pour éradiquer le paganisme, les fétiches, temples et gris-gris, magiciens et jeteurs de sort étaient légion. Par panthéisme naturel, j'étais plutôt enclin à respecter tous les usages et à prendre en grande considération leur existence, mais cela n'allait pas sans problèmes. C'est ainsi qu'un matin, je reçus dans le courrier officiel une plainte en justice, ornée d'un timbre fiscal à 10 francs, contre un sorcier de la région voisine d'Ebolowa. Le plaignant était un riche planteur de cacao du village de Sep qui venait d'être victime d'un vol de petits génies. Je consultai mon écrivain-interprète qui m'avait accompagné en tournée dans ces parages et j'appris que l'affaire avait fait grand bruit dans le canton et qu'on ne pouvait douter de la bonne foi du planteur. Mais de quels génies s'agissait-il ?

« Ce sont des petits lutins, des diablotins si vous préférez, me dit mon collaborateur. Ils habitent sur les plantations de certaines familles auxquelles ils sont traditionnellement attachés et favorisent la culture et la production. Le rapt dont il vient d'être victime constitue une perte irréparable pour le plaignant. » Je rédigeai donc une commission rogatoire pour l'administrateur, juge de paix de la région limitrophe, afin de retrouver le sorcier voleur. Les semaines passèrent et la commission revint toutes enquêtes accomplies. L'accusé avait reconnu les faits mais s'était montré réticent quant à la restitution des petits génies. « Peut-être faudra-t-il l'y contraindre en cas de défaillance », remarquait prudemment le magistrat. Il était évident qu'il éprouvait autant d'embarras que moi devant ces insaisissables génies.

Je convoquai donc le riche planteur pour lui tenir le discours suivant : malgré le peu de puissance dont disposait l'administration française sur les gnomes et lutins, mais grâce à sa diligence, les siens avaient été retrouvés chez le détestable sorcier qui avait été condamné à les restituer. Cette opération pouvait être assez longue, aussi je lui conseillai de prendre quelques mesures d'attente. Il m'apparaissait, en effet, qu'il avait lui-même une certaine responsabilité dans cet enlèvement. Comment expliquer que des petits génies, attachés depuis si longtemps à sa famille, aient brusquement cédé aux manigances d'un sorcier de rencontre. Cette faute témoignait à mon sens d'un mécontentement ancien et profond. Il s'en remettait trop à eux pour l'entretien de la plantation, négligeait de les honorer comme il convient, bref il était coupable de laxisme et d'ingratitude. Il allait donc rentrer chez lui, rassembler ses femmes et ses enfants, et débrousser, tailler, désherber, sarcler son domaine. Quand tout serait impeccable, je lui faisais confiance pour reprendre ses lutins que je savais, par ailleurs, prêts à lui pardonner. Il me remercia de ma grande sagesse et repartit. Je n'entendis plus parler de lui, mais une année plus tard, je demandai à mon interprète : « A propos, qu'est-il advenu de l'affaire de Sep ? — Tout s'est passé selon vos instructions, me répondit-il, la plantation est plus prospère que jamais et les petits génies sont revenus. » Cela ne m'éclairait guère sur la nature de ces lutins, mais je n'en laissai rien paraître. Ce ne fut que bien des années plus tard que Léon M'Ba, le président de la République du Gabon, grand expert du monde fang, me donna la clé de l'énigme. Il existait dans les villages et les champs de culture des pahouins, des autels de dieux lares, représentés par des petits personnages en bois d'ébène, les « Biris », que l'on dissimulait soigneusement et qui détenaient le souffle vital, commandaient à la germination des plantes et dominaient les forces telluriques. La prospérité de certains planteurs faisait si l'on peut dire grimper la cote de leurs petits protecteurs.

Tout au long de mes pérégrinations champêtres, de hameaux en villages, de marchés de brousse en chantiers divers, je rendais visite aux exploitants forestiers européens, disséminés au plus profond de la selve. Ces coupeurs de bois, comme on les appelait, vivaient dans des installations de fortune au cœur de la forêt primaire. Autour d'une maison en bois à larges vérandas, bâtie sur pilotis, étaient groupés le campement du personnel et les hangars servant d'abris au matériel lourd. Abattre un arbre en forêt vierge est une véritable entreprise de travaux publics. Il faut, d'abord, repérer l'essence choisie avec une équipe de layonneurs qui ouvrent leur chemin au sabre d'abattis. Une fois le géant découvert, il convient de construire une route jusqu'à son pied. L'accès étant ouvert, les abatteurs montent un échafaudage à 2 mètres du sol autour du tronc et commencent leurs entailles à la hache. Quand le travail est assez avancé, l'arbre se met à parler, un craquement discret, un frémissement de toute la membrure, et les ouvriers se sauvent, comme une volée de moineaux, du côté opposé aux plus fortes ramures. Après un court répit, un craquement sinistre retentit et le géant s'abat dans un fracas extraordinaire qui se répercute longuement dans les sous-bois. Une minute de silence angoissante s'établit alors pour marquer sans doute la mort d'une merveille de la nature. Les tronçonneuses s'emparent du cadavre et le découpent en grumes de longueurs diverses qui seront tractées par des bulldozers jusqu'au parc de stockage.

Cette vie, d'une rudesse primitive, dans l'isolement carcéral de la clairière, au sein d'un monde opaque, influe rapidement sur le psychisme des exploitants. On y rencontre le Robinson hirsute et maculé de cambouis qui ne s'exprime plus que par onomatopées, le nostalgique qui s'enivre dès la nuit tombée pour échapper à l'angoisse des ténèbres, l'irascible qui invective sans répit son personnel et répète à satiété : « Qui c'est le patron ici ? », le contestataire qui vilipende l'Administration, la République, les ingénieurs forestiers, les curés et le bon Dieu. Mais on y trouve également des gentlemen distingués qui forcent leur personnage, échoués là après diverses tribulations, des originaux qui collectionnent les coléoptères sylvestres, d'authentiques aventuriers, des fils de famille qui tentent d'oublier dans les odeurs d'aisselles de la servante noire les souvenirs capiteux d'une infidèle qui les trompa, jadis, au casino de Nice. Le plus exceptionnel de tous ceux qu'il me fut donné de rencontrer fut Armand Tabourel, un Normand corpulent, au teint rosé et aux yeux de myosotis, qui était arrivé au Cameroun en 1917 comme sergent d'infanterie coloniale et avait été démobilisé sur place, au titre des activités économiques du territoire. D'abord chef de gare à Bonaberi, sur la ligne de N'Kongsamba, il organisa rapidement, prétendait-on, une opération de défenestration de colis postaux dans les courbes les plus serrées au fond de la forêt vierge. Soupçonné de participer à la récupération des épaves, il démissionna et fit équipe avec un certain Black pour exploiter le caoutchouc sylvestre, dans les régions du Haut Nyong et du Lom et Kadeï.

L'or blanc se vendait cher en ces temps de reprise économique et sa cueillette était simple. Il s'agissait de collecter les boules de latex fumées que les tribus forestières façonnaient. Pour affirmer leur autorité, les deux compères s'étaient cousu des galons de commandant et abusaient de la crédulité de leurs fournisseurs. Tous les deux ou trois mois, ils organisaient des colonnes de porteurs et allaient livrer leur récolte à Yaoundé. Un jour, Black s'aperçut que la vieille monnaie du corps expéditionnaire venait d'être remplacée par des billets flambant neufs, émis par la BAO*. Il réalisa tout son avoir en coupures nouvelles et repartit dans ses forêts. « Ne portez plus votre caoutchouc à l'autre commandant, disait-il, dans les campements, il vous paie avec de l'argent qui ne vaut plus rien. Voici le nouveau ! » Bientôt, Tabourel s'étonna de la baisse des livraisons et le billet neuf qu'un villageois lui montra le « mit au parfum » de la conjoncture. Il rassembla à la hâte son maigre stock et ses porteurs et partit pour la capitale. Il convertit à son tour la totalité de son compte en banque en coupures de 5 francs, et,

* Banque de l'Afrique occidentale.

délaissant le caoutchouc, il se mit à sillonner l'est du pays en disant aux seringueros : « Je vous ai payé sans le savoir avec de la mauvaise monnaie, mais comme je suis un bon Blanc, je vais vous la racheter ; deux billets anciens qui ne valent rien pour un nouveau. » « Tu es notre père et notre mère », lui dirent ses anciens fournisseurs, et c'est ainsi qu'il collecta rapidement une petite fortune, qui lui permit de fonder, dans le sud, une maison d'import-export, Les Comptoirs sénégalais.

Au bout de cinq années de prospérité, il songea à prendre un congé en France. Il mena à Paris une vie fastueuse et, quand il retourna au Cameroun, découvrit qu'il était ruiné. Son adjoint avait mis l'établissement en faillite et s'était enfui avec le reliquat de la caisse. Incapable de désintéresser les créanciers, Tabourel fut mis en prison. Il y passa une année, oublié de tous, sauf d'un serviteur noir dévoué qui lui portait chaque jour à manger et à boire. A sa sortie de geôle, il s'associa avec son fidèle ami et prit un permis forestier dans une zone inaccessible, il coupa peu d'arbres mais « trafiqua de toutes choses », loin des yeux de la gendarmerie et de l'Administration. Son comparse à M'Balmayo avait pignon sur rue et réalisait les affaires. Quand la guerre éclata, Tabourel était redevenu riche et il décida de monter une scierie industrielle. L'Afrique du Sud était alors importatrice de bois très dur, le bongossi (*Lophira procera*) pour ses traverses de chemin de fer, et lui proposa un marché pharamineux.

Tabourel devint le fournisseur attitré de Prétoria et développa considérablement son entreprise. Quand je pris le commandement de M'Balmayo, il était au zénith de sa carrière mais malheureusement, il détestait l'Administration. Avec l'âge, il était devenu obèse et vivait comme un ours, solitaire, entouré de quelques négrillons équivoques qui le faisaient chanter.

J'entrepris de l'apprivoiser et ce fut un travail de

patience. Tout d'abord, je lui commandai un lot de bastaings pour mes constructions et je pris prétexte d'une livraison pour lui rendre visite. Il me reçut d'une façon distante. Je lui demandai de me montrer son usine, il me fit accompagner par un contremaître. Je sus par la suite que mon guide lui avait fait un rapport favorable sur ma personne.

J'avais, depuis mon arrivée dans la zone forestière, développé mes connaissances botaniques, grâce à la flore d'Aubreville. Je pouvais reconnaître une cinquantaine d'essences dominantes, non seulement par les feuilles et les graines mais par la texture, la couleur et les propriétés du bois. J'en avais rajouté un peu avec mon guide et il m'avait pris pour un expert forestier. Cette réputation me valut une pointe de curiosité de la part de Tabourel. Bref, nos relations s'améliorèrent jusqu'au jour où il décida de m'inviter à un dîner de gala, donné en mon honneur, disait le carton aux armes de la scierie industrielle. Toute la tribu des Blancs considéra cet événement comme une date historique, une sorte de traité de Westphalie après la guerre de Trente Ans. Je me rendis donc, avec ma jeune femme, au palais des agapes. C'était en fait une case avec un mobilier rudimentaire : l'ébéniste préférait apparemment les clous de charpentier aux tenons et mortaises. La table était mise à cinq couverts. Il y avait deux invités de marque, un banquier et un représentant de commerce. La chaleur était exceptionnellement lourde, la lumière électrique tressautante et le brasseur d'air ataxique ; par les fenêtres aux moustiquaires délabrées, s'engouffraient les insectes traditionnels des soirs en forêt, cantharides, punaises géantes, saucisses, nèpes et autres diptères qui se fracassaient sur les pales du ventilateur et tombaient dans les assiettes. Tabourel, rubicond et vernis de transpiration, arborait un maillot de corps bordé d'une ganse rose et nous fit les honneurs d'un cocktail de sa fabrication à base de lait condensé et de whisky appelé lait de tigre.

A huit heures militaires, nous passâmes à table. Notre hôte étala largement sa serviette à carreaux sur sa puissante panse et dit d'une voix de fausset : « Comme au grand siècle, voici mon personnel ! » Il se tourna vers la porte de la cuisine et cria par deux fois : « Bec d'ombrelle, Bec d'ombrelle ! » Un grand Nègre squelettique en chapeau haut-de-forme, nœud papillon, jaquette et pantalon gris à mi-mollet apparut ; il avait effectivement un bec-de-lièvre qui découvrait largement ses incisives, et les pieds nus. « Mon maître d'hôtel, précisa Tabourel, et voici les autres imbéciles » ; deux cuisiniers en toque blanche et quelques comparses dépenaillés surgirent, apeurés, des ténèbres. « Allez, dit le maître de céans, en avant marche, une deux, une deux ! » Après quelques tours de table, l'étrange escouade s'éclipsa, puis reparut, chargée de victuailles qu'elle disposa devant les convives. Notre hôte avait tué un cochon et nous servit jusqu'au dessert une gamme complète de charcuterie : boudins, pâtés, saucisses, poitrine, rôtis, le tout arrosé d'un cru espagnol de Nabao que nous versait, à l'aide d'une dame-jeanne, un échanson préposé sans doute habituellement au débardage des grumes. Abrutis de chaleur, de mangeaille et de vin plus épais qu'une coulée de poix, nous déclinâmes peu à peu, dans une lourde somnolence que Tabourel entreprit de combattre au cognac. Il fit apporter d'imposants verres ballon qu'il remplit lui-même avec un jéroboam d'eau-de-vie muni d'un bouchon verseur en argent en forme de robinet. Je ne me souviens plus de quelle façon nous nous échappâmes de ce guet-apens gastronomique, ni comment nous rentrâmes chez nous, je sais seulement que le lendemain, jour de visite du médecin de région, le docteur Tricottet nous trouva comateux, au bord de la crise de foie et si apathiques qu'il songea un instant à nous hospitaliser.

A partir de ce jour, Tabourel fut de toutes nos festivités ; je le fis nommer président du club de football qu'il combla de ses bienfaits, conseiller économique de la subdivision, doyen du cercle des forestiers. Il présida même, la nuit du nouvel an, ce club fameux et haut en couleurs où une quarantaine de reclus de la forêt vierge se défoulaient, dans l'alcool, les cris, les chants, les rires et quelques décharges de pistolet, d'une année de galère. A minuit, Vallée, dit le « poisson chat », était traditionnellement hissé sur le bar pour entonner *Je veux revoir ma Normandie*, mais il avait tant de larmes dans la voix qu'il s'effondrait bientôt en sanglots. Doré, l'amateur de St-Raphaël Quinquina, entamait une pantomime simiesque. D'autres dansaient au son d'un vieux phonographe qui battait la mesure sur les fissures du disque. La deuxième année, Tabourel ne vint pas, mais il m'envoya une lettre d'excuses. Alors qu'il recevait un client à onze heures du soir, il était sorti dans son jardin pour reconduire le visiteur et se rendre au cercle « où son ami l'administrateur l'attendait ! » En voulant satisfaire un besoin naturel, il était tombé à terre et sa forte corpulence l'avait empêché de se relever. Il avait ainsi passé la nuit entière avec son client qui, ne sachant que faire pour lui venir en aide, s'était assis à ses côtés et lui avait tenu, sous les étoiles, je ne sais quelle conversation. Quelque temps après mon départ, les affaires de Tabourel périclitèrent une nouvelle fois et j'appris, quelques années plus tard, qu'il était mort abandonné de tous.

Chaque jour m'apportait, ainsi, une moisson d'incidents venant des Blancs ou des Noirs, cocasses, inattendus ou franchement comiques. La marginalité des uns dans l'environnement tropical et le quiproquo des autres qui vivaient ballottés entre leurs valeurs traditionnelles et celles du colonisateur, engendraient des situations insolites, difficilement solubles.

Un jour, c'était un gorille prédateur que les villageois, en délégation, me demandaient d'aller abattre parce qu'il pillait leurs bananeraies et leurs champs d'arachides. Dans l'heure qui suivait, un forestier européen du secteur venait plaider la grâce du primate. « C'est un vieux copain, disait-il, ça fait plus de quinze ans que je le rencontre avec sa guenon et ses petits sur mes chantiers, il est paisible et inoffensif. Ce sont les villageois qui veulent le faire tuer pour avoir de la viande. Ils font ce chantage à tous les administrateurs qui se succèdent, en espérant que l'un d'entre eux se laissera faire. Comme d'habitude, je vous donnerai un bœuf pour leur calmer l'appétit. » Je lui accordai sur ces bases la vie sauve de King-Kong. « Vous comprenez, dit-il, c'est une affaire de famille ! J'ai adopté une de ses filles, il y a une dizaine d'années. » Effectivement, quelques mois plus tard, je fus présenté à cette impressionnante femelle de onze à douze ans qui dépassait les 200 kilos et qui était enfermée provisoirement dans une cage aux puissants barreaux, pendant les quatre ou cinq jours que durerait sa menstruation, me dit Restany. « A cette période, elle devient dangereuse, et ne supporte pas une femelle dans son entourage. Même ma femme qui l'a élevée ne peut plus s'en approcher. Nous, par contre, nous pouvons aller la caresser. » Prodiguer des gentillesses à une créature de ce format m'intimidait, elle me fit des mines en se cramponnant à ses barreaux et en me fixant avec insistance avec ses yeux marron clair ; je lui grattai la nuque, dure comme un bois de charpente, sans perdre de vue un instant sa mâchoire et ses canines puissantes qu'elle découvrait dans un rictus engageant. « Donnez-lui votre mouchoir », me demanda Restany, je le lui tendis, elle s'en empara, le porta à ses narines, s'en frotta délicatement la face en inclinant légèrement sa tête de côté et le mangea. « Quand sa chaleur est passée, ajouta mon hôte, je lui rends la liberté, elle vit paisiblement autour de la maison et nous rapporte parfois des cardamomes (*Afromomum*) dont elle raffole comme tous ses semblables. » Cette vision inattendue d'un gorille bucolique m'étonnait car il avait chez les paysans la réputation de l'ours dans nos montagnes : solitaire et dangereux. Il ne dévorait ni les hommes ni le bétail mais dévastait les bananeraies pour manger la moelle des troncs et pillait les fruits de la forêt. Durant mon séjour à M'Balmayo, il ne se signala que par deux actes de violence, en réponse à des provocations. Il déchira en deux une femme dont le mari l'avait attaqué à la machette et estropia un chasseur américain, de la Trefflich Birds and Animals Company de New York, qui avait tenté de tuer une femelle pour lui dérober son petit. Au cours de nos rencontres sur les pistes forestières, je n'ai jamais pu l'approcher, car il se coule avec souplesse dans la masse du feuillage et je n'ai jamais eu l'occasion de vérifier si le fait de se frapper violemment la poitrine en faisant Hon ! Hon ! comme on me l'avait enseigné aux cours de psychologie des fauves au zoo de Vincennes, quand j'étais à l'Ecole coloniale, était aussi infaillible qu'on le disait pour avoir de bonnes relations avec ces cousins lointains.

Une autre fois, j'étais appelé pour mater une révolte dans un camp de lépreux. Le médecin de la région leur apportait périodiquement quelques fournitures et des victuailles de première nécessité. Ce jour-là, il avait distribué des couvertures, du sel et du poisson sec. Malheureux docteur qui ignorait qu'au bord du Nyong, le poisson est réputé pour donner la lèpre. Ecœurés par une provocation aussi criminelle, les villageois avaient voulu le lyncher.

Dans une autre circonstance, c'était deux agents de la compagnie CFAO qui avaient échappé de justesse à l'incendie de leur véhicule. Motif pris qu'ils transportaient des ballots de cotonnade portant en grandes lettres l'inscription de la couleur « tête de nègre », ce sont des Blancs qui coupent des têtes de Nègres pour faire des médicaments, croyaient les braves gens.

Il y avait également des conflits purement africains qu'il fallait traiter à chaud avant qu'ils ne s'enveniment et ne dégénèrent en batailles rangées.

Un matin de petite saison sèche, le chef supérieur de la tribu des Banés, Frédéric Foë, revêtu de son uniforme de feldwebel et coiffé de sa casquette prussienne, vint me signaler que des troubles agitaient, depuis quelques jours, les communautés étrangères dans son commandement. Le conflit opposait les ethnies haoussa et bamiléké. Le chef de la première avait vendu un camion à celui de la seconde qui refusait de payer la totalité du prix convenu. Les Haoussas avaient menacé de saisir la justice, les Bamilékés s'étaient consultés et avaient décidé d'envoyer leur chef dans son village d'origine, près de Bafoussam, dans les montagnes lointaines du Grassfield, pour consulter l'araignée mygale et la tortue, deux fétiches de la tribu. Le verdict de ces deux augures fut sans appel : il fallait assurer, en priorité, la défense du groupe et le chef Waffo Thomas repartit avec l'arme décisive : « la panthère qui mange les âmes ». Cette nouvelle fit sensation dès qu'elle fut connue à M'Balmayo. Les Haoussas musulmans invoquèrent fiévreusement Allah, empoignèrent leurs sagaies et leurs sabres et montèrent la garde de nuit et de jour autour de leurs familles. Les Bamilékés, rassurés par la présence de leur fétiche, les narguaient avec des airs mystérieux et, bien que païens, ils trouvaient des complicités parmi les catholiques et les protestants du village. Le chef supérieur me dit : « Si tu n'interviens pas, c'est la guerre ! »

Je lui demandai s'il ne connaissait pas un bon sorcier pour mener l'enquête. Il me donna le nom d'un riche planteur Boulou de la frontière sud. Je convoquai aussitôt ce puissant magicien qui arriva dans sa 2 CV Citroën, tout de blanc vêtu, casque en tête, cravate stricte et chaussures vernies. Je déplorai une fois de plus l'impuissance de la grande République française devant les forces invisibles et plus particulièrement devant les panthères qui mangent les âmes. Il m'écouta avec

95

attention et me dit : « Fais-moi confiance, je m'en occupe ! » Il reprit sa voiture et disparut.

Dans la nuit, vers onze heures ou minuit, un grand brouhaha se fit devant ma résidence ; ma femme risqua un œil au-dehors, mais rentra précipitamment ; je sortis à mon tour, la lampe tempête à la main et je me trouvai devant une masse confuse d'hommes, sagaies au poing, parmi lesquels je devinai la haute stature du chef supérieur et la silhouette blanche du sorcier. En levant mon lumignon, j'aperçus le visage terrifié du chef bamiléké que la poigne d'un guerrier poussait devant moi. « Il a tout avoué, me dit le magicien, et voici la panthère. » A ses côtés se tenait, en effet, le premier planton du chef, gris de peur, qui portait un plateau recouvert d'un linge. Il ôta l'étoffe et je vis trois objets : un flacon d'élixir Sloan, un produit à base de menthol qui soignait tous les maux, à l'intérieur duquel on distinguait une mixture qui ressemblait à de la viande séchée, émiettée, truffée de quelques coquilles de cauris. A côté, une sorte d'écorce plate et grise présentait des bords grignotés. « C'est là que la panthère mange », dit le sorcier. Enfin, une grosse amulette verdâtre en peau d'iguane avec deux oreillettes en forme d'anneaux complétait cette étrange trinité. Un silence religieux planait sur l'assistance. Ma lumière accrochait le blanc des yeux fixés sur le plateau magique. « Ah ! c'est donc toi le coupable, dis-je sépulcralement au bamiléké, et voici ta panthère. Nous allons l'enfermer tout de suite dans le coffre-fort de la subdivision. Là où est caché l'argent que personne ne voit ressortir. » Je pris la tête de la colonne et nous atteignîmes mon bureau. Le préposé aux finances, qui était de Douala et que nous avions réveillé pour la circonstance, tremblait de tous ses membres. J'ouvris avec des gestes cérémonieux la porte du coffre et je jetai vivement la trinité perverse parmi les pièces comptables. Au claquement de la serrure du Fichet répondit un bourdonnement de soulagement. Tout le monde s'égailla dans la nuit y compris le coupable et le sorcier. Deux heures plus tard, j'effectuai, avec le gendarme du poste, une ronde dans le village. Epuisés par des nuits de veille et de tension, tous les habitants dormaient et les chiens s'enfuyaient, sans aboyer, devant l'ombre insolite des deux Blancs en patrouille. Le lendemain, quand j'ouvris le coffre pour aller jeter au bourrier la panthère qui mangeait les âmes, je trouvai l'amulette en cuir d'iguane si jolie que je la glissai dans ma poche. Lorsque je la montrai à ma femme, elle poussa les hauts cris et refusa de garder plus longtemps sous son toit ce gris-gris diabolique qui ne pouvait, à l'entendre, qu'engendrer des maléfices dont nous pâtirions tous.

Ainsi allait la vie à M'Balmayo entre les Blancs, les Noirs et les Nègres, les travaux de construction et les servitudes de gestion. Le roulement des « amis de l'Administration » prenait un caractère de routine. Je m'inquiétais seulement de la précarité de l'expérience car j'étais convaincu, par avance, qu'elle était trop marginale et trop personnelle pour avoir le soutien de l'Administration. De toute façon, le camarade qui me succéderait dirait : « Mon prédécesseur était un brave gars, mais quel rigolo, il aurait mieux fait de... » Les fours à briques maintenaient leur production et les maçons, les charpentiers et les menuisiers ne chômaient pas, les ponts s'effondraient et se reconstruisaient avec régularité, les routes se ravinaient à chaque pluie et se rebouchaient sous la pelle des villageois. Les enfants des écoles ânonnaient inlassablement les subtilités phonétiques de la langue française, une orange était d'abord articulée « inoranzé » et, peu à peu, le u et le g devenaient perceptibles ; il en allait de même du mélange des consonnes et des voyelles qui donnaient immanquablement les « toros bibliques » pour les travaux publics, les « œufs fourrés » pour les eaux et forêts et la « grand manière » pour la crémaillère.

A l'hôpital et dans les dispensaires de brousse, la

quinine, le permanganate et la teinture d'iode soulageaient, malgré leur rusticité, tant de souffrances.

Bien que cette paix fût jugée aliénante et paternaliste par les milieux progressistes de Paris et des chefs-lieux et que « la chape hideuse du colonialisme contrariât l'explosion spontanée des libertés fondamentales », selon la formule de l'époque, nous maintenions, « valets inconscients d'un ordre infamant », un consensus humain, fait d'estime réciproque, d'amitié et de solidarité, qui ne fleurit guère, quarante-cinq ans après, dans le monde enfin libéré. Il faut dire que les adeptes fébriles de toutes les croisades libératrices ont déserté depuis longtemps ces vieilles lunes pour des créneaux qu'ils jugent plus porteurs sans se soucier, pas plus qu'alors, des conséquences de leur habituelle inconséquence.

Quoi qu'il en soit, ni l'UPC ni les propagandistes noirs attisés par les Blancs n'avaient sensiblement progressé sur mon domaine, la tranquillité régnait, les rapports entre colonisés et colonisateurs étaient paisibles. Les Africains, encore à l'aise dans leur civilisation, leurs structures sociales et leur métaphysique, étaient en harmonie avec leur vision du monde. En somme, j'avais rempli mon contrat mais ma santé s'était gravement altérée. Les tournées incessantes en forêt, la surveillance des chantiers, les tâches administratives, le paludisme et le typhus m'avaient durement éprouvé ; le gouverneur m'autorisa à prendre un repos d'une quinzaine de jours à Foumban dans les montagnes du pays Bamoun à 1 000 mètres d'altitude.

La saison des pluies venait de commencer et les routes de latérite étaient détrempées. Un déplacement de plus de 700 kilomètres dans l'Afrique de cette époque ressemblait toujours à une véritable expédition. Il fallait emporter avec soi le matériel de campement, la literie, la caisse de nourriture (la fameuse « popote »), les lampes, les habits de rechange et le matériel de dépannage, câbles, treuils et petit outillage. Ma femme, comme toutes ses consœurs de brousse, avait acquis une dextérité remarquable dans l'organisation de ces déplacements, y compris dans l'installation des enfants et le choix du meilleur « boy à tout faire ».

Le voyage se déroula sans trop de difficultés, mais nous nous présentâmes au bac de la rivière M'Bam à une heure trop tardive pour tenter le passage. Les eaux étaient trop hautes et très rapides et les piroguiers avaient peur d'être surpris par la nuit. Celle-ci tomba si vite que nous n'eûmes pas d'autre issue que de chercher un abri à quelques kilomètres de là, dans une case abandonnée au bord de la route. Le temps de faire un feu, de décharger le matériel et d'allumer les lampes, la vieille masure avait repris vie, la table était mise, les lits ouverts et notre enfant de deux ans dormait déjà à poings fermés. L'instantanéité de ce confort avait, en Afrique, quelque chose de magique. Nous passâmes le fleuve au petit jour et arrivâmes à Foumban sans autre encombre.

Cette cure d'air frais me revigora, le paysage était grandiose, le site de la ville extraordinaire, dans un cirque de hautes collines. Débarrassé du manteau forestier et de la chape de nuages qui brouillait le ciel équatorial, il me semblait que tout était aérien, lumineux et porteur d'évasion. Vers le nord, les grands sissongos frissonnants sous le vent s'étendaient jusqu'à l'horizon. Au sud, se profilaient les dykes isolés des volcans anciens et les montagnes bamilékés.

Les cavaliers foulbés, qui venaient du fond des steppes, s'étaient heurtés ici à une barrière géographique et Foumban m'apparaissait à la fois comme la citadelle avancée du monde clos de la forêt d'où je venais et la porte royale des grandes savanes lumineuses et des royaumes de légende. Le sultan Seydou N'Jimoluh N'Djoya, assis sur son trône orné de défenses d'éléphant, donnait la grande fête annuelle devant son palais. Des centaines de cavaliers aux parures bariolées, une foule bruyante dansant sa joie, les appels des trompettes, des tubas et le rythme des tams-tams m'emportaient déjà dans le nord. Pourtant, c'était encore vers les arbres géants aux puissants contreforts, vers les murailles de chlorophylle, les pauvres cases exhalant leur haleine bleuâtre et les chèvres aux pattes courtes déboulant entre les flaques de la dernière pluie, que se dirigeait ma route de retour. Finalement, les rêveries sur les grands espaces n'altéraient en rien mon attachement à ce sud luxuriant, à cette atmosphère de serre tropicale et à ces populations perdues dans les clairières où les troncs d'arbres abattus et brûlés fumaient pendant des mois au milieu des cultures. Ce sud m'avait enfin permis de mieux saisir la réalité africaine, le Nègre fondamentalement paysan, chasseur, cueilleur dont parlait Léopold Sedar Senghor, mon répétiteur de ouolof à l'Ecole de la France d'outre-mer, cette incarnation tardive d'une société qui fut la nôtre, il y a une poignée de millénaires, quand nos tribus errantes commençaient à se sédentariser, le long de nos rivières et de nos plaines giboyeuses. Un homme, qui était le produit du clan et de la tribu, fondu dans sa collectivité, fils du groupement avant d'être celui d'un père et d'une mère, ne connaissant que les liens de sang et soumis corps et âme à la volonté du chef père représentant des symboles et des coutumes.

Un homme courageux, certes, et prêt au sacrifice mais dépourvu d'initiative individuelle et s'en remettant à ses supérieurs, à ses prêtres, à ses magiciens et à ses dieux.

Chacun avait, dans le groupe, son rôle et ses qualifications dont il ne songeait pas à s'échapper. « Tu me sembles aimer beaucoup les mangos, disais-je à mon chauffeur, tu as dû planter un bel arbre dans ton jardin. — Oh, non ! répondait-il surpris, chez moi nous ne savons pas planter les mangues ! » « Tu devrais bâtir un muret pour retenir ta terre que la pluie emporte, conseillais-je à un autre. — Ah, oui ! répondait-il, mais nous ne sommes pas maçons. »

« Badigeonne-moi ce mur à la chaux », demandais-je à un manœuvre. Il se mettait au travail avec ardeur et me livrait un mur immaculé, à l'exception d'une grande tache sombre de forme bizarre. Pourquoi avait-il négligé cet espace ? — Parce qu'il y avait une bicyclette appuyée contre le mur.

« Fabrique-moi une table de tel format », réclamais-je au menuisier qui avait appris à façonner les tenons et les mortaises ; il commençait scrupuleusement son travail, mais ne savait pas quand c'était fini, car il ne connaissait pas l'étendue de ses capacités et ne portait en lui aucune image de table. Mon intervention le soulageait.

Ce qu'il y avait par contre de très précieux chez chacun de ces hommes et que les Blancs ont perdu depuis longtemps, c'était un instinct infaillible du rythme et de la danse, le sens ludique de la vie, la joie profonde de l'instant, la dégustation du temps qui s'écoule, l'insouciance de l'avenir qui n'appartient qu'à Dieu, la convivialité quotidienne avec ses ancêtres, la soumission à ses dieux et le fatalisme.

Nous les Blancs, qui sommes si fiers de nos conquêtes et de nos affranchissements progressifs, nous qui ne gardons plus au fond de nos mémoires qu'une imperceptible nostalgie de ces structures mentales révolues, comment pouvons-nous ignorer, mépriser, occulter ces frères attardés sur les routes du temps : comme si nous n'avions pas quelques leçons à recevoir encore.

Au moment où je reprenais le fil de mes affaires, une mission parlementaire de l'Assemblée nationale française vint me rendre visite. La plupart de ces représentants étaient des provinciaux et s'intéressaient plus aux problèmes concrets qu'aux querelles de la légitimité coloniale. Ils furent favorablement impressionnés par les résultats obtenus par quelques hommes sans moyens dans un milieu qui leur avait été décrit comme primitif et hostile. L'un d'entre eux, le député Jean-Marie Louvel, du Calvados, me fit appeler quelques semaines plus tard à

Paris au cabinet du ministre de la France d'outre-mer, Jean Letourneau. Ainsi prit fin une expérience qui avait été pour moi d'une inappréciable richesse.

Mes adieux furent rapides et consacrés aux innombrables consignes qu'il fallait laisser à mon successeur, le jeune administrateur Robert Cheminault qui avait remplacé Louis Capelle.

Pour les Blancs et les Noirs de la circonscription, un nouveau visage allait succéder à un autre visage. Pour les Nègres de la brousse, la plupart ne noteraient le changement qu'en découvrant mon remplaçant. Tiens ! diraient-ils, « Missasoif » est parti, c'est un gros qui l'a remplacé, nous l'appellerons « Mafouta ». Je reçus pourtant trois cadeaux qui me touchèrent. Le chef Paul Medza et son sorcier me firent don d'un masque d'ébène du rite Sso, extrêmement rare et puissant que j'ai toujours gardé dans un placard pour ne pas impressionner ma famille. Abraham Olama, le chef d'Ekoudendi (la grosse racine) me remit un de ses bâtons de commandement, une souche tourmentée de liane, polie par l'usage. Quant aux gens de Bilon, ils m'offrirent un petit tambour de guerre dont ils ne se servaient plus, me dirent-ils, puisque nous avions fait la paix dès le premier jour. Tabourel accepta de venir à mon dîner d'adieu et la société des jeunes de N'Goulema-kong, dont c'était le tour de présence à M'Balmayo, m'offrit une représentation nocturne du meurtre de sainte Eulalie avec des anges ailés et des diables rouges sortant des flammes d'un brasier.

Je restai quelques jours à Yaoundé pour rendre compte de mes activités, puis je pris, avec ma famille, l'avion pour Paris. Ma femme était très éprouvée par ce séjour, elle avait contracté une filariose qui l'épuisait et avait perdu, quelques mois plus tôt, des jumeaux, à la suite d'une chute malencontreuse sur une margelle de ciment, qui avait interrompu sa grossesse. Ma propre santé l'inquiétait car j'éprouvais de grandes difficultés à m'alimenter. Heureusement, nous suivîmes un traitement efficace dès notre arrivée. Bientôt, tout rentra dans l'ordre et je pus prendre mes fonctions au ministère.

La plongée dans un cabinet ministériel contrastait étrangement avec mes activités africaines, faites de décisions rapides, d'exécutions immédiates, de contacts humains. Tout devenait intemporel et abstrait, je nageais dans un univers de notes sur des sujets inconnus, destinées à répondre à d'autres notes ou à des questions posées par des êtres invisibles, de conversations téléphoniques avec des interlocuteurs sans visage et sans autre preuve d'identité qu'une affirmation péremptoire et un nom bredouillé au bout du fil, de rapports compilés dans des dépêches ou de télégrammes qui provenaient de terres éloignées et se référaient à des situations complexes et sans issue. Enfin la trame des jours était faite de directives fragmentaires données dans la précipitation, d'impatiences de supérieurs harcelés par d'autres supérieurs impatients, de rumeurs, de conflits de compétences. Le Paris gouvernemental me semblait presque aussi mythique que les sortilèges de la brousse. La formule consacrée, « Le ministre m'a dit, le ministre pense, le ministre a l'intention », que le plus modeste de mes collègues m'assenait à longueur de journée alors que je savais qu'il ne voyait jamais ce haut personnage et qu'il ne recueillait pas ses confidences, ne pouvait relever que de la fiction. D'ailleurs, d'où ce ministre pouvait-il bien tirer son omniscience, lui qui ne lisait pas les notes qu'il demandait et qui pourtant s'exprimait comme un oracle, comme la tortue bamiléké ou l'araignée mygale ?

Enfin, ce qu'on appelait le milieu politique m'apparaissait aussi mystérieux que l'Olympe, il avait pour nom la Rue de Rivoli, le Quai d'Orsay, la Rue Oudinot, Matignon, l'Elysée, la Place Beauvau, le Château.

Des chamans traversaient cet univers éthéré sous des sigles d'initiés : le MRP, l'UDSR, la SFIO, le PCF. Des légions de scribes rédigeaient à longueur d'année des textes de lois, des décrets, des règlements qui remplissaient tous les matins, depuis 1875, le Journal officiel de la République, abrogeant, modifiant, refondant des actes antérieurs maintes fois remaniés. Je me demandais qui pouvait se retrouver dans un tel dédale à moins d'être le sorcier de Paul Medza qui faisait voler les automobiles.

Rien n'avait encore fondamentalement changé dans la doctrine coloniale de la France. Malgré quelques craquements inquiétants dans le système, comme les soulèvements de mai 1945 en Kabylie, des Babors et du Constantinois en Algérie, les révoltes de Madagascar en mars 1947 et l'imbroglio douloureux de la reprise en main de l'Indochine, aucune idée d'indépendance n'était véritablement dans l'air. Certes les meilleurs esprits étaient enclins au libéralisme ou tout au moins au réformisme. Les sociaux-chrétiens et les socialistes songeaient à des assemblées représentatives, à des statuts civiques plus ouverts et à une liberté de parole et d'action.

En ce début d'année 1950, la préoccupation majeure du ministère de la France d'outre-mer était l'affaire d'Indochine. Il y avait déjà cinq ans que la rébellion couvait dans ce fleuron de l'empire que la France n'arrivait pas à reprendre en main après les déboires de la guerre et le passage de l'ouragan japonais.

Au Tonkin, Ho-Chi-Minh avait proclamé l'indépendance en septembre 1945 et créé avec l'aide des Chinois et des Américains une force de trente-cinq mille hommes. Le général Leclerc, envoyé sur place pour négocier un accord, avait échoué. Un modus vivendi, fondé sur une cohabitation tacite, s'était établi mais de nombreux incidents dégénéraient, de-ci de-là, en affrontements violents. Ho-Chi-Minh avait alors attaqué les petites garnisons françaises au Tonkin et en Annam et organisé une résistance armée dans l'ensemble du Vietnam. Peu à peu, il avait levé une armée régulière équipée cette fois par les Soviétiques et les Chinois.

Dès juillet 1948, sa première division, la 308, était opérationnelle mais il hésitait à s'attaquer frontalement au dispositif français qui venait de recevoir des gouvernements Blum et Ramadier des renforts importants composés pour une large part de soldats d'active d'origine africaine, arabe et asiatique. Bien que de qualité, ces effectifs se révélaient insuffisants en nombre devant le harcèlement de la guérilla et trop hésitants par suite d'un flottement évident de la politique française. Les communistes, dont un des leurs, le ministre de la Défense Billoux, avait été chassé du gouvernement en mai 1947 par Paul Ramadier, orchestraient désormais des campagnes de dénigrement sur le thème de « la sale guerre d'Indochine » ! Sur le terrain, les pertes étaient importantes et les résultats, sauf en Cochinchine, pratiquement nuls. Enfin, le triomphe de Mao Ze Dong en Chine et son arrivée aux frontières du Tonkin au printemps 1949 transformèrent peu à peu ce conflit régional en guerre de caractère idéologique et international

Les gouvernements successifs, tiraillés entre le conservatisme des grandes affaires, les doctrines humanitaires libérales et les vieilles réticences coloniales du terroir français, s'étaient finalement émus de la situation et avaient confié au général Revers une enquête générale sur le terrain. Les premières conclusions de cet expert s'étaient révélées catastrophiques. Il préconisait notamment l'abandon du Tonkin et le repli sur le delta du Mékong, terre des grandes plantations et des principales activités économiques. Le pouvoir se résignait mal à de tels abandons et tergiversait. Après des combats confus dans la région de Dong Khe, il avait amorcé un repli stratégique qui s'avéra mal préparé et désordonné, les colonnes Charton et Lepage perdirent plusieurs milliers d'hommes et un important armement resta aux mains du Viet-Minh à Lang-Son, à Dienh-Lap et sur la route coloniale n° 4.

Jean Letourneau, qui avait succédé à Coste-Floret au ministère de la France d'outre-mer, voyait s'amonceler sur ses bureaux les télégrammes alarmistes et était assailli par les groupes de pression les plus contradictoires, milieux du négoce, pacifistes, spéculateurs, droite nationaliste, communistes et militaires. Ces derniers semblaient se complaire dans les vieux clichés : « L'Annamite n'est pas un guerrier, la population nous aime ». « Monsieur le Ministre, donnez-moi un bataillon, demandait le général Carpentier, et je vous ratisse la plaine des Jarres. » On sait où les ratissages de l'armée française devaient la conduire dix ans plus tard dans les Aurès et quinze ans après au nord du Tchad. L'idée qui prenait corps peu à peu était qu'il fallait « mettre le paquet » et c'est ainsi qu'au bout d'un an, en décembre 1950, la France décida d'envoyer dans la péninsule le général de Lattre de Tassigny avec les pleins pouvoirs civils et militaires.

Si l'incendie se propageait en Indochine, des fumées suspectes montaient, de-ci de-là, dans le reste de l'empire. A Madagascar, une rébellion avait éclaté le 30 mars 1947 sur la côte est et avait été très rudement réprimée. Le parti nationaliste MDRM avait été dissous et ses chefs, Raseta et Rabemananjara, emprisonnés. Les gouverneurs généraux successifs tenaient encore, selon la tradition, tous les pouvoirs en main mais sentaient qu'une évolution était inévitable et le faisaient savoir. En Algérie, une poignée de colons français avaient été massacrés lors du soulèvement de la Kabylie et du Constantinois en 1944. La répression avait été sévère et quelques réformes avaient été amorcées, notamment la création de l'Assemblée algérienne ou la tolérance de certains partis comme le MTLD du vieil agitateur nationaliste Messali Hadj. En 1950, l'Algérie était toujours considérée comme un prolongement du sol français et relevait de ce fait du ministère de l'Intérieur qui affirmait qu'il s'agissait de prurits régionalistes. Le Maroc et la Tunisie, pays de protectorat, étaient déjà en proie aux lames de fond nationalistes. Le roi Mohammed V et Habib Bourguiba allumaient sur place des brandons d'indépendance mais le ministère de la France d'outre-mer n'en savait plus rien car le gouvernement traitait désormais ces problèmes au niveau de la présidence du Conseil, entre émissaires distingués.

Le directeur des Affaires politiques de la rue Oudinot était Robert Delavignette, devenu gouverneur général depuis son proconsulat camerounais. Il officiait gravement avec le timbre de voix sentencieux qu'il affectionnait volontiers et se signalait par une grande prudence. Lui qui avait si bien parlé des paysans noirs et de la dignité de l'homme africain se moulait dans le paternalisme chrétien conservateur et ne faisait état de ses convictions socialistes que pour sacrifier au mythe d'un avenir d'inévitable liberté pour les peuples coloniaux.

La politique française de l'époque était donc de maintenir la souveraineté et de gérer au mieux les crises au fur et à mesure qu'elles se présentaient. L'existence de nombreux députés, conseillers et sénateurs coloniaux dans les institutions de la République procédait davantage d'une ultime tentative d'assimilation que d'une ouverture de la volière. Les vieux parlementaires français et la plupart des ministres confondaient toujours la Côte d'Ivoire et le Congo et ne distinguaient pas nettement Houphouët Boigny de Modibo Keita ou Yameogo de Sourou Migan Apithy. L'un d'eux avait même pris à son cabinet mon camarade Paul Masson, qui venait de commander la subdivision de Banfora en Haute-Volta, pour les identifier physiquement et politiquement et éviter les risques de méprise. Ces représentants d'outre-mer, à l'exception de quelques privilégiés qui fréquentaient Paris de longue date, débarquaient littéralement de leurs brousses africaines et alimentaient la chronique de leurs faits et gestes incongrus. L'un d'eux, le sénateur Biaka Boda de la Côte d'Ivoire, disparut même du palais du Luxembourg et ses os calcinés ne furent identifiés, grâce à sa carte de parlementaire, que quelques mois plus tard, en Afrique, dans une clairière à proximité de son village natal. Il avait été mangé par ses électeurs qui voulaient, sans doute, assimiler ses vertus ou se venger de quelques promesses oubliées. Un autre, qui arrivait du fin fond de la Mauritanie, flanqué d'une compagne en boubou bleu, porteuse d'une théière, avait été parqué provisoirement au cinquième étage d'un hôtel parisien, en attendant un hébergement définitif. C'était un après-midi torride de juillet et le pauvre député, qui n'osait pas bouger ni ouvrir une porte ou une fenêtre à vasistas, se mourait de soif. « Va me chercher de l'eau », dit-il à sa compagne terrorisée. La malheureuse se risqua dans le couloir, à la recherche d'une source. Tout à coup, le bruit familier d'un jaillissement frappa son oreille ; une porte s'entrouvrit et un Blanc sortit en rectifiant son costume. Elle se précipita mais trop tard, la serrure était déjà enclenchée et elle tenta vainement de l'ouvrir car elle ne savait pas pousser le bouton de verrouillage. Elle s'embusqua dans un recoin et attendit qu'un nouveau quidam se présente, c'est un vieux monsieur qui entra et s'attarda longuement à l'intérieur. A sa sortie, la femme se précipita tous pagnes volants pour l'empêcher de refermer le battant. Effrayé par l'agression de cette bacchante exotique, le vieux se sauva en appelant à l'aide. L'attaquante emplit promptement sa théière et rejoignit son mari. Une heure après, la soif persistant, le manège recommença et ce n'est que de justesse qu'elle échappa à un garçon de service que de nouveaux cris avaient attiré. « Tu as mis bien longtemps, lui dit le député d'un ton de reproche. —

Il faut s'en aller, répliqua-t-elle, il n'y a presque pas d'eau ici et il y a toujours des Blancs assis sur le puits. » On les délivra enfin et c'est ainsi que l'histoire fut connue. D'autres encore se perdaient dans le métro ou se trompaient d'assemblée en suivant un ami. Certains Sahéliens, pour qui se gratter est un passe-temps agréable, retiraient leurs chaussures en séance et exploraient délicatement leurs orteils au grand dam de leurs voisins qui attribuaient, bien à tort, ces prurits à des parasites. Ces flottements furent, je dois dire, de courte durée car le mimétisme et l'adaptation sont deux talents innés chez les Africains.

Le dernier semestre 1950 et le début de 1951 furent marqués par le sursaut français en Extrême-Orient, sous le commandement du général de Lattre de Tassigny. Celui-ci accumula les succès en brisant plusieurs offensives du Viet Minh, en inaugurant, notamment, une nouvelle stratégie fondée sur l'emploi de forces interarmées d'une grande mobilité et en mettant sur pied une armée nationale vietnamienne qui se révéla rapidement très efficace. Malheureusement, cet état de grâce ne put se maintenir longtemps devant la montée irrésistible des mouvements de libération. En juin 1951, Jean Letourneau devint ministre d'Etat chargé des Etats associés et l'Indochine fut séparée de la France d'outre-mer. Je profitai de ce changement pour rejoindre le Cameroun où le haut-commissaire de la République, le gouverneur général André Soucadeaux, souhaitait me confier la grande région de Maroua, au nord du territoire.

Cette circonscription, située dans la zone des savanes humides, était le plus beau commandement dont je pouvais rêver à trente-deux ans. Peuplée d'un million d'habitants, riche en céréales, en troupeaux de bovins et de petit bétail, elle présentait une gamme étonnante de peuplades vigoureuses, allant des plus primitives, les Kirdis de la montagne et de la plaine, aux plus évoluées, Foulbés et Bornouans. Soumise en principe à la domination des Peuhls, elle possédait des structures féodales complexes où la société islamique des conquérants faisait bon ménage avec l'animisme tenace des assujettis. Les langues, les coutumes, les types humains, l'habitat étaient un festival d'ethnologie. Commandée traditionnellement par des administrateurs chevronnés et de grade élevé, elle avait une réputation de fleuron de l'administration coloniale. J'acceptai, sans hésiter, cette mission de choix, même si la hiérarchie bougonnait discrètement. Je rejoignis donc Maroua par avion jusqu'à Garoua et de là par la route de montagne à travers les monts du Mandara. Ma famille s'était enrichie d'une petite fille au cours du séjour en France et les quatre passagers étaient à l'étroit dans la camionnette qui nous transportait.

Nous étions au début de la saison des pluies et les plaines du Diamaré étaient inondées. Seule la piste des massifs était praticable malgré ses ravines et son tracé audacieux.

La savane, parc qui bordait le premier tiers du chemin, était luxuriante de jeunes feuillages et de hautes herbes en fleurs, des volées de pintades, des singes fauves, des nichées de francolins traversaient constamment la chaussée, une troupe de lycaons en chasse s'arrêta même un instant pour évaluer le danger potentiel de notre véhicule. La traversée du Mayo Gashiga, gonflé par les pluies, se fit de justesse sur un radier de 150 mètres qui tenait encore. Au campement de Pitoa, les premiers Kirdis, complètement nus, apparurent portant leur lance et leur poignard de bras. Leurs femmes, qui étaient venues apporter du mil et quelques volailles au marché, étaient dans le plus simple appareil avec une lanière de cuir sur les hanches. Plusieurs averses nous retardèrent sur la route, transformant momentanément la piste caillouteuse en torrent et c'est en début d'après-midi seulement que nous atteignîmes Mokolo où le chef de circonscription nous attendait.

C'était un gros village de montagne, fait de huttes à toits pointus, qui ressemblait à un immense rucher. La case en ciment couverte de tôle du résident et quelques hangars du même type constituaient le centre administratif et commercial. Il nous restait encore 80 kilomètres à parcourir avant d'atteindre Maroua, la capitale du Diamaré. Notre escale fut donc brève et nous profitâmes d'une belle éclaircie pour reprendre la piste. Nous étions dans la partie la plus montagneuse du parcours, les dykes volcaniques de Rhumsiki que couronnaient des nichées de grands marabouts blancs nous émerveillèrent, les villages de huttes rondes perchés sur les collines ou dans les grands éboulis de granit se multipliaient. Les lointains lavés de toute poussière étaient d'une pureté de diamant bleu et les champs de mil verdoyaient sur les milliers de terrasses édifiées par les paysans kirdis. A la tombée du jour, nous découvrîmes Maroua adossé aux croupes volcaniques du Marouaré et la résidence administrative toute blanche, perchée en sentinelle devant la grande plaine.

L'administrateur par intérim nous prépara un dîner et des lits, la nuit tropicale engloutit le monde, le groupe électrogène hoqueta, toussota encore quelques minutes et nous sombrâmes dans le sommeil.

Le soleil levant nous réveilla et nous attira sur la terrasse. C'est ainsi qu'André Gide, de retour du Tchad en 1928, avait découvert, au cours d'une escale chez son ami Marc Chadourne, administrateur de Maroua, le spectacle grandiose des horizons du Nord-Cameroun.

Sur la plaine moirée de champs et de bosquets se dressait à l'ouest le piton solitaire de Mindiff qu'avaient survolé les aéronautes de *Sept semaines en ballon* de Jules Verne, au nord-ouest, les monts de Makabai, tandis qu'au centre, trois grandes rivières traçaient leur sillon d'argent jusqu'à l'horizon lointain du Logone. Des villages indistincts s'égrenaient au hasard des réseaux de pistes que l'on devinait à l'orée des cultures. De la ville de paille et de boue séchée montaient les rumeurs de la vie, un long chapelet de bœufs s'étirait sur le gué du Kaliao. Tandis que ma femme se préoccupait de notre installation, je me rendis aux bureaux de la région où le personnel m'attendait. Les présentations furent brèves et à onze heures, je reçus la visite du chef traditionnel, le lamido Yaya Dahirou. Ce dernier, un Peuhl N'Gara au visage de Kalmouk, me parut déférent mais taciturne, il était vêtu d'un ample boubou bleu indigo et portait une petite chéchia rouge. Il était arrivé à cheval avec son second et une petite escorte. Il me souhaita la bienvenue et s'informa de la santé des miens, répondit à mes salutations par des vœux pieux sur notre collaboration et m'assura que tout allait bien dans le pays. Après lui, ce fut le chef de la subdivision centrale Bernard Prestat suivi de ses adjoints qui vint me rendre compte de la marche des affaires. Ce camarade d'école, haut en couleur, exceptionnellement cultivé, intelligent et habile, cachait, sous des dehors sceptiques et désabusés, une connaissance profonde des hommes, des choses et de la langue peuhle qui m'émerveilla. Les quatre vétérinaires de la station de Missinguileo, les deux agronomes, le médecin-chef, le forestier, les deux ingénieurs des travaux publics et le postier lui succédèrent. Je trouvais là une équipe jeune et dynamique qui me combla d'aise. Il ne tenait qu'à moi de la conduire.

Les trois mois qui suivirent furent consacrés à la visite détaillée du pays. La submersion des terres basses et le mauvais état des voies de communication proscrivaient l'usage des véhicules. Les chevauchées étaient interminables et épuisantes mais favorisaient les contacts avec les chefs de villages et les paysans. Chaque agglomération faisait l'objet d'un inventaire détaillé que je me proposais de reprendre ultérieurement, dans le plan de développement régional. Les chefs de subdivision avaient des listes de projets interminables allant de l'école à l'hôpital, des centres commerciaux à la culture du coton et de l'arachide. Je me demandais quel budget pourrait faire face à toutes ces demandes mais je découvrais tant de bonne volonté dans les populations que je rêvais, à mon tour, de l'impossible.

Vers le début d'octobre, une légère accalmie dans les averses me permit de réutiliser mon véhicule tout-terrain et d'accélérer le rythme des tournées. Un rapport du chef de subdivision de Kaele me signalant une sensible amélioration des routes m'incita à tenter une expédition d'une dizaine de jours dans cette circonscription des plus actives. Comme il s'agissait d'une zone à forte population où venait de démarrer la culture cotonnière, je me fis accompagner par le médecin de région et l'ingénieur agronome.

Au moment de partir, au petit matin, sous un ciel toujours menaçant, un véhicule crotté de boue s'arrêta devant nos bureaux et une jeune femme en tenue de brousse en descendit. Je la reconnus au premier coup d'œil, c'était une journaliste parisienne, nommée Françoise Chatard, qui, de passage au Cameroun, s'était souvenue que je commandais dans le nord et avait décidé de faire un reportage sur le travail quotidien d'un administrateur de brousse. « Vous tombez à point, lui dis-je, car quelques minutes plus tard, j'aurais été absent pour plus d'une semaine. Si vous voulez vous joindre à notre troupe, prenez cette place et partons. » Elle était visiblement éreintée par une longue route mais elle n'hésita pas une seconde, jeta son maigre balluchon sur nos bagages et fouette cocher. Cette vaillance nous impressionna et tout au long du voyage, nous admirâmes son courage, sa vigueur et son inaltérable bonne humeur. Nous la baptisâmes Gertrude et lui fîmes subir les farces les plus éculées et les plus perverses.

Le médecin feignait d'être en charge de sa santé et

lui prescrivait des tisanes préventives contre toutes les calamités tropicales qu'il prétendait déceler sur elle, allant de la morsure du pou de San José à la blennorragie du papayer, le terrible *gonococus papayensis* qui partage, avec le saumon, la faculté de remonter les chutes et qui se contracte, disait-il, en urinant sur les racines de cet innocent arbuste.

Les plus fortes émotions de Gertrude furent le massacre des populations toupouries, la défense d'une case de passage entourée de lions et la charge hurlante de guerriers guizigas. Le génocide qui l'éprouva tant se passa ainsi : notre véhicule s'était embourbé dans un bon mètre d'eau, entre deux collines assez rapprochées qui masquaient le paysage. Nous avions rassemblé une cinquantaine de jeunes gens d'un village voisin pour tenter d'extraire la malheureuse camionnette de sa baignoire ; vingt-cinq tiraient à hue et vingt-cinq à dia, tant et si bien qu'au bout de deux heures, rien n'avait bougé ; mes compagnons de route et la brave Gertrude se morfondant, les jambes dans l'eau jusqu'au genou, je leur suggérai de poursuivre la route sur quelques centaines de mètres jusqu'à un deuxième village qui se dissimulait, m'avait-on dit, derrière la colline. Ils partirent et je restai seul avec le chef de subdivision à réfléchir à la situation. Il nous apparut qu'une bonne corde, tirée par nos cinquante gaillards, serait sans doute plus efficace. Aussitôt dit, aussitôt fait, des tronçons de cordages indigènes furent noués bout à bout, et au moment d'entreprendre la traction, je découvris une mitraillette Sten dissimulée sous le siège avant du véhicule, qui menaçait de tomber à l'extérieur ; je la saisis pour vérifier si le percuteur n'était pas ovalisé, une usure très fréquente sur ce type d'engins. Puis toute la troupe commença à tirer et en un clin d'œil, le véhicule fut halé sur la terre ferme. Je lâchai deux ou trois rafales de mitraillette dans la brousse pour vérifier la percussion, ce qui déclencha chez les Toupouris des clameurs enthousiastes et des cascades de pétarades imitant le bruit de cette arme merveilleuse qu'ils n'avaient jamais vue, ni entendue auparavant. Je distribuai quelques poignées de billets de cinq francs, le moteur vrombit de nouveau et quelques minutes plus tard, nous atteignîmes le petit village où nos compagnons inquiets s'informèrent de ces coups de feu, de ce vacarme et de notre retour inattendu. « Que s'est-il passé ? » me demanda l'agronome. J'entrai aussitôt dans le jeu : « Vous savez, lui dis-je, si je n'avais pas pris les grands moyens, nous y serions encore ; j'ai tiré dans le tas et voilà. — Y a-t-il beaucoup de morts ? fit le toubib. — Huit ou dix, pas plus ! — Et les blessés ? — Oh ! ceux-là, faites-leur confiance, ils s'en débrouillent. » La pauvre Gertrude devint blême et me lança un coup d'œil terrible. « J'y vais, dit-elle, c'est odieux, vous êtes d'ignobles brutes » et nous dûmes la maîtriser pour qu'elle ne nous échappe pas. « Vous n'avez pas honte, me dit-elle, quand son émotion fut tombée, si ça se savait à Paris, ce serait un beau scandale », et je la sentais déchirée, allait-elle faire son article ou se taire ? Elle ne nous adressa plus la parole et comme elle refusait de manger, nous lui révélâmes la supercherie ; elle pleura d'émotion. Deux jours plus tard, nous atteignîmes le centre de Khalfou, autour duquel pâturaient des milliers de bœufs chassés par l'inondation. Le Maloum Tamboutou vint me saluer et me dit en foulfouldé que, naturellement, il était heureux de me voir. Je le remerciai et j'ajoutai en français, qu'il ne comprenait pas : « Et les lions sont nombreux ? » Il poursuivit ses salutations et je continuai mon dialogue fantaisiste : « Une trentaine, dis-tu, et autour du village. » Puis me tournant vers ma suite, je précisai : « Préparez-vous à mettre le campement en état de défense, c'est à la tombée du jour qu'ils attaquent. » A peine avions-nous posé nos bagages dans la case de passage que le docteur étala les quelques fusils de chasse dont nous disposions et Gertrude se démena, compta les cartouches, barricada les portes. Le chef de district de

Yagoua qui nous avait rejoints, car nous étions sur ses terres, avait un talent très particulier : il imitait parfaitement le cri du lion en soufflant dans un verre de lampe tempête. Il fit mine de prendre congé pour retourner chez lui, alla s'embusquer à quelques centaines de mètres et nous donna un festival de rugissements dont la Metro Goldwin Mayer elle-même aurait été stupéfaite. Nous parvînmes à tenir Gertrude en alerte pendant plusieurs heures, elle voyait des yeux partout et entendait des feulements jusque sous la table. Quand le chef de circonscription revint, il nous raconta qu'il avait dû rebrousser chemin, par suite du danger, mais que nous aurions une nuit tranquille car à partir de neuf heures et demie, les lions se mettent à bâiller et s'endorment. Nous ne détrompâmes pas notre compagne car nous voulions lui laisser quelques souvenirs marquants. Elle n'était pas encore au bout de ses peines : quand nous arrivâmes devant Laf, au cœur du pays guiziga, sur le chemin du retour, les guerriers nous avaient préparé une réception fracassante. Ils avaient orné leurs corps nus de leurs plus belles peintures de guerre, coiffé leur casque emplumé, ajusté leur carquois et leur arc, empoigné leur grande lance et, au nombre d'un millier, à la distance d'un kilomè-tre, se précipitèrent à toute vitesse dans notre direction en hurlant comme des forcenés. Ils s'arrê-tèrent à quelques pas de nous, les javelots vibrant à chaque poing et éclatèrent de rire. Gertrude, terrori-sée, s'était jetée dans nos bras, défaillante d'émo-tion. Elle mit longtemps à s'en remettre. Charmante Gertrude, elle avait conquis notre sympathie dès le premier jour et donné à notre équipée une touche inattendue de pittoresque. Elle n'écrivit jamais son article car, de retour à Douala, elle épousa le directeur d'une grande compagnie bananière et se rappelle encore aujourd'hui avec émoi sa première aventure africaine.

A la mi-novembre, quand le beau temps fut définitivement rétabli, les routes sèches et les mils de décrue repiqués, je convoquai tous les chefs et cadres du pays pour fêter le 11 Novembre à Maroua. Plus de mille notables à cheval accompagnés de leur personnel déferlèrent sur la ville et prirent place sur une aire traditionnelle de rassemblement devant l'estrade où je devais m'adresser à eux. Au premier rang se tenaient les grands lamibés drapés dans leurs boubous d'apparât et coiffés de volumineux turbans, certains portaient un voile bleu sur la partie inférieure du visage, à leurs pieds étaient assis ou couchés leurs serviteurs ; les longs tubas de cuivre barrissaient, les gaïtas sonnaient, les tam-tams battaient, les griots lançaient leurs flatteries — « maître tu es un lion » — et les gonfaloniers faisaient tournoyer leurs grandes ombrelles sur les notables de leur clan. Je réclamai le silence et pris la parole. A l'expérience des palabres du Sud, je traçai les grandes lignes de ce que serait mon action, je sollicitai l'avis de l'auditoire, je proposai de déve-lopper les cultures, de renforcer la société de pré-voyance. Mes propos étaient reçus dans une bonace totale, pas d'exclamations, pas de questions. Je terminai ma péroraison avec un sentiment de désar-roi. Après un moment de méditation, le lamido Bouhari de Mindif, un Peuhl walarbé, le plus ancien dans les fonctions les plus élevées, le plus sage et le plus respecté, se leva avec une lenteur calculée, défroissa son manteau, abaissa le voile bleu qui le masquait, fit un signe à son interprète et me dit : « Nous te saluons toi et ta famille, sois le bienvenu parmi nous, que Dieu te prête force et santé ; si la France t'a envoyé ici c'est parce que tu es le meilleur, alors nous te faisons confiance, sache qu'il n'y a pas place chez nous pour la faiblesse ni l'offense à l'ordre de Dieu. Enfin, pour tout ce que tu nous as dit sur tes intentions de travail, écoute, qui est-ce qui commande ici ? c'est toi ou c'est nous ? C'est toi ! Alors commande ! Nous t'obéirons ! » Il se rassit et un bourdonnement léger d'approbation monta de la foule.

Le vieux lamido de Mindif venait de me donner ma première leçon. Il devait par la suite m'en délivrer bien d'autres.

Quand je lui rendais visite dans son « saré » pour régler quelque affaire délicate, je m'annonçais une journée à l'avance et lorsque le lendemain, en début d'après-midi, je me présentais à sa porte, je m'installais dans son vestibule d'accueil, le « djaoulerou ». J'attendais patiemment l'arrivée de ses servantes qui m'apportaient trois calebasses, de lait, de riz et de mil. Je leur remettais mon cadeau de circonstance, un paquet de cartouches calibre 12, un coupon de cotonnade, une boîte de thé et je reprenais mon attente. Au bout d'une dizaine de minutes, il faisait son entrée, ses serviteurs disposaient quelques coussins et nous nous congratulions cérémonieusement de tout et de rien, sa santé, l'état de ses troupeaux, la récolte de mil, le temps, les projets matrimoniaux de ses enfants, les nouvelles locales, l'avancement de nos travaux, la situation politique, puis, quand la conversation fléchissait, je lui disais brièvement la raison de mon déplacement, il écoutait attentivement et d'un geste royal de la main me donnait son accord comme s'il ne s'était agi que d'une bagatelle qui allait de soi.

A l'époque où j'avais entrepris un programme de constructions importantes dans son lamidat, il avait eu maille à partir avec un de mes jeunes adjoints dont l'activité fébrile et un peu brouillonne semblait l'incommoder. « Alors, Lamido, lui avais-je demandé, qu'est-ce que tu lui reproches à ce jeune homme, tu n'es pas content de son travail ? — Mais si, je suis très heureux de son activité, me dit-il, mais tu comprends, il représente l'autorité et il court. » Pour Bouhari, le pouvoir était sacramentel, le chef devait marcher sans hâte ni précipitation pour donner, à tout instant et en tout lieu, l'image de la dignité et de la maîtrise de soi. Politique avisé, il me donnait volontiers des conseils ; un jour de saison sèche, alors que les villages étaient souvent la proie des flammes, je déplorai de ne pouvoir organiser des secours. « Des secours, me dit-il surpris, et pour quoi faire ? Le feu est un don de Dieu et son action purificatrice est indispensable. Quand ton village brûle, ne perd jamais ton temps à vouloir éteindre les flammes, non seulement tu n'y parviendrais pas, mais dans la douleur de perdre leur demeure, les gens ne se contrôlent plus et peuvent lancer des imprécations et des injures à ton égard, une insulte n'est jamais perdue dans le vent et demain, certains pourraient s'en souvenir. Non ! pars en brousse, va rendre visite à ta mère ou compter tes bœufs et reviens le lendemain. Tout aura brûlé sauf les greniers à mil qui sont en terre, il n'y aura donc plus qu'à reconstruire. Tu prendras tout naturellement la direction de la reconstruction. Demain le village sera neuf et en bonne santé car toutes les saletés que l'homme aime tant accumuler auront disparu par le feu. »

Le lamido Bouhari prétendait qu'il fallait ignorer les détracteurs car pour porter ombre, il fallait nécessairement être éclairé. Il disait également que la gloire chez les hommes était comme la queue chez les chiens, chacun la portait aussi haut qu'il pouvait. Pourtant, ajoutait-il, ces hommes sont souvent comme le caméléon au sommet de l'arbre, il suffit qu'un enfant se mette à siffler pour qu'ils changent de couleur.

Avec le lamido Yaya Dahirou de Maroua, j'avais des rapports d'une autre nature, il était d'abord rugueux et ses propos étaient parfois aussi frustres que son personnage. Toujours vêtu d'une djellaba rustique et sans couleur, il promenait sur le monde un regard cruel qu'accentuaient des yeux en amande sur de hautes pommettes et une moustache maigre de Mongol qui tombait en ficelle aux commissures des lèvres. Il parlait peu et passait pour fourbe et hostile aux étrangers. En fait, c'était un timide et un brave homme avec juste ce qu'il faut de ruse, de duplicité et de cruauté pour un Peuhl de bonne naissance. D'abord réservé à mon égard, il me témoigna rapidement une touchante confiance. Je lui fis construire une façade à arcatures pour sa modeste résidence et aménager une pièce de réception. Je l'associais, par principe, à mes plans de développement, je lui expliquais longuement la nécessité de moderniser le pays, de tracer de nouvelles routes, de construire un terrain d'aviation, de planter des arbres dans la ville, de créer des dispensaires et des écoles dans les centres ruraux. Je l'emmenais en jeep sur mes chantiers et je m'efforçais de canaliser ses accès de violence car les nuances ne lui étaient pas naturelles. Un jour que nous parlions de sa famille, il me dit qu'il avait quatorze femmes et quinze enfants avec six d'entre elles. « Et les autres ? lui demandai-je. — Les autres, fit-il résigné, elles mangent le mil pour rien, là-dessus, je suis moins strict et plus doux que mon père. » En fait cette douceur me rendit perplexe quand j'appris qu'il avait fait bastonner son ministre des Travaux publics, le « Magadgi », sur les testicules avec des baguettes flexibles pour que l'œdème empêchât le malheureux de marcher pendant trois semaines. Je soupçonnais également ce Kalmouk, avec ses bouffées de barbarie, d'être un parfait mécréant malgré son chapelet et la tache de poussière qu'il entretenait soigneusement sur son front pour faire croire à la fréquence de ses prières. Il s'intéressait vivement à mes projets et me relançait constamment. « Quand vas-tu commencer le terrain des avions ? quand vas-tu construire une usine à égrener le coton ? quand vas-tu monter un grand abattoir pour valoriser notre bétail ? et les greniers de réserve, il en faudrait un dans chaque canton. » Il me faisait part de ses réflexions ; il était contre les plantations d'arbres parce que les forêts attirent les voleurs et que les génies nocifs, les « djenouns », se dissimulent dans les ramures et tombent sur les enfants. Il était pour la multiplication des dispensaires vétérinaires, mais peu enthou-

120

siaste pour les écoles ; l'aviation et la mécanique le fascinaient. Malgré son air abruti dont il savait tirer parti pour méditer en paix, il avait toujours l'esprit en éveil et souvent, quand je lui rendais visite, je le surprenais accroupi, solitaire, dans un recoin ombreux. « Alors, Lamido, tu fais ta prière ? — Non me répondait-il, je pense ! » Peu à peu, j'appris ce qu'il avait en tête. Il s'interrogeait sur les mille et un problèmes de la vie quotidienne de son lamidat, sur le lawane Ahmadou de Gazawa par exemple, un chef de canton qui était un rival en puissance, avec mille cinq cents bœufs, une politique d'alliances ambitieuse et une automobile presque neuve. Il fallait donc qu'il marie son fils aîné avec une des filles de ce concurrent, et qu'il négocie un apport de cent cinquante bœufs en dot. Lui-même allait demander à l'administrateur de lui apprendre à conduire une jeep. Il pensait également à tel ou tel de ses ministres dont l'influence grandissait au sein du Conseil de Fada, le comité de cinq membres dont la sagesse peuhle dotait chaque chef de lamidat. Il pensait à la gestion de sa « zakkat », l'impôt religieux qu'il prélevait sur les récoltes, et s'inquiétait d'arrondir sa fortune et d'accroître son troupeau, la seule vraie richesse d'un Peuhl. Il faut savoir, en effet, que cette race de pasteur avait pour ancêtre un bœuf et que tout bovidé faisait partie de la famille. Vendre un veau était un sacrilège et quand une vache était devenue trop vieille pour procréer, on la conduisait au centre du corral où toute la maisonnée venait gémir sur son sort : « Tu ne verras plus le soleil du matin se lever sur les herbages, tu ne brameras plus à l'appel de ton maître... » A l'issue de la cérémonie, on la donnait à un esclave pour la faire disparaître. Le lamido vendait désormais son bétail car le progrès et ses besoins l'exigeaient mais il gardait, toujours vivace au fond de lui, la philosophie de ce vieillard qui refusa un jour avec obstination de me céder une de ses bêtes parce que c'était son plaisir de la voir rentrer le soir.

Aux côtés de ces deux grands personnages, quelques jeunes lamibés de moindre envergure, ceux de Bogo, de Petté et de Khalfou complétaient, avec leur personnalité originale et toujours attachante, l'essentiel de la structure politique peuhle, héritière des grands conquérants d'Othman Dan Fodio sous la bannière d'Adama au début du xixᵉ siècle. Leur suzeraineté sur le pays restait incontestée et la civilisation islamique à laquelle ils appartenaient, bien qu'appuyée sur un réseau de marabouts ignorant la langue arabe et l'exégèse du livre sacré, maintenait pour l'essentiel la soumission de la très large majorité païenne et animiste du pays.

C'est vers ces robustes peuplades que je décidai de me tourner en premier ; elles se divisaient en deux groupes très distincts : les Kirdis de la montagne occupant l'ensemble des massifs du Mandara, farouches et pratiquement indépendants, et les Kirdis de la plaine fortement influencés ou soumis aux Peuhls.

Selon le principe que m'avait enseigné ma grandmère : « Quand deux chemins se présentent à toi, l'un plus facile et l'autre semé de ronces et de cailloux, prends toujours le plus difficile car ensuite ça ne pourra qu'aller mieux * », je partis sans tarder explorer les hautes terres.

Perchés dans leurs villages escarpés au sommet d'un entrelacs de terrasses exiguës et de murettes de pierre, les robustes païens vivaient sous la férule de petits chefs mi-satrapes, mi-sorciers dans un univers de pierres levées — les « coulis » — et d'esprits tutélaires qui les persuadaient de ne jamais descendre dans la plaine où l'air était censé les tuer. Que de tentatives mes prédécesseurs n'avaient-ils pas entreprises pour les apprivoiser, pour faire face aux épidémies de variole, de fièvre cérébrospinale, de paludisme qui les décimaient périodiquement ! Leur approche était difficile et dès que la présence du

---

* *La Folle Avoine.*

Blanc était signalée dans les massifs, les flèches pleuvaient sur les intrus, les villages se vidaient, les chefs disparaissaient. L'un d'eux, Mangala, chef de canton et grand-prêtre des Mofous de Douvangar, était réputé pour son caractère ombrageux et irréductible. Maître absolu de sa tribu établie dans un village fortifié au sommet d'une montagne, il dominait la plaine du Diamaré et surveillait les pistes d'accès à son repaire. Des chicanes de blocs de granit et une ceinture dense d'épineux et d'euphorbes entravaient l'ascension des visiteurs et permettaient d'organiser la défense. Son immense saré de pierre et d'argile occupait les deux tiers du village. Les greniers à mil en forme de tours et ses cases d'habitation étaient recouverts de toits de paille coniques. Sur la crête de la montagne se trouvaient ses autels faits de larges dalles de pierre où il célébrait les sacrifices de la fête Mareï. Les Mofous élevaient, en effet, des bœufs de case que l'on immolait tous les trois ans. Ces animaux acquis très jeunes auprès des pasteurs peuhls étaient parqués dans des étables individuelles que l'on construisait autour d'eux en ménageant seulement deux petites ouvertures permettant de donner la nourriture par le devant et de retirer le fumier par-derrière.

Quand le bœuf avait grossi suffisamment pour remplir la case, on démolissait sa prison et on l'immolait. Mangala faisait office de grand-prêtre au cours de ces cérémonies. Quand je fis sa connaissance, il devait avoir dépassé la soixantaine et se présentait sous les traits d'un homme replet, de petite taille, avec un visage sans relief orné d'un collier de barbe grise peu fourni. Vêtu d'une simple chemise teintée à l'indigo, délavée et crasseuse, il serait passé inaperçu si son peuple n'avait été intégralement nu. Sous cet aspect débonnaire se dissimulait un satrape sans pitié, image du père tout-puissant des sociétés primitives. Le lamido de Maroua feignait de le considérer comme un vassal pour maintenir la légende de la conquête peuhle mais n'aurait pu lui imposer la plus légère contrainte. Il se contentait de tirer quelques profits de la situation. En période de disette, ou de soudure difficile entre deux récoltes, les Kirdis vendaient leurs enfants aux Peuhls pour quelques agodas * de mil et fournissaient ainsi aux islamisés une main-d'œuvre servile indispensable.

Lors de ma première visite, Mangala me fit l'honneur de ne pas se réfugier dans ses repaires de la montagne. Je lui apportai en cadeau, selon la coutume, trois sacs de sel, trois couvertures et trois machettes. Il accepta l'offrande et me gratifia quelques semaines plus tard de trois charges de bois, denrée particulièrement précieuse dans les massifs dénudés. Nos entretiens furent brefs. J'évoquai discrètement l'hypothèse de la construction d'un dispensaire, d'une école et d'une route sans autre résultat qu'un brouillamini de traducteurs. Mon interlocuteur ne parlait qu'un langage « à click » qu'il fallait transposer en foulfouldé et de là en français.

Le chef de la subdivision et le médecin qui m'accompagnaient tentèrent pendant ce temps de se faire une idée de l'état sanitaire et physique de la population, mais ils ne virent que des individus particulièrement robustes et peu d'enfants. Le mur était sans faille. Sur ces entrefaites, une violente épidémie de variole éclata dans les massifs Mofous et je décidai de rendre visite aux nombreux villages et groupements de la zone qui entouraient Douvangar. L'expédition dura une dizaine de jours et fut particulièrement mouvementée. A l'approche du premier village, une volée de flèches nous accueillit, nos porteurs s'égaillèrent et nous trouvâmes refuge derrière un rocher. Chaque fois que nous levions la tête, un trait sifflait à nos oreilles. Il fallait parlementer mais comment faire avec un ennemi invisible ? Nous tirâmes deux coups de fusil et nous

* Mesure d'un litre environ.

jetâmes ostensiblement l'arme pour montrer nos intentions pacifiques. Notre interprète kirdi, Naka-datch, sonna de la trompe et poussa quelques clameurs à la cantonade. Je me dressai les mains vides et me risquai à découvert. Rien ne bougea. Je fis lever ma petite troupe et nous reprîmes notre marche vers le village dont on voyait le sommet des huttes à quelques centaines de mètres. Nous par-vînmes sans encombre jusqu'à la place centrale où se dressait un totem fait de branchages, de pierres levées et de chiffons. Tout était désert. Je fis déposer les quelques fusils de l'escorte et trois sacs de sel bien en évidence devant le fétiche et nous atten-dîmes. Bientôt un vieillard apparut, puis un deuxième qui jeta son arc dans notre direction. Une aïeule suivie de quelques femmes se dirigea d'un air indifférent vers les cases et une douzaine de visages d'enfants émergèrent entre les murailles. Enfin, les guerriers arrivèrent et posèrent leurs armes près des nôtres. La paix était acceptée. Celui qui semblait être le chef vint s'asseoir devant moi et les conversa-tions commencèrent. Je lui remis les trois sacs de sel, il me donna en échange une calebasse d'eau et trois poulets. Je me présentai comme étant la personnification même de l'amitié, l'incarnation de la bonne volonté, je ne voulais que les saluer, les aider à soigner leurs enfants, etc. Lui se plaignit de la sécheresse, de la maladie des chèvres, de l'impôt levé par Mangala et des singes qui pillaient ses champs d'arachides. Je remarquai que toutes les pierres levées avaient reçu leur offrande d'huile, de sang et de plumes de volaille, les « coulis » étaient donc satisfaits, je pouvais passer la nuit dans le village, les femmes donneraient de la braise à mon cuisinier. Le lendemain, je partis de bon matin pour Guivel, le village voisin où résidaient le djaoro, chef de canton, et le Massaï Chouel, sorcier du pays. Le docteur Brochen, médecin de région qui m'accom-pagnait, me recommanda de convaincre la popula-tion de se faire vacciner car l'épidémie faisait rage dans le secteur. Je fis donc rassembler les villageois et entrepris de persuader le chef des bienfaits de la médecine. Je vis tous les visages se fermer, et pour cause. Deux ans auparavant, le médecin précédent avait tenté en vain la même opération. Devant le refus général, il avait perdu patience et demandé un renfort de gardes pour cerner le village. Il avait capturé une douzaine de patients et les avait vaccinés de force. Les malheureux s'étaient déchiré les épaules sur les rochers et brûlés au fer rouge pour effacer les traces de vaccine, certains étaient morts de gangrène. Les « coulis » refusaient toute introduction de poison étranger dans le sang des Mofous. Je tentai l'impossible pour calmer l'indignation générale, je me fis vacciner à plusieurs reprises en public, je promis trois bœufs au chef, une montagne de couvertures, un marais salant de sel de cuisine. Rien n'y fit. A deux heures du matin, la noria des traducteurs m'apporta la conclusion du djaoro : « Tu parles trop, j'ai mal à la tête, je suis fatigué, je m'en vais ! » Je me rabattis donc sur les problèmes agricoles, les greniers de réserve et les méfaits des cynocéphales.

La lutte contre ces singes me parut tout à coup de nature à me valoir l'oreille de l'opinion et dès le lendemain, j'organisais une battue. Ces fauves redoutables, au nombre d'une centaine, étaient cantonnés dans un chaos rocheux pas très loin du village. Non seulement ils pillaient les récoltes mais s'attaquaient aux troupeaux ; ils renversaient d'un coup de patte les boucs et les béliers et leurs dévoraient les testicules en deux coups de mâchoire. Les hommes, effrayés, n'osaient les approcher à portée de flèches. Seuls mes cinq ou six fusils avaient, disaient-ils, des chances de venir à bout du fléau. Je partis donc en campagne et m'embusquai avec mes gardes à une centaine de mètres de la horde. Les grands mâles à crinière de lion nous firent face, j'ouvris le feu, quelques bêtes tombèrent mais une grêle de pierres s'abattit sur nous et le troupeau chargea. Mes hommes tirèrent plusieurs salves, chaque coup faisant mouche, mais l'élan ne fléchissait pas. Les femelles hurlantes soutenaient leurs mâles et lançaient à qui mieux mieux de lourdes rocailles. Je songeais que mes tireurs et moi-même ne disposions plus que d'une réserve de cinq cartouches par arme et je me voyais déjà succombant sous le nombre, lorsque la vieille guenon qui semblait commander le troupeau poussa plusieurs glapissements brefs : la troupe battit en retraite et disparut. Malgré l'insistance des villageois, je jugeai prudent de ne pas les poursuivre et ce n'est que le lendemain matin, au lever du jour, que je me rendis sur le champ de bataille. Il ne restait plus aucun cadavre, seules de nombreuses plaques de sang séché témoignaient de la violence du combat. « Ne cherche pas, me dit le chef, ils emportent toujours leurs morts et ont profité de la nuit pour quitter définitivement les lieux. » Pendant huit jours, je poursuivis mon pèlerinage de village en village, accumulant toutes les rebuffades et me heurtant à un front de silence.

Chaque soir à la tombée du jour, quand les femmes remontaient des sources avec leur grande jarre sur la tête, je faisais dresser mon lit et ma moustiquaire sur la place du village à l'abri d'un auvent de paille. Instantanément, dès la dernière étincelle de lumière, les habitants s'enfermaient dans leur case pour se protéger des esprits de la nuit, les chèvres et les chiens se taisaient par peur des panthères. Un silence de plomb ensevelissait la montagne. Mes deux ou trois compagnons parlaient à voix basse autour du feu qui s'éteignait, le fétiche tutélaire dressait ses membres de branchage vers le ciel étoilé, une sorte de malaise métaphysique nous gagnait insidieusement comme si une angoisse venue du fond des âges somnolait encore en nos âmes. Si la nouvelle de notre présence s'était répandue dans tous les massifs et si les flèches restaient sagement dans les carquois, les poulets de la montagne, décapités par le Massaï Chouel chargé de dire l'oracle, tombaient toujours du mauvais côté et s'opposaient à mes projets. Il convenait donc de traiter d'une manière ou d'une autre avec ce puissant personnage. Gérard Prestat, mon adjoint, trouva la clé du problème. Après la variole, le mal qui accablait le plus les enfants et les adolescents était le trachome : une maladie infectieuse qui atteint les paupières, la cornée et la conjonctive et provoque des suppurations, des lésions cicatricielles et entraîne à la longue la cécité. La promiscuité, la misère, la fumée des cases en sont responsables. Parmi les traitements les plus efficaces figurent le nitrate d'argent et les collyres aux antibiotiques. Les résultats obtenus avec le collyre Saint-Jean étaient particulièrement spectaculaires et avaient retenu l'attention du Massaï. « Tu vois, lui dis-je discrètement, tu peux faire comme le docteur, ce n'est pas difficile, si tu es d'accord je te donnerai tous les flacons que tu voudras. » Ce charlatan comprit immédiatement tous les avantages matériels et le prestige qu'il pouvait retirer de l'opération. A partir de ce jour, nos relations furent parfaites, je l'approvisionnai régulièrement en collyre, les guérisons se multiplièrent, les poulets tombèrent du bon côté et me furent favorables.

Je repartis donc un peu désarçonné sinon bredouille de cet étrange pays et plein d'appréhension sur le chemin qu'il faudrait encore parcourir pour amener ces peuplades au seuil de l'humanité. Elles se rappelèrent d'ailleurs à moi dans les jours qui suivirent en assassinant mon interprète Nakadatch qui avait eu l'imprudence de s'absenter pour une fête dans sa famille. Je rebroussai chemin immédiatement pour retrouver son corps, mais il avait déjà été cousu dans une peau de chèvre et inhumé dans un lieu secret.

Je rentrais, la mort dans l'âme, lorsque ma route fut déviée par un conflit qui venait d'éclater entre deux tribus rivales de Guemchek et Guirmedeou. Au cours d'un orage nocturne, la foudre était tombée sur la case du dépositaire de la trompe de guerre et l'avait incendiée. Dans son affolement, le propriétaire s'était mis stupidement à souffler dans sa conque. Sans plus s'informer, toute la tribu avait sauté sur les armes et était partie dans les ténèbres à l'attaque de l'autre village. Surpris dans leur sommeil, dix-sept guerriers avaient été massacrés et beaucoup d'autres blessés. Les assaillants ayant eu également quelques pertes, il fallait payer le prix du sang. Pour cet arbitrage délicat, l'intervention de l'Administration était toujours souhaitée car c'était la seule façon d'enrayer la guérilla et l'enchaînement des vengeances. Le va-et-vient entre les deux villages, perchés de chaque côté d'un ravin profond, était exténuant pour les négociateurs mais constituait une distraction inespérée pour les deux parties. Le chef de Guemchek, à qui je reprochais sa légèreté et sa hâte excessive à en découdre, me fit remarquer qu'on lui avait dit que dans mon propre pays en Europe, il y avait deux tribus, les Français et les Allemands, qui vivaient sur les deux rives d'un même mayo* et se faisaient, à tout propos, des guerres inexpiables qui laissaient des montagnes de morts. De quoi avaient l'air les quelques victimes de Guirmedeou ? De toute façon, la vie était ainsi, les hommes naissaient, procréaient et mouraient comme tout ce qui est animé sur la terre, peu importe la façon dont ils disparaissaient, c'était l'affaire de Dieu. Quand il en manquait dangereusement, on en faisait d'autres et il valait mieux mourir dans la force de l'âge que de devenir impotent. C'était encore une lézarde inattendue dans mon anthropocentrisme congénital et un thème de méditation pour ma charité chrétienne. Cette dernière avait beaucoup de mal à s'adapter à cette philosophie de l'existence. A quelques lieux de là, à Tchéré, dans un autre massif qui avait l'aspect d'une

* Rivière.

décharge gigantesque d'énormes blocs de pierre arrondis par l'érosion, il y avait un village qui ressemblait à un rucher perdu dans un chaos. Les panthères y faisaient de gros ravages dans la population enfantine. Cachées dans les interstices des rochers où des vasques naturelles conservaient longtemps les eaux de pluie, elles étaient pratiquement inexpugnables. A la tombée du jour, quand les femmes valides partaient pour la corvée d'eau aux sources du piedmont, les enfants restaient sans surveillance et les fauves en profitaient pour les enlever et les dévorer. Un sondage rapide nous avait montré qu'en quelques années, plus de quarante bambins avaient disparu. Je tentai donc de mettre à l'essai un plan d'éradication des panthères.

La mise en place d'appâts empoisonnés faisait problème, les chiens si utiles aux chasseurs les mangeaient et succombaient; les hommes en faisaient souvent autant. Les pièges s'avéraient dangereux non seulement pour les molosses mais également pour les grands-mères et les garnements fureteurs. Il restait l'affût avec un chasseur confirmé et une chèvre vivante en appât, mais les panthères se méfiaient. Tant et si bien que mon manège finit par irriter la population qui me signifia sans ménagement sa façon de voir : « De quoi tu t'occupes ? est-ce que quelqu'un t'a demandé quelque chose ? qui donne les enfants, toi ou Dieu ? Dieu évidemment, alors c'est son problème de les envoyer ou de les retirer, si son instrument est la panthère, en quoi cela te concerne-t-il ? Fiche-nous la paix tout de suite à nous et aux panthères ! » Pauvres chrétiens ! Nos convictions judéo-orientales repensées par deux mille ans d'Occident et notre prosélytisme naturel achoppaient sur une fameuse muraille. L'Islam avait compris depuis longtemps que les voies d'Allah étaient impénétrables et que les païens n'avaient qu'à attendre l'heure de la grâce. L'Eglise romaine ne l'entendait pas ainsi, la hantise du salut et la démangeaison de l'universalisme la poussaient à convertir tous les infidèles qu'elle pouvait rencontrer. Les Oblats de Marie et les Petites sœurs du Sacré-Cœur du père de Foucauld vinrent s'installer dans les massifs en 1952.

De robustes missionnaires et de jeunes Normandes s'immergèrent dans les villages pour partager la vie quotidienne des populations païennes, creusant leur puits de leurs mains, préparant leur brouet de mil, apprenant les dialectes pour enseigner la parole de Dieu et les subtilités des dogmes. Les premiers résultats furent déplorables. Plusieurs jeunes sœurs moururent de cachexie, et les pères s'enferrèrent parfois dans des aberrations qui les conduisirent à un nouveau procès des sorcières de Salem. Etait-ce la solitude de ces hommes dans cet univers de nudité, l'anémie de leurs facultés mentales, des résurgences médiévales de la lointaine Armorique, le tout sans doute, avec quelques syndromes complémentaires. Tant et si bien que leur boy Léon s'étant déclaré envoûté par trois sorcières du cru, ils résolurent de l'exorciser. Pour ce faire, ils rassemblèrent les trois femmes dans une case et les frappèrent violemment devant le possédé. « Rends le pied, rends le bras, rends la tête, *vade retro satanas* » et les coups pleuvaient et Léon poussait des cris de délivrance. A la fin de l'épreuve, deux sorcières étaient mortes et la troisième, une jeune fille de seize ans, n'était guère en meilleur état. Le scandale s'ébruita et les deux meurtriers furent arrêtés et transférés à la prison de Maroua, en attendant leur passage aux assises. Je garderai le silence sur les pressions dont je fus l'objet tant de la part des organisations chrétiennes locales que des associations de libres-penseurs métropolitains, pour adoucir ou renforcer la détention des prévenus. Le jour des assises arriva, procureur général, cour, ministère public, avocats et vicaire apostolique étaient présents dans l'enceinte. Quand la jeune sorcière apparut dans le plus simple appareil, Themis et l'Eglise éprouvèrent un frisson aussi vieux que l'espèce. Les accusés répondaient avec fougue à l'avocat général : « Mais enfin, disaient-ils, le malin ça existe, il était là, comment tolérer sa présence ? » Le verdict fut modéré, trois ans de prison avec sursis et cinq ans d'interdiction de séjour. Personne ne semblait satisfait, ni les Blancs, choqués dans leur conviction et gênés par la brutalité des faits, ni les Noirs islamisés qui se félicitaient d'être étrangers à l'affaire mais n'avaient pas davantage de réponse au fond du problème. Seuls les Kirdis, qui ne comprenaient rien aux querelles métaphysiques des uns et des autres, continuèrent à déposer, impassibles, sur les autels de leurs dieux leurs sacrifices traditionnels. Chaque troisième mercredi du mois selon la lune par exemple, les foires aux fiancés réglaient la survie du groupe. Toutes les filles en âge de se marier se mettaient en rang sur un côté du marché, dans leur chaste nudité mais parées de leurs plus belles peintures et de quelques ornements précieux. Cache-sexe d'argent, ceintures ventrales, clous et labrets faciaux, coiffures minutieusement tressées. Devant elles, les garçons dans le plus simple appareil défilaient à longues enjambées glissées en jouant d'une sorte d'ocarina faite d'une anche en argile et d'une corne de chèvre. De temps à autre, un prétendant s'avançait vers le rang des filles et tirait à lui la belle de son choix. Après un bref examen réciproque, ça marchait ou ça ne marchait pas et les deux tourtereaux s'éloignaient en se tenant par la main, ou se séparaient en riant pour reprendre, comme si de rien n'était, leur ronde ou leur faction. Ceux qui s'étaient choisis partaient dans la montagne chercher refuge dans une petite case préparée à l'avance par le jeune homme, avec une provision d'eau, de bois et de nourriture. Le couple y passait un peu plus d'un mois et si la fille se découvrait enceinte, le futur ménage revenait au village pour préparer les noces. Celles-ci étaient symbolisées par un chien vivant coupé en deux par un vigoureux coup de machette. Si rien ne se manifestait, la fille et

132

le garçon se séparaient et revenaient sur le marché à la lune suivante. La femme, dans les sociétés primitives, devait d'abord être une génitrice avant d'être une précieuse ouvrière.

Si les païens de la montagne me valaient chaque jour une moisson de problèmes difficiles à résoudre, ceux de la plaine, les Guizigas, Moundangs, Toupouris, Mousgoum, Bananas et autres Guizéïs, étaient plus dociles et moins querelleurs; agriculteurs et sédentaires, les chevaux des conquérants, les bœufs et Allah n'appartenaient pas à leur panthéon. Ils avaient gardé intacts leurs esprits, leurs rites et leurs sorciers et avaient un sens profond de la terre nourricière, de l'arbre, des semences et du grenier pour les récoltes. On les sentait réceptifs à l'aménagement de l'espace rural, et aptes à apprendre l'usage des engrais, des insecticides et la culture attelée. Leurs enfants étaient désireux de s'instruire alors que chez les islamisés, notre conception du progrès se heurtait à la lettre du Coran. Même les chefs peuhls les plus avisés tergiversaient pour envoyer leurs héritiers à l'école : « J'ai toujours été loyal avec les Français, disaient-ils, je paie les impôts sans rechigner, pourquoi veux-tu encore me prendre mes enfants ? La prière et la parole de Dieu leur suffisent. »

Quand je leur donnais à comprendre qu'un jour viendrait où ils perdraient leur commandement au profit des plus instruits, ils répondaient que leur destin, comme le mien, était entre les mains d'Allah.

Le plus pittoresque des païens de la plaine du Logone, était, sans conteste, le sultan de Pouss, Bang Evélé, un personnage gigantesque de plus de deux mètres de haut et de forte corpulence, qui avait un visage dégrossi au taillant de maçon, un gros nez triangulaire et un petit collier de barbe blanche.

Il était de race mousgoum, une tribu animiste de pêcheurs et d'agriculteurs. Cette peuplade avait été longtemps la proie des esclavagistes arabes et ses femmes avaient gardé l'habitude d'enlaidir leur visage avec des tatouages et des labrets pour décourager les ravisseurs.

Alors que tous leurs voisins construisaient des cases en boue séchée recouvertes de paille, les Mousgoums édifiaient de grandes jarres renversées de 5 à 6 mètres de hauteur en argile et d'un seul tenant et les ornaient de protubérances du plus bel effet. Ces singularités avaient frappé André Gide au moins autant que la taille du sultan et le grand nombre de ses femmes. Le saré de Bang Evélé avait plus d'un hectare de superficie et était bordé de murailles de terre. A l'intérieur, les demeures de ses six cents épouses alignaient leurs cônes ovoïdes comme à la parade. Chaque case était divisée en quatre portions, une pour la vache, une pour les enfants, une pour les instruments de cuisine et l'outillage, et la dernière pour la maîtresse des lieux.

Tout y obéissait à une discipline rigoureuse imposée par le vieux géniteur encore tout-puissant comme l'attestaient ses quelque huit cents enfants qui lui ressemblaient étrangement. L'influence de Bang Evélé ne s'étendait pas au-delà des limites du sultanat et les problèmes de développement que je lui exposais, par acquit de conscience, le laissaient impavide, mais il était confiant et de bonne volonté. Je ne songeais pas le moins du monde à bouleverser l'ordre mousgoum mais la vue des vastes plaines inondées par les crues annuelles du Logone me faisait rêver, ainsi que les agronomes de mon entourage, de digues, de casiers aménagés et de rizières.

Ce fleuve puissant, qui sépare l'Afrique équatoriale du Cameroun, se déverse dans le lac Tchad après avoir rejoint le Chari à la hauteur de Fort Lamy. Il inonde, à chaque saison des pluies, la grande dépression de la cuvette tchadienne et trace dans les plaines immenses appelées « Yaéré », un long sillon sinueux d'argent, dont Léon Salasc, poète qui avait autrefois commandé la région, avait écrit :

La pirogue furtive est le vol d'un oiseau
L'appel du tambourin prélude au chant de lune,
Les sorciers croient toujours à ta source
enchantée
Logone ami
L'immense plaine est un bijou d'argent que
cisèle ta bave claire
Le serpent reposé veille au fond de son trou
Et jalouse ta grâce, ô serpent de lumière.

Le sultan m'assurait que les génies des « Yaérés »
ne voyaient pas d'inconvénient à la mise en culture.
Quand à Allah qu'il feignait de reconnaître pour
complaire, par précaution, aux Peuhls du voisinage,
il affirmait que sa miséricorde passait bien au-
dessus de la riziculture.

Son homologue, le chef Makhaïni des Massas-
Bananas de Yagoua, était beaucoup plus jeune mais
tout aussi favorable à l'administration française.
Les chefs de subdivisions successifs, mes camarades
Maurice Delaunay et René Blanchard, avaient toute
sa confiance. Il les entraînait bien parfois dans des
aventures dangereuses comme cette attaque d'une
île du cercle de Bongor, dans l'Afrique équatoriale
française, mais il ne leur mesurait jamais sa collaboration et son dévouement. La frontière entre l'Afrique équatoriale française et le Cameroun avait été
définie dans l'Acte de Berlin en 1885 comme suivant
le cours majeur du Logone. Or, avec le temps, les
divagations naturelles du fleuve avaient laissé une
île dans une position indécise. Tous les malfaiteurs
du pays s'en étaient aperçus et y trouvaient refuge à
la barbe des autorités riveraines. Makhaïni démon-
tra à l'administration française que cette terre était
camerounaise et qu'il fallait à tout prix y rétablir
son autorité. L'administrateur s'y rendit en sa compagnie, sous petite escorte et tomba dans un véritable traquenard. Une centaine de rebelles, fortement
éméchés, les attendaient sagaie au poing et, l'alcool
aidant, les menaçaient d'extermination ; conscient

du danger, le commandant français voulut battre en retraite, mais Makhaïni ne l'entendait pas ainsi et fit prévenir subrepticement la rive camerounaise. Aussitôt le pays entier s'enflamma, les grands tambours de guerre en peau d'hippopotame se mirent à battre, une clameur mille fois répétée s'éleva : « La guerre ! la guerre ! c'est la guerre ! » Frustrés par cinquante ans de présence européenne, les guerriers bananas tenaient enfin leur revanche. Ils sautèrent par milliers dans le fleuve et vinrent tout naturellement se ranger derrière leur lamido et l'administrateur promu général en chef. La tension montait de minute en minute, tout le monde voulait sa victoire et la centaine de rebelles, ivres au dernier degré, était prête à se faire égorger plutôt que de capituler. Mon pauvre collaborateur fut pris de panique en songeant que, représentant d'un Cameroun sous tutelle des Nations unies, il allait présider en personne à un massacre sur un territoire français. Il hurla, se démena, interpella son lamido, fit tant et si bien pendant trois heures qu'il laissa le temps à une troupe de garde-cercles de Bongor, miraculeusement alertée, de déclencher une mousqueterie sur la rive tchadienne et de ramener les excités à la raison. En dehors de ces péripéties, Makhaïni prêta main forte pour construire un terrain d'aviation, commencer les endiguements agricoles, encourager les paysans à planter des rizières et, quelques années plus tard, il apporta son appui décisif à l'édification d'une grande rizerie moderne sur le secteur de modernisation de Yagoua.

A l'autre extrémité de la circonscription, le chef toupouri de N'Doukoula, Golopo, commandait la plaine qui occupe la plus grande partie du bec du Nord-Cameroun entre le lac Fianga et le mayo Danaye.

Les Toupouris sont une race magnifique, de haute taille et de puissante musculature, qui constituent une grande tribu d'agriculteurs animistes et sédentaires dont le foyer spirituel est la montagne Doré, au centre d'une île du lac Fianga. C'est dans cet Olympe que réside le wankoulou, grand-prêtre de l'ethnie. Ce personnage, dont la désignation obéit à des rites mystérieux, exerce un magistère essentiellement spirituel et ne peut s'aventurer hors de la butte sacrée. Il est, en toute circonstance, accompagné par un serviteur porteur d'une jarre, qui doit recueillir tout ce qui provient du saint homme, cheveu, poil de barbe, excréments. Tout ce qui tombe sous l'œil du wankoulou lui appartient, femme, chèvre, poulet, enfant. C'est sans doute pour éviter les tentations et limiter les dégâts qu'il est astreint à rester dans l'île.

Golopo régnait donc temporellement et sans autre partage que l'obédience au wankoulou sur la province de N'Doukoula. Son saré, de plus d'un hectare de superficie, était entouré de fortifications de terre de 4 mètres de hauteur. A l'intérieur, autour d'une place centrale, s'élevaient les cases de ses vassaux, de ses femmes, de ses enfants et de ses serviteurs. Un important cheptel de chèvres et de moutons peuplait les ruelles entre les greniers à mil et les réserves de paille. Du fond de son « djaoulerou », le vieux satrape menait sa tribu d'une main de fer, pliant les fétiches et les hommes à son bon vouloir. Il entretenait les meilleurs rapports avec l'Administration et était ouvert aux innovations « modernistes » de développement. C'est ainsi qu'il avait contraint ses sujets à planter, sous le contrôle de l'ingénieur des Eaux et Forêts Joanny Guillard, trois rangées d'arbres de part et d'autre de toutes les pistes de la région, opération qui transforma une plaine dénudée où galopaient les vents desséchants en une savane arborée qui permettait de gagner deux mois d'humidité à l'épiaison des récoltes. Il avait favorisé l'implantation, sur ses terres, de la mission catholique des Oblats de Marie et leur avait même apporté son aide pour la construction d'une école, d'un dispensaire et de bâtiments conventuels. Un de ses fils, Daïcréo, s'était converti et servait de factotum aux bons pères. Ses services et son dévouement étaient si appréciés que les hautes autorités coloniales lui décernèrent un jour la Légion d'honneur. Tout le monde sait que la République est d'une ladrerie confondante quand il s'agit des fastes de l'ordre national. Non seulement elle ne fournit pas la décoration, mais elle ne prévoit qu'une cérémonie furtive pour sa remise. Dans l'esprit africain, toute distinction doit être accompagnée d'une grande fête pour honorer le récipiendaire. Devant la carence officielle, Golopo décida d'organiser lui-même la cérémonie qui convenait à son prestige. Il convoqua donc son peuple à N'Doukoula pour la fête de la médaille et le protocole en fut des plus simples : il s'assit dans un fauteuil entre une grande corbeille vide et un sac de noix de cola, chaque sujet vint s'incliner devant lui en jetant un billet de cinq francs dans le panier et en recevant, de la main du maître, une noix qui valait quelques centimes. C'est ainsi que je vis la Légion d'honneur, fleuron de la France impériale puis républicaine, consacrer la gloire de la féodalité.

Quelques années plus tard, le vieux potentat tomba malade et je me rendis à son chevet; je compris, à son affaiblissement, que sa fin était proche et je donnai des ordres au chef de la subdivision pour mettre à ses côtés un infirmier de garde. Je voulais éviter que la mission religieuse ne profitât de ses derniers instants pour extorquer pieusement quelque baptême *in articulo mortis* au vieux païen. Sur ce chapitre, Golopo avait toujours été très vigilant et n'avait jamais accepté, dans son saré, qu'une minuscule case couverte de tôle que la mission appelait emphatiquement une chapelle privée. Le matin du 8 avril 1954, le vieux chef mourut. Son fils, Daïcréo, l'auxiliaire des Oblats, tenta, comme prévu, de faire croire qu'il avait eu le temps d'ondoyer son père mais le peuple n'en eut cure. En apprenant la nouvelle, le wankoulou de la montagne Doré prescrivit les rites ancestraux des funérailles.

Golopo fut cousu dans une peau de bœuf et enterré secrètement dans un bois sacré de la région. Son fils aîné, chef du canton de Golongpui, fut appelé à lui succéder et entreprit de construire une nouvelle cité. Dix jours plus tard, au cours d'une tournée, je repassai devant N'Doukoula et je constatai, à ma grande surprise, que l'immense saré de Golopo avait disparu. Un champ de mil fraîchement ensemencé s'étendait là où quelques semaines plus tôt se dressaient de hautes murailles et des bâtiments sans nombre. Tout avait été pulvérisé, évacué, il ne restait sur l'aire nivelée qu'une minuscule case à toit de tôle, la « chapelle privée », que les démolisseurs avaient ignorée puisqu'elle appartenait au royaume des Blancs.

Il n'est pas possible de quitter le pays toupouri, surtout si la saison sèche accablante tire vers sa fin, sans assister à la fête des Gournas. On appelle gourna une société de jeunes gens et d'hommes adultes qui désirent se rassembler au sein d'un groupe pour une douzaine de mois et qui, avec l'autorisation du chef de village, construisent un camp clôturé de paille à l'ombre d'un grand arbre. Cet enclos édifié après un sacrifice au « jagjin », le fétiche qui est planté à l'entrée du camp, recevra plus d'une centaine de jeunes gens qui seront tous accompagnés d'une vache laitière et de son veau. Le gourna doit durer environ dix mois et ses adeptes doivent se suralimenter. Certains entrent pour un mois à six semaines, par groupes de deux ou trois, dans une case étroite appelée le « legam » où ils restent couchés vingt-quatre heures sur vingt-quatre. Leur alimentation comprend, outre les repas ordinaires, une absorption massive de lait et de bouillie afin de grossir le plus possible. Un danseur gros et gras fera l'admiration des spectatrices. La danse et les chants sont en effet une des grandes activités du gourna. Une véritable émulation existe entre les villages pour composer les morceaux les plus beaux et les ballets annoncés quelques jours à l'avance donnent lieu à des préparatifs spectaculaires. Les jeunes gens s'enduisent de beurre et s'appliquent sur la poitrine une poudre rouge. Tous dansent nus, leurs grands corps modelés comme des bronzes antiques luisant sous le soleil. Ils portent une peau de gazelle ou de cob attachée autour des reins et qui pend jusqu'à leurs talons et un gros rouleau de corde en guise de collier. Ils rythment leur danse avec un bâton blanc ou une sagaie qu'ils tiennent à la main. C'est pendant le séjour au gourna que les anciens autorisent les novices à coucher avec une fille, le jeune initié ne pouvant le décider lui-même. Quand l'accord est donné, le postulant se rend chez le père de la demoiselle et discute de la nature et du montant de la dot ; si l'offre est acceptée, il repart chez lui pour trois jours avec l'élue. C'est ainsi que s'effectue le passage à l'âge adulte et un Toupouri se base sur cet événement pour compter les années. Si vous lui demandez : « Ta mère est-elle morte depuis longtemps ? », il répond : « Il y avait déjà cinq ans que je couchais avec les filles. »

Le séjour du Toupouri au gourna est le grand événement de sa vie et le jeune garçon attend avec impatience son entrée dans la société des grands. Le gourna est, en fait, un véritable Etat dans l'Etat avec son mode de vie et ses lois. Chaque village tient à ses gournas et en éprouve une grande fierté. Il n'y a pas de plus grand honneur pour la collectivité que d'avoir les danseurs les plus beaux et les lutteurs les plus forts.

Si je me suis attardé sur cet aspect de la vie profonde de l'Afrique, c'est pour mieux faire comprendre le désastre humain que constitue aujourd'hui la désertion des campagnes au profit des pourrissoirs urbains. Le juke-box, le cinéma, l'individualisme et la clochardisation ne compenseront jamais l'harmonie, la communion culturelle et la chaleur des échanges au sein du groupe tribal.

Si les autres groupements païens du Diamaré n'avaient pas la puissance et l'originalité des Toupouris, chacun présentait des caractéristiques physiques, des types d'habitat, des coutumes et des dialectes très spécifiques.

Les Moundangs, entre les montagnes de Lara et de Kaélé, au nombre d'une quarantaine de mille, n'obéissaient qu'à des chefs de rang modeste dans le cadre de leurs villages et de leurs cantons. En majorité cultivateurs sédentaires et animistes, ils se distinguaient par un esprit vif et souvent plein d'humour, une capacité d'adaptation exceptionnelle aux innovations techniques et aux méthodes modernes d'agriculture. Ils furent les premiers à développer le coton, la culture attelée et les assolements.

A côté d'eux, les Guizigas, représentant un bloc de cent mille hommes, étaient plus batailleurs et moins dociles. Bien qu'ils fussent considérés comme animistes, on les sentait déjà imprégnés par l'Islam et soumis aux révélations transcendantales, au monopole de la vérité, à la défausse commode sur la volonté divine, à la soumission fataliste, au mépris pour les non-convertis et même à la paresse. La pratique des vols de bétail et les rixes entre villages étaient monnaie courante autour de Moutourwa et de Midjivin.

Voici quels étaient, pour l'essentiel, mes interlocuteurs quotidiens et la pâte humaine que j'avais à brasser pour préparer, sous la tutelle des Nations unies, l'indépendance du Cameroun. Les tournées de prise de contact étant terminées, il n'y avait plus qu'à arrêter le programme des travaux et à l'exécuter. En fait, cette politique de développement était définie, dans ses grandes lignes, par les circulaires du haut-commissariat qui voulait rattraper le temps perdu à cause de la guerre et de l'éloignement géographique. Pays de structure féodale, relativement paisible, à l'abri des agitations politiques du Sud, le grand Nord avait toujours été confié à des

141

proconsuls chevronnés qui privilégiaient peu, par manque de moyens, les équipements économiques et sociaux. Après de longues négligences, l'administration française cherchait des solutions miracle et, faute de baguette magique, en appelait à l'esprit de débrouillardise et à la fierté patriotique de ses agents. Comme les budgets étaient maigres, il fallait, soulignaient les directives officielles, « concilier l'inconciliable et harmoniser les priorités ».

Au premier rang de ces urgences figuraient les routes, les ponts, les aéroports et le développement des cultures : vous ne négligerez pas pour autant « l'humain », ajoutaient à toutes fins utiles les circulaires qui devaient être transmises à l'ONU.

La région ne disposait d'aucun engin de terrassement ni de moyens de transport, pas plus d'ailleurs que de garages et de ciment. Une entreprise métropolitaine fut chargée de construire des ouvrages considérables en rase campagne, sur les cours d'eau et les mayos temporaires, sans la moindre ébauche de chaussée, et ce n'est que de nombreuses années plus tard que ces ponts trouvèrent enfin une utilisation.

En attendant, je pus monter un atelier mécanique important et me procurer quelques niveleuses et camions indispensables au démarrage de mes propres chantiers.

Le lamido Yaya Dahirou s'enticha tout à coup d'un grand aéroport. Celui de Maroua, dont la piste en herbe était trop courte et trop proche de la montagne, ne satisfaisait personne en dehors des Européens du poste qui, au moindre bruit d'avion, prenaient leur voiture pour se précipiter à l'escale dans l'espoir de rencontrer un visage connu et d'échapper pour quelques heures à leur claustration. La recherche d'une nouvelle aire d'atterrissage était difficile car toute la plaine était inondée en saison des pluies. Le seul « hardé » (les Peuhls appellent ainsi un sol solide et compact) se trouvait à 20 kilomètres sur le tracé de la future route de

Garoua à Maroua. Je m'y rendis, au cœur de la saison des pluies, pour reconnaître les lieux. L'approche fut un exploit tant la piste s'était muée en fondrière mais le site était exceptionnellement favorable, le sol, de bonne consistance, était en partie déboisé et les dégagements étaient ouverts tous azimuts. L'accord de la direction des Travaux publics du Cameroun fut facilement obtenu et j'entrepris d'esquisser le tracé du futur terrain. D'emblée, je ne rencontrai que des détracteurs. Les Européens du poste, frustrés de leur bar de l'escale à l'entrée de la ville, ne parlèrent plus que de ma mégalomanie, de l'ineptie économique d'un tel projet, de l'omnipotence scandaleuse de l'Administration et de l'argent gaspillé. Les techniciens parlèrent de bricolage d'un incompétent « pour se faire mousser », les politiques, de fantaisie démagogique et de poudre aux yeux pour mystifier l'ONU et les Nègres. Heureusement le lamido et mes jeunes collaborateurs me soutenaient. Deux ans d'efforts furent nécessaires, sans argent et sans moyens mécaniques puissants, pour triompher des obstacles que les hommes et la nature semaient sur ma route. Un jour, c'était les termites qui érigeaient en quelques nuits leurs monticules de galeries sur le terrain dégagé, et que l'on ne parvenait pas à déloger de leurs labyrinthes souterrains. Un autre, c'était la mutation incompréhensible d'un conducteur de travaux ou les remarques acérées d'un jeune ingénieur fraîchement sorti de l'école qui prétendait que dans l'impossibilité de creuser autour de la piste un réseau de drainage de plus de 4 kilomètres avant la saison des pluies, il fallait renoncer au projet. Quand j'informai le lamido Yaya Dahirou de cette nouvelle avanie, il plissa ses petits yeux cruels et me dit : « Nous allons faire la guerre à ton ingénieur infantile et lui montrer ce que nous savons faire, tu as combien d'argent dans ta caisse ? — Cent cinquante mille francs CFA, lui dis-je. — C'est bien plus qu'il n'en faut. Va acheter des pelles et des pioches partout où tu en trouveras à Maidouguri, à Yola, à Fort Lamy, quatre ou cinq mille peut-être. » Ainsi fut fait et en dix jours, grâce à l'entregent des commerçants et des transporteurs Haoussa, je fus à la tête d'un véritable magasin de quincaillerie.

« La pluie sera là dans une semaine, précisa mon chef de guerre. Rendez-vous après-demain, à l'aube, sur le terrain de Salak. » J'arrivai donc au petit jour avec mon adjoint, René Blanchard, sur le champ de bataille. Une foule imposante de cinq à six mille personnes m'y attendait. Tous les chefs de cantons et de villages étaient là à la tête de leurs hommes, des petites colonnes continuaient à déboucher de la brousse et venaient se ranger derrière leur bannière. Le lamido à cheval, suivi de ses ministres, répartit de part et d'autre de la piste, le long du piquetage que j'avais fait effectuer la veille, son armée de travailleurs. La distribution des outils commença, les tambours se mirent à battre, les tubas de cuivre résonnèrent, les maîtres du rythme lancèrent les chants et les griots virevoltèrent, cinq mille pioches et pelles attaquèrent le hardé d'un même élan. Le soleil monta et descendit, les files de porteuses d'eau se succédèrent auprès des travailleurs assoiffés, la nuit tomba tandis que s'allumaient les feux des repas du soir et de la veillée.

En trois jours, tout fut terminé : 4 kilomètres de fossés représentant 12 à 15 000 mètres cubes de terrassement balafraient la plaine. « Te reste-t-il de l'argent, me demanda le lamido, pour acheter dix bœufs, du mil et de la bière ? » Oui, il m'en restait suffisamment. La fête dura trois jours et chacun rentra chez lui heureux d'avoir tant mangé, tant bu et tant dansé. Le tonnerre grondait déjà sur l'horizon et l'hivernage allait commencer. « Tu pourras inviter ton ingénieur, me dit Yaya Dahirou, pour lui apprendre la modestie, mais ne l'humilie pas, c'est encore un jeune homme. »

Je ne m'attarderai pas sur cet aéroport dont l'équipement en bâtiments d'exploitation, abattoir frigorifique, centre de sécurité et de transmission demanda un nombre impressionnant d'improvisations, non seulement à moi-même mais à quelques jeunes ingénieurs de grande imagination comme J. Melchior, Gaucher et Nesterenko. Avec des moyens encore plus rudimentaires, mes collaborateurs, Maurice Delaunay et Louis Capelle, réalisèrent dans le même temps, avec le concours de leurs chefs et de leur population, les terrains de Yagoua et de Kaélé.

Le gouverneur général André Soucadeaux, qui dirigeait à l'époque le Cameroun, était un homme d'expérience et de terrain qui appréciait les efforts et ne me ménageait pas son appui, mais ses directives ressemblaient à la programmation des douze travaux d'Hercule. Il convenait, disait-il, d'aménager les rives du fleuve Logone pour y promouvoir la riziculture, de développer les cultures du coton et de l'arachide, de multiplier les secteurs expérimentaux et de formation agricole et de créer de toutes pièces des centres ruraux équipés d'une école, d'un dispensaire, d'une station vétérinaire et d'un marché, et tout cela, avec la seule aide du Fonds d'investissements et de développement économique et social (FIDES) créé quelques années auparavant. Des organismes spécialisés, comme la Compagnie française des textiles (CFDT), virent le jour, lancèrent la production rationnelle du coton et installèrent une usine d'égrenage à Kaélé. Un secteur de modernisation de la riziculture confié à l'ingénieur Gaury eut son siège à Yagoua et entreprit d'importants ouvrages hydrauliques. L'administration régionale procéda, par l'intermédiaire de ses sociétés de prévoyance, à la mécanisation du décorticage de l'arachide et du riz et, avec l'aide du ciel et des intéressés, fit son affaire des centres ruraux.

Peu à peu, le pays et les infrastructures prirent forme et la première mission de la quatrième commission des territoires sous tutelle des Nations unies annonça sa visite. C'était la première fois que j'étais confronté à une délégation internationale et ma curiosité était d'autant plus vive que les pires aberrations étaient reprochées à cette institution.

Les visiteurs arrivèrent donc à Maroua par la route et commencèrent leur inspection. Le chef de mission était M. Mason Sears, le propre président de la quatrième commission, et le secrétaire général, M. Victor Koo, un chinois international. Les autres membres étaient un administrateur colonial belge et un jeune dandy costa-ricien de « muy buena familia », effrayé par l'Afrique.

L'objectif de l'expédition était de s'assurer des progrès enregistrés par les populations et de juger de leur aptitude à assumer leur indépendance. M. Sears, d'un naturel peu loquace, me sembla en proie à des ruminations métaphysiques importantes, le Chinois était figé dans un sourire énigmatique, l'élégant Sud-Américain suffoquait ostensiblement derrière son mouchoir parfumé et le Belge faisait des mots d'esprit et riait sous cape.

Leur périple avait commencé dans la région voisine de Garoua et je ne sais quel plaisantin les avait conduits dans les monts Atlantikas, chez les Komas péteurs. Cette très belle race de Kirdis vivait complètement nus avec, pour seule parure, quelques plumes d'aigle dans la chevelure. Ils pratiquaient la pétomanie avec une virtuosité légendaire. Le salut était ponctué par un pet sonore et la bienvenue par une salve. Sur les murets de pierre qui bordaient le chemin d'accès à leur village, des centaines de derrières glabres, tendus vers les visiteurs, avaient pété à l'unisson. Ce qui allait bien au-delà de ce qu'un Bostonien réformé pouvait supporter. Dès ses premiers pas à Maroua, M. Sears s'effraya encore de la nudité des citoyens et de l'indifférence des Foulbés à l'égard de sa personne. Une incursion rapide à Douvangar le consterna car le sinistre Mangala n'avait pas paru très ouvert à ses suggestions démocratiques. J'essayais d'atténuer le choc folklorique en évoquant l'extension de la production, l'augmentation des revenus, les progrès de l'infrastructure et de l'équipement social mais mon interlocuteur restait de marbre. Je sentais qu'il accusait la France d'avoir failli à sa mission en ne vêtant pas les Kirdis et en respectant abusivement chez chaque peuple le droit de vivre sa différence. Il y avait certainement chez cet homme traditionaliste des interrogations fondamentales sur la genèse des nations. Quoiqu'il en soit, il repartit perplexe sur le *self governement* et je n'eus pas d'autre écho de son passage ; de toute façon, le sort des Komas était déjà réglé, depuis longtemps, au bord de l'East River.

Cet intermède pittoresque ne m'avait pas soulagé des multiples soucis que me posaient les opérations délicates dans lesquelles je m'étais engagé. Au nombre de celles-ci, figurait le démarrage du centre d'abattage du terrain d'aviation de Salak. Non seulement la collecte du bétail était difficile, mais les débouchés de la viande n'étaient pas organisés. Le chevillard local, un ancien boucher de La Villette, égaré sous les tropiques, n'avait pas l'envergure voulue et le service vétérinaire, orienté traditionnellement vers le traitement des épizooties, n'était pas d'un grand secours pour la commercialisation. Je décidai de me rendre à N'Gaoundéré pour consulter le docteur Mandon, directeur du grand centre zootechnique de Wakwa. L'élevage était très prospère sur le plateau de l'Adamaoua et la Compagnie pastorale y avait organisé, depuis longtemps, le commerce du bétail. Ses troupeaux descendaient périodiquement vers les centres consommateurs du sud et ses conseils m'étaient d'autant plus indispensables.

Le docteur Mandon et son équipe m'accueillirent avec leur bienveillance habituelle et me fournirent tous les renseignements que je souhaitais. C'est au cours d'un déplacement à Tibati, au cœur des zones de pâturages, qu'il me fut donné de rencontrer une des figures les plus pittoresques du vieux Cameroun, le vaquero Quesnel de La Rozière. Ce personnage

147

légendaire était un gaillard de haute taille, au visage émacié, qui devait être très proche de la soixantaine. Il avait été longtemps gaucho en Argentine et avait échoué, je ne sais comment, en terre africaine. Il convoyait régulièrement vers le sud les troupeaux de la Pastorale en buvant, disait-on, des laitages à la descente et du whisky à la remontée. Sa réputation d'original était bien établie. On racontait qu'il avait plusieurs fois pris ses vacances en France avec ses porteurs et son tipoye. Il effectuait le trajet Bordeaux-Paris par la route, dans son fauteuil porté par quatre robustes athlètes qui excitaient fort la curiosité des villes et des villages traversés.

Une autre fois, sur le point de regagner l'Afrique, il s'était assis à la terrasse du café Daumesnil, devant la vieille gare Montparnasse, avec ses nombreux bagages. Il avait appelé le boy pendant vingt minutes sans obtenir de réponse, sans doute le garçon de service ne se sentait pas concerné par cette appellation. Quesnel de La Rozière prit alors sa carabine 375 Magnum et se mit à tirer sur le cadran de l'horloge, au fronton de la gare. On devine l'émoi des consommateurs et la fébrilité des policiers qui accoururent. « J'attends vainement un verre de bière depuis une demi-heure, alors je tue le temps, monsieur l'agent ! » On disait encore qu'il avait loué, un soir, toutes les places du théâtre de Bordeaux pour avoir une représentation personnelle. A la fin de sa vie, ce Monfreid des savanes se retira dans un saloon de Meiganga, Chez la Huchette, et y termina ses jours en peignant des tableaux naïfs qui vaudront peut-être un jour une fortune.

Lors de notre rencontre, il se comporta en gentleman car, s'il était de tempérament burlesque, il possédait une extraordinaire érudition et une connaissance des bovins et des chevaux qui stupéfia le vétérinaire qui m'accompagnait. Ce jeune praticien, le docteur Laude, était chargé du dépistage des épizooties dans les grands troupeaux et, à ce titre, contrôlait les points de rassemblement des bergers peuhls.

Quelques années plus tard, il devait être victime d'un accident mystérieux. Alors qu'il était allé surveiller le Lahoré, un ancien cratère volcanique empli d'eau natronnée, proche de N'Gaoundéré, où venaient boire tous les troupeaux du voisinage, il ne revint pas à son domicile. On entreprit des recherches et on le retrouva, inanimé, auprès de sa voiture qu'il parquait toujours au même endroit. Quand il eut retrouvé ses esprits et qu'on lui demanda ce qui s'était passé, il raconta une étrange histoire de serpent aux yeux rouges qui l'avait fasciné ; on pensa à un coup de soleil. Un an après, jour pour jour, la même scène se reproduisit, le docteur Laude ne revint pas du Lahoré. On le retrouva mort au pied de sa voiture garée au même endroit. On ne sut pas quelle explication donner à ce drame, mais j'ai la conviction qu'il s'agissait d'une asphyxie brutale, provoquée par une éruption fumerolienne sporadique de l'ancien volcan.

D'une façon générale, ces hautes terres volcaniques étaient chargées de maléfices, les orages y étaient d'une extrême violence et la nature y multipliait, comme à plaisir, ses pièges et ses perfidies. Un autre vétérinaire, le docteur Jacquet, qui mesurait un jour la concession de son service, tomba à la renverse dans un puits abandonné de 4 mètres de profondeur, dissimulé parmi les hautes herbes. Légèrement blessé dans la chute, il s'évanouit et quand on voulut le retirer, on s'aperçut qu'il était couvert de serpents qui grouillaient au fond de la fosse. On le vaccina avec tous les sérums antivenimeux connus et on l'évacua sur l'hôpital de Yaoundé. Il s'en évada dans la nuit et on le retrouva au petit matin, errant dans la ville comme un somnambule, pieds nus et en pyjama, complètement muet et amnésique. A la Noël, l'évêque du lieu, monseigneur Plumet, des Oblats de Marie, qui célébrait la messe de minuit, voulut prendre le ciboire enfermé dans le tabernacle pour donner la communion à ses fidèles. Un énorme naja était lové autour du vase sacré et lui cracha son venin au visage Atteint à l'œil, il fut à un doigt de perdre la vue.

Enfin ma femme, qui était venue se reposer avec nos deux enfants, dans une case de passage, pour échapper aux canicules du nord, faillit perdre notre fils aîné qui, étant tombé dans une mare, ne fut sauvé de la noyade que par le plus grand des hasards.

En quittant le Sud à la fin de l'année 1951, j'avais laissé le Cameroun à la recherche d'un équilibre politique entre les forces évolutives modernes mais modérées et l'Union des populations du Cameroun (UPC), révolutionnaire et marxiste.

La première mouvance n'était pas parvenue à se constituer en véritable parti national et était représentée par un grand nombre de formations ethniques qui s'appuyaient elles-mêmes, avec la bénédiction de l'Administration, sur les grandes associations tribales traditionnelles. L'UPC au contraire, fermement structurée par le parti communiste avec des chefs bien endoctrinés comme Ruben Um Nyobé, Mathias Djoumessi et Félix Moumié, pourvue de propagandistes actifs et d'organisations de femmes et de jeunes, semblait, surtout dans l'ouest du pays, avoir le vent en poupe.

Le 17 juin 1951 eurent lieu les élections à l'Assemblée nationale française avec le système du double collège, comportant un représentant pour le premier, celui des colons, et trois pour le second, celui des Africains. L'ancien porte-parole des Etats généraux de la colonisation, le forestier Molinatti, fut élu par les Français tandis que Louis-Paul Aujoulat, Jules Ninine et Douala Manga-Bell représentaient les Camerounais.

Contrairement à ce que l'on attendait, l'UPC n'avait obtenu aucun représentant au Parlement français, sans doute parce qu'elle ne disposait pas d'une implantation géographique suffisante, qu'elle avait sous-estimé la vigueur du tribalisme et la prise de conscience politique des populations urbaines et rurales. Enfin et surtout, parce que ses dirigeants manquaient du charisme et de l'éloquence d'un Houphouët Boigny, d'un Sekou Touré ou d'un Modibo Keita.

En mars 1952, soit neuf mois après les législatives, eurent lieu les élections à l'Assemblée représentative du Cameroun (ARCAM). L'UPC, prudente, n'y présenta que quatre candidats dans des circonscriptions de tout repos. Peine perdue, ses poulains furent battus. Chaque province désigna ses favoris et le Nord-Cameroun choisit un mélange d'Européens et de fils du pays qui ne posèrent d'autre problème au gouvernement que celui de leur désignation.

Il faut dire qu'organiser une consultation électorale dans un pays aussi profondément analphabète et sans homogénéité culturelle que le Nord-Cameroun relevait de l'exploit. Il y avait d'abord le choix des bureaux de vote : chaque chefferie, prestige oblige, en voulait un, mais les lamidats se comptaient sur les doigts d'une main et les grands lawanats (les cantons) n'étaient pas assez nombreux. Il fallait donc compléter le dispositif par des centres provisoires placés au cœur des régions les plus peuplées. Pour le pays peuhl islamisé, la mise en place était en définitive une question d'autorité, mais les difficultés surgissaient avec la désignation des scrutateurs qui provoquait des querelles entre les partisans des candidats et les chefs locaux soucieux de placer leurs créatures. Chez les Kirdis de la montagne qui ne pouvaient descendre dans la plaine où l'air devait les tuer, il fallait installer les bureaux en altitude pour avoir des électeurs. Le plus ardu était la pédagogie car la plupart des villageois n'avaient jamais vu de papier et ne comprenaient rien au principe de la consultation électorale. Le bulletin et l'enveloppe étaient l'objet d'une vive curiosité ; la matière, qui n'était ni un tissu, ni une écorce, intriguait par sa légèreté, son manque de goût et d'odeur. L'impression des bulletins était un casse-tête, il ne pouvait être question de caractères d'imprimerie puisque personne ne savait lire, seuls des symboles pouvaient être accessibles, mais quels symboles ? L'un des candidats avait choisi le mil, un autre un poulet, un troisième un palmier, pour les deux derniers passe encore, mais le grain de mil représenté par trois gros points noirs n'était pas plus explicite que la personnalité et le programme des candidats. De toute façon, ceux-ci étaient inconnus dans le pays, l'un d'eux, le Guadeloupéen Jules Ninine, appartenait à la Section française de l'Internationale ouvrière (SFIO), l'autre, un jeune vétérinaire européen, Paul Martin, se disait membre du Rassemblement des gauches républicaines (RGR), un troisième était Bloc démocratique camerounais (BDC). Pour qu'il n'y ait pas trop de confusion dans l'esprit des électeurs au moment décisif, on avait placé sur une petite table installée dans l'isoloir un paquet d'épis de mil près des bulletins aux trois points noirs, un poulet vivant attaché par une patte auprès du coq et une pousse de doum* à côté du palmier. Deux interprètes, un de foulfouldé, l'autre de langue « à click » dispensaient, de l'extérieur, quelques explications essentielles moyennant quoi bon nombre de citoyens perdaient la tête en entrant dans le Saint des Saints. En désespoir de cause, certains égrenaient les épis de mil au poulet et d'autres refusaient de sortir de l'isoloir. L'intervention de la garde aurait été un cas d'annulation des élections, aussi se contentait-on de donner par-dessous le rideau de la cabine quelques coups de crosse sur les orteils des électeurs récalcitrants. Dans les bureaux de la plaine, le papier et le rôle de l'enveloppe étaient mieux compris, la discipline était sans faille, les votants se présentaient en file

* Le palmier *Iphaena thebaïca*.

152

mais le choix du candidat était souvent faussé par un marabout du lieu qui égrenait son chapelet près de l'isoloir en psalmodiant : « Allah akbar, prends le coq ». Cette ruse était dénoncée par les candidats comme une manœuvre des chefs satrapiques ou de l'Administration omnipotente, en tout cas, comme une insulte à l'esprit démocratique. Le soir venu, il fallait vider les urnes de leur contenu divers : cigarettes, plumes de poulet fétiche, graines et amulettes, bulletins de vote avec ou sans enveloppe, et compter les voix. Ce travail délicat était l'œuvre des scrutateurs vigilants sous le contrôle d'un Blanc du secteur privé ou public. Les procès-verbaux étaient à peine rédigés et transmis au gouvernement que les élus se gonflaient déjà de leur mandat : conscients d'incarner la volonté profonde du peuple, fidèles à notre programme, investis de la confiance des électeurs, etc., disaient-ils. Ainsi vont les hommes et le monde.

Le résultat de ces élections fut d'abord un changement d'appellation de l'Assemblée territoriale, l'ARCAM devint ATCAM. Battue, l'UPC décida de changer de terrain de manœuvre et de se tourner vers les Nations unies pour rappeler à la France qu'elle ne pouvait pas faire n'importe quoi au Cameroun. Sa stratégie allait consister désormais à adapter son programme à la lettre des accords de tutelle et à bombarder la quatrième commission de plaintes et de pétitions. L'indépendance ne pouvait être que la seule issue du combat, la structure du parti devait être modifiée. Un comité directeur coifferait les sections régionales, des comités centraux serviraient de relais aux comités de base. Bref, le haut-commissariat ne se méprit pas sur la tournure subversive de cette réorganisation et passa à la contre-attaque. Le vice-président de l'UPC, Félix Roland Moumié, médecin africain, fut muté à Maroua où, pensait-on, l'allergie des Peuhls à la révolution sociale ne manquerait pas de le neutraliser. Je vis débarquer cet important personnage, sans instruction préalable, comme d'habitude, et sans préavis. Comme il ne manifestait aucune intention de me rendre visite, je le convoquai à mon bureau. C'était un jeune Bamoum de vingt-cinq ans, originaire de Foumban, de petite taille, le visage fin et intelligent avec un rien de suffisance dans le regard. Il sortait de l'Ecole de médecine de Dakar et s'il n'avait, à ma connaissance, que très peu exercé son art à l'hôpital de Lolodorf, il s'était, par contre, beaucoup consacré aux cercles d'études marxistes de Yaoundé et d'ailleurs.

Très rapidement, notre conversation dériva vers la politique bien qu'il répugnât apparemment à aborder ce domaine avec un représentant du colonialisme. Il utilisait ce mot avec fréquence et je sentais, en écoutant son vocabulaire, la fraîcheur de sa catéchisation et la vigueur de ses convictions. Pourquoi fallait-il que dans tous ses propos, les colonialistes n'aient que des valets et les capitalistes des laquais, que les profiteurs aillent par bande, que les bourgeois soient des rapaces et les financiers des requins ? Félix Moumié n'ignorait rien de la langue de bois et en usait en bon élève. Finalement, il se détendit et s'exprima plus naturellement. Je lui proposai une nouvelle rencontre qu'il accepta.

Au cours d'une de ces conversations qui avaient pour thème l'indépendance, il se laissa aller à quelques confidences. « Je ne suis qu'un petit prolétaire, me dit-il, et ce sont les Français qui m'ont remarqué, qui m'ont appris à lire, à écrire et à compter. Ce sont eux qui m'ont enseigné ce que je sais, tous mes maîtres, que je révère, étaient français, sans eux je n'aurais été qu'un petit palefrenier du sultan de Foumban. Mais pourquoi ces mêmes Français me refusent-ils l'indépendance quand je la leur réclame au nom de leurs propres principes ? » Je lui répondis que la France n'était pas hostile à l'indépendance du Cameroun mais qu'elle avait un mandat des Nations unies et que son devoir était de préparer au mieux ce peuple à se diriger lui-même, que le pays avait besoin de paix et que ce n'était pas dans le vacarme et l'agitation que l'on préparait les naissances. Moumié ne voulait pas démordre de ses théories libératrices immédiates et me déclara qu'il se nourrirait de tisons jusqu'à l'heure de la liberté.

Ces tisons ne tardèrent pas à s'enflammer. Il commença par organiser des syndicats de toute espèce, gardiens de prison, agents de voirie, domestiques. Il embrigadait peu à peu tous les agents originaires du Sud et organisait des rassemblements qui émurent la société peuhle et le lamido. « Comment peux-tu tolérer que l'on bafoue ton autorité et la nôtre, me dit Yaya Dahirou, je te préviens que ce " meskine * " commence à me faire perdre patience. » Il fallait donc que j'agisse avec doigté pour éviter des incidents avec la population locale et que je me garde, à l'égard de l'agitateur, de toute réaction brutale qui aurait été dénoncée par ses conseillers onusiens et parisiens.

J'entrepris donc l'étude de son comportement et de ses fragilités. Je notai qu'il était émotif et peu capable, comme les Noirs en général, de distinguer la frontière entre le réel et l'imaginaire. Il était également très orgueilleux, passionné et rêveur, mais fragile et peureux. L'imagination et la peur vont de pair, disait ma grand-mère.

A Maroua, Moumié était entouré d'un monde étranger et hostile et ses partisans étaient des recrues d'occasion, originaires du Sud pour la plupart, qui étaient généralement célibataires et devaient avoir recours à une domesticité locale pour tenir leur ménage. Cette vulnérabilité était d'autant plus grande qu'absents de leurs demeures pendant les heures de travail, leur correspondance était à la merci du premier curieux. Avec la complicité d'un ministre du lamido, je disposai bientôt d'un service de renseignements très efficace. Je découvris par exemple que des officines du Parti communiste

---

* Esclave, homme de basse condition.

français adressaient, sous le timbre de l'Assemblée nationale, des conseils et des instructions pour provoquer l'autorité coloniale, un avocat du parti donnait même la clé des abus dont l'Administration pouvait se rendre coupable et le détail des poursuites qu'il convenait d'entreprendre immédiatement devant la loi française. D'un autre côté, le représentant de l'Inde à la quatrième commission des Territoires sous tutelle aux Nations unies, l'excellent Krichna Menon, envoyait ou faisait envoyer au distingué vice-président de l'UPC la nomenclature des provocations à effectuer pour faire perdre la face à l'administration coloniale, comme, par exemple, mettre en tête des cortèges des femmes portant des enfants et placer à leur hauteur un bon photographe pour prendre des instantanés, en cas de répression policière. Le thème : « soldatesque coloniale matraquant de paisibles sympathisants des Nations unies au Cameroun » était d'un effet assuré.

Je découvris également les listes d'adhérents et une commande de quatre cents insignes de la CGT pour une distribution d'urgence. Il fallait, disaient les conseillers parisiens, matérialiser au plus tôt le lien fraternel entre les sympathisants. Je commandai donc sur-le-champ quatre cents insignes de la Compagnie générale transatlantique (CGT) à l'agence Diloutremer qui me les envoya par retour du courrier. Je fis la distribution avec une bonne semaine d'avance sur Moumié qui resta avec son stock de mains serrées de la Confédération générale du travail, beaucoup moins attrayantes que le fond de drapeau tricolore de la compagnie maritime. Cette guérilla psychologique s'étendit bientôt à d'autres domaines.

A l'approche de la journée des Nations unies, mon agitateur reçut une lettre de son protecteur new-yorkais lui recommandant de préparer un défilé à travers la ville, en l'honneur de l'Organisation mondiale, cérémonie qui ne pouvait être interdite par les autorités. J'autorisai en effet cette manifestation, mais j'organisai dans le même temps, à Mindif, une cérémonie de remise d'un sabre d'honneur au lamido Bouhari, qui donna un grand banquet où furent invités, entre autres, tous les sympathisants de l'UPC. Je prononçai, à cette occasion, un vibrant discours à la gloire de l'ONU et Félix Moumié, abandonné par ses troupes qui avaient préféré le festin, resta seul et déconfit à Maroua.

Je trouvais le jeu des conseillers de la révolution mondiale télécommandée particulièrement scandaleux. Et puisque les convictions idéologiques justifiaient tant de cynisme, pourquoi serais-je resté les bras croisés ? Après tout, les états-majors du parti et les officines new-yorkaises ne connaissaient pas grand-chose au terrain et aux hommes et, sur ces deux points, j'étais mieux armé qu'eux. J'accélérai donc la marginalisation de Moumié en l'intimidant. A dix heures du matin, je passais avec deux gendarmes en vue de sa villa, je montrais une direction quelconque, je faisais planter au hasard deux piquets dont je mesurais l'écart à grandes enjambées, le rideau de la fenêtre bougeait, les deux femmes étaient aux aguets. Je pouvais partir confiant, le maître de maison aurait, à son retour, un beau récit : « Le chef de région est passé avec les gendarmes, il a planté des piquets, les voici, il a montré la montagne, par-là. Il va te faire enlever la nuit prochaine ou au dernier quartier de la lune ; ne couche pas ici aujourd'hui. » Et Moumié découchait tous les soirs, prenait des attitudes grotesques, évitait de marcher sur la route craignant les accidents, écoutait les rumeurs intentionnelles colportées par la voix des sorciers, des griots, des djenouns, d'Atoukourma, peut-être, ce vilain petit lutin poilu qui hantait les pâturages peuhls et dont l'œillade était mortelle. On a beau être marxiste-léniniste et même scientifique, la peur métaphysique s'installe. Les troupes n'aiment pas les chefs qui tremblent et qui ne font pas de prodiges. L'UPC péraclita, les historiens du mouvement écrivirent par la suite que Moumié rongeait son frein à Maroua. Pauvre Moumié, il repartit plus tard pour le Sud et lança son mouvement dans une aventure tragique, faite de violence, d'émeutes, de massacres, la rumeur annonça même un millier de morts, et tout ce drame pour servir à quoi ? Un Nyobé fut tué par les forces de l'ordre près du village de Ong dans la forêt Bassa, Félix Moumié périt à Genève, empoisonné au thalyum par des services spéciaux dont il avait probablement trahi le camp et le Cameroun fut indépendant à l'heure et au jour choisi par la Communauté internationale.

Je n'ai jamais su ce que ses protecteurs si bien intentionnés firent pour ses veuves. En tout cas, elles se réfugièrent quelques années plus tard au Gabon, sans ressources, et quand je fus secrétaire général de ce territoire, je leur fis verser discrètement un modeste viatique.

Le lamido de Maroua avait suivi d'un œil réprobateur ces joutes dures mais pacifiques et mon prestige en souffrit certainement. « Mais qu'est-ce que tu fabriques ? me demandait-il, qu'attends-tu pour le supprimer ! Ecoute ! envoie-le en tournée de vaccination en brousse, on lui fera manger des oignons crus, on le serrera très fort sous le diaphragme et on te le rendra mort de la façon la plus naturelle. » Je sermonnai le lamido comme il le méritait mais ce fut surtout pour soulager ma conscience car je savais que le brave homme n'avait parlé que pour me rendre service et qu'il n'avait pas les mêmes idées que moi sur la valeur humaine. Avait-il tort d'ailleurs en pensant qu'il y avait d'autres tâches plus urgentes à remplir qu'à suivre les vaticinations de l'UPC ?

La période sèche se terminait avec les premières bourrasques de la saison des pluies. Depuis quelques jours, de lourds nuages d'encre s'étaient levés sur l'horizon, des rafales de vent avaient balayé la plaine et de violentes trombes d'eau s'étaient abattues sur les champs assoiffés. Les bergers avaient déjà rassemblé leurs troupeaux pour les pâtures d'hiver. Les Peuhls M'Bororos, qui gardaient leur bétail dans les Yaérés, savaient qu'ils n'avaient plus que quelques jours pour évacuer les lieux devant l'inondation imminente et se préparaient à la grande transhumance. Chaque année, le rituel se déroulait comme un cycle cosmique : tous les troupeaux se rassemblaient autour de Niwadji dans le lawanat de Petté et la tribu entière se regroupait pour célébrer les cérémonies de la race, régler les affaires, conclure les mariages, aplanir les litiges, faire le bilan de santé du bétail, saluer les chefs, danser et festoyer. Le cinquième jour, je me mis en route pour assister à la soirée de clôture. La piste, parmi les hautes herbes reverdies, était une vision paradisiaque, les bourgeons et les feuilles tendres jaillissaient de toutes parts dans la transparence cristalline de l'air décanté des brumes de l'harmattan. Des troupes de pintades, de cercopithèques, d'antilopes, croisaient notre chemin. Chaque mare était pourvue d'une couronne d'oiseaux, grands jabirus au bec rouge, marabouts chauves et songeurs, grues des Baléares aux appels de trompette, colonies de canards siffleurs, ibis sacrés, oies d'Egypte et des myriades de passereaux aux couleurs éclatantes. L'air était vif et embaumé comme aux premiers matins du monde. Au loin, les fumées des bivouacs montaient sur Niwadji. Dans un univers de campements de paille sentant la poudre, le suint, le lait fermenté, la suie et le patchouli, le peuple multimillénaire des grands pasteurs s'ébattait hors du temps et des turpitudes terrestres. Les belles femmes et les jeunes filles hiératiques, au teint de cuivre clair, arboraient leurs plus beaux atours et leurs bijoux, les jeunes hommes, fardés de kohl, de blanc et de pourpre, le corps huilé sous leurs pagnes légers, déambulaient par groupes nonchalants tandis que les vieux, à la barbiche maigre et aux lourds chapeaux d'apparat, discutaient âprement d'interminables affaires, sur l'aire centrale du campement.

Déjà les serviteurs de case installaient un énorme bûcher et les surveillants de nuit rejoignaient les troupeaux. Le crépuscule descendit brusquement, les ménagères s'activèrent autour de leurs foyers et une raïta égrena, au hasard, quelques notes. La fête allait commencer. L'orchestre de tambours et de cordes du lawane Halilou s'installa cérémonieusement à la place d'honneur, la foule accourut, le grand feu s'alluma et les danses s'organisèrent. Seuls, les hommes exécutaient des ballets inconnus et complexes : la danse des papillons, la danse des sabres, la danse du lion. Les femmes se contentaient de claquer des mains et de renforcer le rythme de la musique. Sous l'immense ciel d'Afrique où la lune du dernier quartier n'était pas encore levée, le spectacle était à la fois barbare et grandiose. Deux cent mille bœufs, parqués dans un rayon de 20 kilomètres, provoquaient un grondement sourd et continu, fait d'ébrouements, de mugissements, de feulements, comme le murmure d'un océan voisin. Parfois, la voix de bronze des lions, que l'odeur de tant de viande tourmentait, résonnait dans les parages. Quand la lune se leva, une clarté laiteuse et irréelle sembla dissoudre les constellations, la terre et les hommes. Le monde devint un songe où s'éteignit comme à regret la dernière mélopée. Mais déjà, la fine lame pourpre de l'aube incendiait le levant, les hommes abattaient les abris, les femmes chargeaient les bêtes de bât, l'éternelle transhumance reprenait son cours pour les lointains pâturages d'hivernage dans les steppes arborées.

De retour à Maroua, je trouvai le lamido devant ma porte avec son air des mauvais jours : « Les voleurs de bétail sont encore venus du Nigéria, me dit-il, ils m'ont tué deux bergers et emmené une cinquantaine de bêtes. Il faut que tu les arrêtes car nous sommes trop malheureux avec ces razzias. — Mais arrêter qui, Lamido ? — Haman Agoula, bien sûr. Tes prédécesseurs l'ont déjà capturé plusieurs fois, mais il s'est toujours évadé car c'est un magicien, il boit une calebasse de lait et se transforme en lézard. » Effectivement, ce bandit redoutable, auteur d'une vingtaine de meurtres et objet de je ne sais combien de mandats d'amener émis par les juges blancs du Diamaré, se pavanait toujours impunément à travers les frontières. « Je vais utiliser les grands moyens », dis-je à mon plaignant. Je convoquai donc le chef de la garde qui répondait au rassurant vocable d'Attila et je lui demandai de constituer une caravane de commerçants comme en font les Haoussas avec des ânes chargés d'arachides, de marchandises et de bricoles diverses, de les confier à des gardes éprouvés, déguisés en paisibles colporteurs mais avec un fusil mitrailleur dissimulé sous le boubou. Je lui recommandai de prendre en personne la tête de l'expédition et de filer sur le Nigéria. « Haman Agoula, lui dis-je, a son campement près de Maiduguri, repère-le discrètement, infiltre un comparse dans son saré, attaque de nuit, capture-le, mort ou vif, et ramène-le-moi ; les Anglais seront surpris et n'auront pas les moyens de te poursuivre. »

Trois semaines plus tard, Attila et sa troupe indemne revinrent avec Haman Agoula, empaqueté dans un grand couffin et bien vivant. Je pris donc livraison du colis et l'installai dans la cellule de la prison en prenant soin de lui mettre un fer au pied et de sceller au béton l'extrémité de la chaîne dans la muraille. En présence de tous les gardiens, je fis boire au patient une jatte de lait pour voir s'il se transformait en lézard, mais rien ne se passa ! Le juge d'instruction put donc commencer ses procédures et comptabiliser les crimes du bandit. Au bout de trois semaines, un avocat parisien dénonça aux autorités du haut-commissariat de la République le scandale de la chiourme de Maroua où un de ses clients était rivé, contre tous les usages, au mur de sa geôle. Les autorités judiciaires s'émurent et je reçus une sévère admonestation. Je fis valoir que j'avais pris ces mesures compte tenu de la faculté de mon patient de se transformer en lézard, mais le procureur général haussa les épaules et j'échappai de justesse encore une fois à l'outrage à magistrat. Je reçus, sans tarder, l'ordre de transférer le prisonnier sur la maison centrale de force de Yoko. A six heures du matin, Haman Agoula fut extrait de sa cellule et embarqué sur un avion. Je retins seulement, pour quelques jours, une petite sacoche qu'il dissimulait sous sa natte de couchage. Je la lui renvoyai après inventaire à Yoko mais elle ne put lui être remise car il s'était déjà mué en lézard et avait pris la fuite. Dans la sacoche, il y avait une liasse de reconnaissances de dettes pour tous les gardiens de la prison et l'adresse de sa banque à Kano.

Tous les prisonniers n'étaient pas, heureusement, aussi encombrants qu'Haman Agoula et les prisons coloniales n'étaient pas les bagnes qu'on a parfois décrits. D'abord parce que l'état de prisonnier en Afrique n'est ni afflictif ni infamant : toute faute mérite sanction, donc, rien de plus naturel que de payer d'une privation de liberté le montant de ses sottises. De plus, de quelle liberté s'agissait-il ? Certainement pas de liberté d'expression, d'association, ni de liberté de travail ! Les Blancs, grands spécialistes de la coercition en tout genre et de l'utilisation de l'homme contre son gré, se sont inventés des libertés qui leur sont propres et qui sont aussi nombreuses que leur pouvoir de contraindre est grand. Les prisons africaines de la colonisation étaient d'aimables passoires, on y était nourri comme tout le monde avec du mil ou du riz et un peu de viande en sauce, vêtu avec un pagne ou un boubou que l'on changeait deux fois l'an comme la plupart des gens du village, on y gagnait même un petit pécule. On y dormait collectivement sur des nattes comme à la maison et on s'y livrait, à l'extérieur, à des besognes diverses appelées « corvées » bien qu'elles fussent très mesurées dans le temps et l'effort. Ces sorties quotidiennes permettaient de construire peu à peu une case pour sa femme et même de s'établir au jour de la libération. Le tout était de s'entendre avec les gardiens débonnaires moyennant quelques petits services. Combien de fois ai-je vu les prisonniers rentrant le soir à la prison en portant le fusil du garde saoul. Ou cette délégation de détenus me rendant visite à onze heures du soir pour se plaindre du peu de sérieux du gardien-chef à qui ils avaient joué le trousseau de clés de la prison. Comme ils le lui avaient gagné, ils me le rapportaient en honnêtes gens. Aimables convicts, qui donnaient à l'occasion le coup de main pour maintenir l'ordre, constituaient la brigade d'applaudissements pour honorer un visiteur ou même, comme il m'arriva une fois, assumaient la claque d'un éminent conférencier de l'Alliance française, M. Froment Gueysse, qui avait choisi comme thème « les grandes amours romantiques », devant un auditoire n'entendant pas un mot de français. La chaleur des vivats qu'il entendit lui mit du baume au cœur. « Voyez-vous, me disait-il ensuite, il est réconfortant de constater que les grands thèmes éternels comme l'amour sont vraiment universels. »

A Maroua, où la prison hébergeait plus de trois cents criminels qui se vantaient de plus de meurtres qu'ils n'en avaient commis, tant la réputation de guerrier pourfendeur d'ennemis était prisée, aucune condamnation à mort n'avait été prononcée depuis longtemps. Il en allait de même dans toutes les prisons du Cameroun. On citait comme une exception le cas d'un redoutable criminel condamné à être fusillé, qui avait demandé sa grâce au président de la République française en 1939 et qui, par suite de la guerre, ne reçut le rejet que cinq ans plus tard. Le malheureux fut exécuté sans délai en application de la sentence mais personne ne comprit la raison de cet acte. L'opinion lui avait pardonné ses fautes en raison de son bon comportement comme gardien du troupeau de cochons de la prison. Seuls ses codétenus, qui savaient qu'il avait perdu quelques animaux peu de temps avant, estimèrent que c'était justice. Les Blancs, disaient-ils, sont ainsi, ils ferment les yeux sur de grands crimes mais ils sont inflexibles sur la garde des cochons. Il paraît d'ailleurs qu'il n'y eut plus aucun volontaire pour cette occupation champêtre.

Sans prétendre que les établissements pénitentiaires étaient des centres de promotion, je dois constater qu'ils fournissaient aux secteurs publics et privés bon nombre d'hommes de confiance, de jardiniers, de domestiques ou de gardiens fidèles. Le propre vigile de mes jeunes enfants était un ancien taxidermiste des services d'élevage qui avait autrefois abusé de la strychnine à l'encontre de ses ennemis.

Comme notre troisième enfant venait de naître, ma femme, qui avait une confiance totale en notre empoisonneur récidiviste, lui confia spécialement la garde du nourrisson.

Si la mansuétude de l'administration pénitentiaire était en définitive bien adaptée à la mentalité générale, il n'en allait pas de même sur le plan juridictionnel. Les lenteurs de nos procédures et le distingo subtil entre l'exécutif et le judiciaire étaient incompréhensibles au commun des mortels. Dans l'affaire d'Haman Agoula, par exemple, les lamibés et l'opinion qui le considéraient comme un fléau étaient sévères à l'égard de notre comportement et n'hésitaient pas à se faire justice eux-mêmes. C'est ainsi qu'au moment où les magistrats classaient discrètement l'affaire en attendant la prochaine incursion du brigand, un autre bandit de grand chemin se projeta sur l'avant-scène. C'était un détrousseur de voyageurs qui tendait de préférence ses embuscades sur les chemins des marchés. Ses pillages et ses meurtres ne se comptaient plus. Par je ne sais quel concours de circonstances ou quel hasard, les gendarmes mirent la main sur lui et le conduisirent devant le juge. Celui-ci, un jeune magistrat fraîchement débarqué de Paris, se trompa sur son identité et le relâcha. On l'avait tellement mis en garde contre l'arbitraire de l'exécutif qu'il omit de m'en parler et ce furent une fois de plus les chefs qui clamèrent leur indignation. J'appelai le magistrat qui se déplaça avec réticence et je lui fis part de mon étonnement. Il le prit d'assez haut et me parla des devoirs de sa charge. Le lendemain matin, un messager de Bogo apparut à la première heure à mon bureau et me remit un paquet volumineux de la part de son maître. J'ouvris le colis et je trouvai, à l'intérieur, quatre têtes humaines, fraîchement coupées, dont l'une était celle du fameux bandit. « Ils ont attaqué les femmes, hier soir, sur la route de Balda et les hommes les ont capturés, me précisa le porteur. Le lawane a dit : coupez-leur la tête et portez-les au commandant, comme ça nous serons tranquilles. » Je transmis sur-le-champ, par bordereau réglementaire, ces pièces à conviction au juge qui prit sans doute conscience de sa légèreté, se débrouilla comme il put avec sa hiérarchie et éprouva, en tout cas, une des grandes émotions de sa carrière future.

D'hivernages en saisons sèches, de semailles en récoltes, de constructions nouvelles en remodelage du système agricole, ma quatrième année de séjour était déjà commencée et le chemin parcouru me satisfaisait, l'usine d'égrenage du coton à Kaélé était devenue un véritable équipement industriel, les casiers rizicoles le long du Logone nous donnaient déjà la maîtrise des eaux et les paysans mousgoums et massa-bananas tiraient un revenu substantiel de leurs récoltes. Le secteur de modernisation du pays toupouri avançait, ainsi que les centres ruraux dans les lamidats. L'aéroport de Salak fonctionnait et l'abattoir frigorifique dirigeait ses premiers envois de viande vers le sud.

Les grands ponts solitaires, bâtis quelques années

auparavant, trouvaient peu à peu les routes promises, les plantations d'arbres se poursuivaient, les cultures de mil, d'arachide et de coton, base de l'activité paysanne, assuraient la suffisance alimentaire et constituaient un petit revenu pour développer le commerce intérieur.

Le point sombre restait le pays des Kirdis de la montagne où toutes les initiatives échouaient faute de volonté des cadres traditionnels et de conscience de la population. De sérieux efforts avaient pourtant été entrepris pour mettre en culture les basses et moyennes terrasses. Des paysans avaient consenti à planter un peu de coton et l'avaient vendu à un bon prix mais les chefs avaient extorqué l'argent et un cultivateur sans perspective de profit est peu enclin à la persévérance et à l'effort.

A Douvangar, la rapacité de Mangala, le sinistre chef de canton des Mofous, était devenue intolérable. J'avais essayé directement ou par le truchement du lamido de lui faire entendre raison, mais il était resté figé dans sa surdité et pesait comme une chape de plomb sur son peuple subjugué. Une dernière exaction portant sur des ventes d'enfants eut raison de ma patience. Je donnai l'ordre à Bernard Rousseau, le chef de subdivision de Maroua, de se rendre avec quelques gardes à Douvangar, pour demander des comptes au vieux satrape et lui dire combien la patience de l'Administration était à bout. Selon son habitude, Mangala s'évanouit dans la montagne et mon collaborateur décida de camper sur place jusqu'à son retour. Les villageois comprirent d'instinct que l'épreuve de force avait commencé. Dans la nuit étouffante où soufflait l'harmattan, un violent incendie se déclara dans l'immense saré du chef. Tous les toits de pailles brûlèrent, seuls les grands greniers d'argile restèrent intacts. En apprenant la nouvelle, le lamido Yaya Dahirou vint protester en accusant le chef de subdivision d'avoir mis le feu, je lui demandai s'il se moquait de moi et s'il croyait qu'il sauverait ainsi la pseudo-suzeraineté qu'il prétendait exercer sur les massifs. « Puisque tu es si soucieux de tes vassaux, donne-moi la preuve de ton pouvoir, lui dis-je. Envoie tes messagers à Mangala pour lui signifier qu'il soit, demain matin, à Douvangar où nous irons le rencontrer. » Nous partîmes à l'aube. Malgré la grise mine de mon compagnon de route, nous fûmes au pied de la montagne vers sept heures et nous entreprîmes l'ascension par les sentiers en chicane. La chaleur était suffocante avec la réverbération des pierres, le lamido souffrait mille morts. A dix heures, nous atteignîmes la place du village où campait toujours Bernard Rousseau devant les murailles noircies du saré. Mangala était absent, le lamido étouffait, je le revigorai avec quelques lampées de bière chaude et quand il eut repris ses esprits, je lui fis remarquer que nous avions encore à boire la honte ensemble pour l'insolence de son vassal et la pusillanimité d'un grand chef peuhl. Un silence oppressant pesait sur le village, les hommes se terraient, les femmes et les enfants restaient au fond des cases. Je fis demander par l'interprète où se trouvait le chef, personne ne voulut répondre. Tout à coup, un jeune garçon d'une quinzaine d'années se présenta et dit : « je veux bien vous montrer la grotte où il se cache ». Je donnai l'ordre au chef de subdivision de capturer Mangala et de le conduire à la prison de Maroua. Le lamido était visiblement inquiet des conséquences de ces mesures, mais il était trop tard pour reculer. Quelques heures avant la nuit, le vieux magicien fut surpris dans sa retraite et se rendit sans un geste de défense. De retour à Maroua, Yaya Dahirou me demanda de placer le prisonnier sous sa protection sur les pentes de Makabaï, au-dessus de la ville, dans une case où vivaient ses serviteurs mofous. « C'est à cause des génies de la montagne », me dit-il. Mangala était devenu d'une couleur grisâtre et ne soufflait mot, peut-être savait-il déjà que les « coulis » l'avaient abandonné. Je m'assurai qu'il serait bien gardé et ne manquerait de rien. La nuit passa et au petit matin, le vieux satrape était mort. Douvangar reçut la nouvelle avec un sentiment de délivrance qui provoqua un torrent d'accusations hallucinantes, meurtres, viols, tortures, pillage, terreur. Un nouveau chef fut désigné, selon la coutume, et demanda la construction d'une route, d'un dispensaire, d'une école, les signes extérieurs de la civilisation et du succès de ma mission en somme. Cet épisode qui aurait dû me réjouir me laissa pourtant un goût d'amertume. On ne saurait tourner impunément les pages de l'Histoire, et la chute d'un tyran, pour détestable qu'il soit, n'est pas toujours une libération mais un saut dans l'inconnu.

Tandis que j'étais plongé dans mes problèmes de développement économique, de politique régionale et de gestion laborieuse d'un budget insuffisant, les nouvelles internationales filtraient jusqu'à ma porte et annonçaient des bouleversements d'une autre dimension.

Le 7 mai 1954, la chute du camp retranché de Dien-Bien-Phu au Vietnam résonna comme le glas lointain de la France coloniale. Quelques mois plus tard, le 1er novembre, le Front de libération nationale algérien déclencha l'insurrection et des soubresauts agitèrent le Maroc. A Paris, Pierre Mendès France, devenu président du Conseil, signait le 20 juillet la paix en Indochine et préparait un plan d'autonomie interne pour l'Etat tunisien. Son ministre de la France d'outre-mer, Robert Buron, mettait en chantier un projet de loi pour l'évolution de l'Union française, première ébauche de ce qu'on devait appeler plus tard, la loi-cadre. L'opinion conservatrice s'arc-boutait encore sur l'ordre ancien, mais n'était plus à l'unisson et pressentait les changements à venir.

Au Cameroun, le haut-commissaire, André Soucadeaux, jugé trop prudent, bien que souple et très adroit, était muté à Madagascar et remplacé par le gouverneur Roland Pré, un ingénieur des Mines d'origine, apolitique mais proche des gaullistes, qui avait la réputation d'être à la fois économiste et planificateur, nationaliste et militant du progrès social. Cet homme énergique et décidé tenta immédiatement d'appliquer un programme ambitieux, mais la situation intérieure était mauvaise, l'élite africaine multipliait les partis et les courants, une bonne dizaine au moins, aux sigles si complexes qu'ils mobilisaient un nombre considérable de lettres de l'alphabet. Entre l'UPC, l'USC et le BDC, sur qui fallait-il s'appuyer ? Des grèves éclatèrent dans les plantations, la fonction publique et les ports. Un malaise général s'emparait des Blancs et des Noirs. Ni la création des communes rurales et des conseils de village, ni les programmes d'africanisation des cadres, ni les conventions collectives dans le monde du travail ne parvenaient à calmer l'opinion. L'UPC, qui pêchait avec succès dans les eaux troubles, se lançait de plus en plus dans la rébellion ouverte. C'est dans ce brouhaha que je fus rappelé à Paris par Pierre-Henri Teitgen, le nouveau ministre de la France d'outre-mer, dans le gouvernement Edgar Faure qui venait de succéder le 5 février 1955 à celui de Pierre Mendès France. Je ne pouvais quitter Maroua et conclure quatre années d'une fantastique expérience sans prendre congé du pays et des hommes.

Pour saluer la terre d'Afrique dans sa parure originelle, je décidai d'aller passer trois jours dans la réserve naturelle de Waza, au milieu de la savane et des animaux sauvages. Cette zone protégée, inhabitée, avait depuis longtemps fait l'objet de soins vigilants des grands vétérinaires tel le docteur Jeanin et des forestiers du Sahel. Elle était peuplée presque essentiellement de puissantes antilopes de l'ouest africain, damalisques, cobs, hippotragues, de girafes, de buffles et de leur accompagnement de lions, de panthères et de hyènes. On y rencontrait également des autruches, des rapaces et la gamme étendue du gibier tropical. Un campement rustique avait été construit en son centre, sur une petite éminence d'où la vue s'étendait jusqu'à l'horizon sur une mer de gommiers Seyal, d'épineux et de mimosées. Il n'y manquait que les éléphants, mais le fleuve Logone, à l'est, semblait avoir de tout temps fait obstacle à leur migration.

Nous rangions chaque soir nos véhicules en cercle autour d'un grand feu que nous entretenions toute la nuit pour éloigner les fauves. Nous installions nos lits de camp et nos moustiquaires à quelques pas du foyer et nous préparions nos grillades sur les braises de tamarins. Les hyènes venaient rôder jusqu'aux portes de nos voitures et poussaient leur long ricanement sinistre, parfois les flammes allumaient des yeux jaunes et verts qui nous guettaient dans les herbes et des oiseaux de nuit aux ailes blanches traversaient notre firmament. Le jour, nous allions près des mares où venaient boire les antilopes et les girafes et nos enfants s'émerveillaient de ce parc zoologique de rêve où nulle grille ne séparait les bêtes et les hommes. Pour prendre congé de mes administrés, une tournée dans quelques lamidats me parut suffisante.

Ma première visite fut pour Mindif. Le vieux lamido Bouhari me reçut selon le cérémonial traditionnel, mais entouré de ses principaux ministres et de son fils aîné, Amadou, lawane de Moulvoudayé. Il tenait à me remercier de ce que j'avais fait pour son commandement, mais dans la réalité, c'était moi le débiteur et je lui dis ma gratitude pour son appui constant, sa loyauté et sa sagesse. Il me gratifia d'ailleurs d'un dernier proverbe : « Nos actions ne sont que des gouttes d'eau, et dans chacune d'elles, tu peux voir selon ton humeur, la lumière du soleil ou la noirceur de la fange. »

Au retour, je fis une escale au marché de Djapaï, chez les Guizigas. Ah ! le marché de la pleine lune à Djapaï, quelle féerie, des monceaux de viande fumée, des bœufs abattus par dizaines, des montagnes de galettes de mil, des calebasses de beignets rissolés et des sauces diaboliques que d'intarissables commères cuisinaient à petit feu, sous les quolibets et les éclats de rire. A Djapaï, les haoussas étalaient sur des nattes multicolores leurs joyaux de pacotille, leurs écorces salutaires, les cuirs et les boubous brodés ; les barbiers rasaient pour trois cauris, les sorciers vendaient leurs talismans, les pillards de la brousse écoulaient leurs rapines et les forgerons kirdis façonnaient les lances et les épées les plus redoutables et martelaient les flèches aux fines barbelures que l'on tremperait dans les sucs d'euphorbe.

A Yagoua, Makhaïni me parla de sa grande rizerie qui le remplissait de fierté.

A Maroua, mon vieux complice, Yaya Dahirou, n'avait aucune éloquence mais beaucoup de sentiments. Il me parut un peu mélancolique et préoccupé de l'avenir, peut-être sentait-il que l'automne des Peuhls était proche et que le pouvoir de ses ancêtres allait s'effeuiller bientôt dans les bourrasques politiques qui montaient des chefs-lieux.

Je saluai enfin mes collaborateurs proches et lointains et leurs vaillantes épouses si dévouées, qui avaient constitué, autour de moi et de ma femme, la plus chaleureuse des équipes. L'un d'eux, l'ingénieur forestier Flizot, qui avait en charge les réserves naturelles du Nord-Cameroun, m'annonça une nouvelle historique : dans la nuit, les éléphants venaient de traverser le Logone et de pénétrer dans Waza.

Je partis seul pour Paris, laissant pour quelques semaines encore ma famille sur place. J'allais, pour la deuxième fois, en tant que chef de cabinet du ministre de la France d'outre-mer, participer aux besognes fébriles du ministère et, qui sait, prendre une part, même très modeste, à l'élaboration de cette politique nouvelle que la France avait tant de peine à définir.

Depuis ma première expérience de 1950 et malgré les alertes et les crises, les querelles idéologiques et les remous parlementaires, la doctrine n'avait guère avancé. Le pays, dans son ensemble, restait très attaché à son domaine colonial, l'épopée de la France libre lui en avait montré l'importance, l'Histoire et la légende étaient gravées dans les cœurs. Une poignée d'intellectuels progressistes pouvait prôner l'émancipation, les équipes au pouvoir n'entendaient que réformes indispensables mais pas indépendance.

Le gouvernement Edgar Faure qui avait succédé en février 1955 à celui de Pierre Mendès France suivait, dans l'ensemble, la politique de son prédécesseur et l'un de ses premiers gestes avait été d'accorder l'autonomie interne, déjà promise, à la Tunisie où Bourguiba venait de retourner. Il reconnaissait également la pleine souveraineté à l'Etat marocain dont le sultan Mohamed V retrouvait le trône après l'exil d'Antsirabé. Il constituait enfin, à la veille de la conférence afro-asiatique de Bandoung, le 16 avril 1955, le Togo sous tutelle en République autonome. Il étendait le suffrage universel et le collège unique à toute l'Afrique le 18 novembre et songeait à doter le Cameroun d'un statut comparable à celui de Lomé.

Le ministre de la France d'outre-mer, Pierre-Henri Teitgen, était, quant à lui, convaincu de la nécessité d'entreprendre des réformes en profondeur et partisan d'une émancipation rapide des peuples et du jeu démocratique de leurs institutions. Militant de la démocratie chrétienne, il rejetait toute forme d'assimilation car, disait-il, les écarts de culture, les différences d'évolution économiques et sociologiques ne pouvaient déboucher que sur des revendications inacceptables et des quiproquos catastrophiques.

Enfin, il jugeait inconcevable le libre accès de tous les peuples coloniaux à un « tas commun » alimenté par la seule métropole.

Il découvrit l'Afrique au cours d'un voyage qu'il effectua au Cameroun le 15 mai 1955, pour l'inauguration d'un grand pont sur l'estuaire du Wouri, à Douala.

Il fut frappé, au premier abord, par le contraste qu'il observa entre l'affluence populaire, bon enfant, et la virulence du personnel politique et de l'UPC.

Je lui expliquai que, pour le bon peuple, il s'agissait d'une fête typiquement africaine. Le pont, de plus d'un kilomètre de long, était un ouvrage merveilleux qui faisait communiquer, pour la première fois, les villes sœurs de Douala et de Bonaberi, mais chacun se demandait qui avait bien pu vendre aux ingénieurs le secret de l'emplacement des piles que seules pouvaient connaître les deux divinités du fleuve : la Mamiwata qui est une sorte de lamentin et la M'Béatoé, cette crevette fameuse (*Callianassa turnerana*), la camarone des Portugais qui a donné son nom au Cameroun. Seuls certains habitants du village de Deïdo avaient le pouvoir de s'enfoncer dans les eaux du fleuve, de marcher sur le fond, de partager les connaissances magiques et de ressortir parfaitement secs de l'autre côté. L'un de ces privilégiés, le riche commerçant en légumes appelé M'Bappé, dit « cornichon vert de Paris » qui était bien introduit auprès des Européens (on se souvient de ses démêlés avec madame Nicolas), était probablement celui qui avait trahi et communiqué les secrets essentiels. L'inauguration devait avoir lieu à onze heures, mais dès neuf heures, le bruit se répandit comme une traînée de poudre que M'Bappé venait de se tuer en automobile, sur la route de M'Banga. C'était l'aveu. Les dieux étaient donc vengés et apaisés, la fête pouvait avoir lieu.

Pour le personnel politique camerounais et l'UPC, c'était simplement une querelle entre les Blancs et leurs élèves noirs. Les politiciens devaient se livrer à des surenchères pour ne pas risquer d'être dépassés par les révolutionnaires marxistes. Quand à l'UPC, elle prétendait agir désormais uniquement à travers les Nations unies, en récusant le rôle de la France pour accéder à l'indépendance et pour la mise en place des organes du nouvel Etat.

Je conduisis également Pierre-Henri Teitgen dans

mon ancien fief du Nord-Cameroun, pour l'ouverture de la foire de Maroua où le plus grand calme régnait.

Je ne sais pas quelle fut exactement l'incidence de ce déplacement sur la pensée ministérielle, mais je notai, dans les mois qui suivirent, une orientation significative de son action, c'est-à-dire un renforcement des structures de coopération avec l'Afrique paysanne par la création de plusieurs instituts spécialisés : Bureau de développement de l'action agricole (BDPA), Office de la recherche scientifique et technique (ORSTOM), Institut de recherche agricole tropicale (IRAT), etc. Je dois dire cependant que l'œuvre maîtresse de Pierre-Henri Teitgen fut la remise en chantier d'une première ébauche du projet de loi de Robert Buron. Celui-ci, ancien ministre de Mendès France, avait envisagé de doter les territoires d'Afrique noire d'une sorte de *self-government*, tout en conservant une structure fortement intégrée. Ce projet avait été mis en veilleuse pour ne pas effrayer le mouvement gaulliste qui soutenait, à l'époque, la politique de Mendès en Tunisie et en Indochine. Teitgen reprit donc le dossier.

Une commission, présidée par Léopold Sedar Senghor, fut chargée de préparer un grand projet fédéral, mais l'évolution générale de la situation et les problèmes constitutionnels réorientèrent fondamentalement les travaux et ceci d'autant plus que les rédacteurs se heurtaient à deux problèmes majeurs : comment étendre de telles réformes sans remettre en cause l'unicité et l'indivisibilité de la République qu'avait maintenues la Constitution de 1946 ? De plus, dans quel cadre convenait-il de transmettre ces nouveaux pouvoirs aux leaders africains, d'ailleurs divisés sur le sujet ? Etait-ce au niveau des territoires issus des découpages coloniaux ou des deux grands ensembles administratifs fédéraux de l'AOF et de l'AEF ?

En ce qui concerne le premier point, le Parlement

finit par adopter le principe de la révision du titre VIII de la Constitution de la IVe République, organisant l'Union française. Sur le second point, la pression des responsables africains pour une autonomie de plus en plus large, voire une complète indépendance, prévalut sur toutes les formules fédérales.

Les grandes lignes de cette réforme étaient déjà très largement définies, lorsque le gouvernement Guy Mollet succéda, en janvier 1956, à celui d'Edgar Faure et Gaston Defferre à Pierre-Henri Teitgen comme ministre de la France d'outre-mer.

Le nouveau ministre prit immédiatement ce dossier, le retint pour l'essentiel et, pressé d'aboutir, le déposa devant le Parlement. La loi fut adoptée le 23 juin 1956 et les décrets d'application qui suivirent consacrèrent de façon irréversible la primauté des territoires sur les fédérations et l'acheminement inexorable vers les entités nationales.

Pour la première fois, la France avait enfin une politique coloniale africaine qui allait constituer, pour chaque territoire, une étape décisive dans l'accession progressive à l'indépendance.

III

NOTRE-DAME-DE-L'OKOUMÉ

« *L'Okoumé (Okoumea Klaineana)*
est l'arbre sacré du Gabon »
Professeur Auguste Chevalier

J'avais quitté Paris dès février 1956 pour rejoindre
le Gabon en qualité de secrétaire général du Territoire. Ce poste était réservé habituellement à des
administrateurs en fin de carrière et de grade élevé.
Ma nomination, qui dérogeait à une règle aussi
ancienne que l'administration coloniale, ne provoqua pas plus que quelques réflexions aigres-douces
sur les mœurs nouvelles. En fait, cette colonie,
parmi les plus anciennes, n'était pas une thébaïde
promotionnelle mais une terre fort en retard où il
convenait, me dit-on, de rattraper le temps perdu.

Grand comme la moitié de la France et peuplé de
cinq cent mille habitants, le Gabon était essentiellement le pays de la grande forêt équatoriale et
produisait presque uniquement des bois précieux et
de l'okoumé, une essence miracle pour le déroulage
du contreplaqué. Dépourvu d'infrastructures mais
riche en voies d'eau navigables, il exportait bon an
mal an, 500 000 tonnes de grumes provenant d'une
vingtaine de grandes exploitations européennes,
contrôlées par un office des bois. La population, de

souche bantou, vivait en petits groupes disséminés dans la forêt et au bord des fleuves. La plupart de ces minuscules tribus fournissaient aux exploitants une main-d'œuvre spécialisée de layonneurs, d'abatteurs, de tronçonneurs, qui habitaient sur les chantiers dans la plus étroite dépendance de leurs employeurs. Ces phalanstères constituaient des organisations patriarcales où les travailleurs étaient en général honnêtement payés, bien nourris, bien traités et médicalement protégés. Aucun conflit social ne venait troubler cette symbiose fondée sur l'intérêt bien compris des deux parties. Il faut dire, en effet, que sans la puissance de l'entreprise, les autochtones n'auraient pas pu subsister dans l'environnement hostile de la forêt vierge et les exploitants n'auraient trouvé aucune main-d'œuvre qualifiée pour leurs activités. Une ambiance bon enfant et de solidarité teintée de paternalisme marquait les relations entre Blancs et Nègres. L'Européen prenait pour maîtresses des femmes du cru ou les célèbres ménagères métisses gabonaises éduquées par les religieuses qui acceptaient de vivre dans l'enfer vert et étaient de la plus grande loyauté à l'égard de leurs concubins du moment.

Les élites noires considéraient la France comme une seconde patrie, une sorte de paradis qui ressemblait à celui dont parlaient les bons pères.

Depuis la fondation de la station de Libreville en 1846 par le prince de Joinville, nul ne se souvenait qu'un coup de feu ait été tiré sur un Gabonais. Paul Belloni du Chaillu, l'explorateur franco-américain du siècle précédent, était pacifiste, Savorgnan de Brazza, un aimable idéaliste et philanthrope. On se rappelait bien de quelques bagarres avec les bandes de pillards pahouins ou batekés mais les Blancs n'y étaient pas mêlés.

Quand un bateau de guerre faisait escale à Libreville, il devait rester au moins trois jours, pour permettre à la population d'assister à bord à la grande réception à laquelle la ville entière était conviée.

Au cours des séances de l'assemblée territoriale, il était fréquent d'entendre un ou plusieurs députés évoquer le temps de M. de Brazza ou d'un gouverneur oublié, qui n'aurait pas toléré tel ou tel projet en discussion.

Le président de l'Assemblée, Léon M'Ba, qui devait devenir le premier président de la République gabonaise, était si convaincu de la solidité du couple franco-gabonais qu'il refusa longtemps l'indépendance et ne s'y plia que sous la pression de la France et des Etats voisins.

Cette colonie, hors du temps, avait toujours mené une vie tranquille, mais les bouleversements de l'après-guerre ne pouvaient pas l'épargner. La découverte du pétrole, des gisements de manganèse de Franceville, du fer de Mékambo et bientôt de l'uranium, allaient transformer la vie économique et politique du pays. Il fallait d'urgence concevoir un programme de mise en valeur et le soumettre à l'Assemblée. Ce fut la première mission qui me fut confiée.

Le gouverneur de la colonie, Yves Digo, était un ancien trésorier payeur d'Indochine que les événements de la guerre avaient conduit à ce poste. C'était un grand honnête homme, originaire du Morbihan et solide comme les menhirs de Kermario. Il ne fallait pas lui demander trop de spéculations intellectuelles, ni de visions prospectives, il avait un robuste bon sens, une haute idée de la France pour laquelle ses deux fils venaient de donner leur vie dans les Forces françaises libres, il était pieux et cachait sous des dehors bougons une profonde humanité et un libéralisme de bon aloi.

Mon prédécesseur, l'administrateur en chef Maclatchy, bon connaisseur de la faune tropicale et grand chasseur, avait inscrit plus de 1 200 buffles à son tableau de chasse, mais ne m'avait laissé aucun dossier, ni aucune directive ; le champ était donc libre et comme le gouverneur me faisait confiance, je pouvais aller de l'avant.

L'assemblée territoriale où j'étais commissaire du gouvernement me permit de connaître rapidement les conseillers, de les associer à l'élaboration du plan de développement et d'orienter leurs habituelles préoccupations familiales et tribales vers un dessein plus national. Les membres européens de l'assemblée comprenant des forestiers, des commerçants et un ingénieur de la SPAEF, la compagnie pétrolière, avaient une bonne vision des problèmes d'infrastructure, des nécessités de financement et des appuis extérieurs qu'il fallait rechercher. Je dois dire que les conseillers africains les suivaient en confiance et que leurs votes ne firent jamais défaut dans les engagements décisifs.

C'est ainsi que la prospection du fer de Mekambo ayant fait apparaître la possibilité d'exploitation du gisement à grande échelle, la Compagnie financière du canal de Suez décida d'envoyer sur place un de ses directeurs, François Grange, pour effectuer une reconnaissance rapide des itinéraires possibles d'évacuation du minerai.

L'Assemblée me chargea d'accompagner le visiteur. Seul l'avion pouvait permettre d'effectuer une telle mission au-dessus de la forêt vierge, dans un délai raisonnable. Le trajet terrestre aurait nécessité plusieurs semaines et provoqué des complications imprévisibles, voire insurmontables. Nous prîmes donc notre envol sur un monomoteur CESSNA du service forestier qui disposait de trois places, dont l'une était occupée par une longue corde à nœuds dont le pilote nous révéla qu'elle était destinée à descendre des grands arbres. L'avion peut se poser, disait-il, à 40 mètres du sol dans les branchages touffus de certaines essences. Le problème pour les passagers est alors d'atteindre le sol.

Le Gabon, vu des airs, est un immense chou-fleur vert où luit, de-ci de-là, l'étincelle d'un fleuve dissimulé sous les frondaisons. Nous nous posions fréquemment dans de minuscules clairières dégagées par les forestiers où quelques bidons d'essence nous attendaient — de l'essence d'auto et de l'essence d'avion à 85 octanes qu'il fallait mélanger pour convenir à notre appareil. Longin, le pilote, effectuait ces manipulations la cigarette au bec avec une cendre longue d'un travers doigt et filtrait le carburant dans un vieux chapeau de feutre, ce qui inquiétait mon compagnon de route. Tantôt l'avion plongeait à travers les arbres pour suivre à ras des flots le lit d'une rivière sinueuse, tantôt il grimpait brutalement pour franchir une barrière rocheuse enfouie sous les ramures. François Grange me parlait alors avec nostalgie des déserts plats et de l'isthme de Suez où ne poussent que des cactus. Après cinq journées d'explorations aventureuses et d'escales rudimentaires, nous décidâmes de passer le dimanche dans un grand chantier d'une compagnie forestière, près de Fougamou sur l'Ogooué.

La base opérationnelle de cette exploitation était une vaste clairière à l'orée de la forêt vierge où habitaient le chef de chantier européen et les travailleurs nègres avec leurs familles. De grands hangars abritaient le parc de matériel lourd et les ateliers de réparation. D'étroites percées en forêt rayonnaient autour de la place principale, en direction des zones d'abattage. La résidence du patron était un bungalow spacieux, construit entièrement en bois et en plaques d'écorce et comportait de larges vérandas. Les parois intérieures, revêtues de bambous, étaient vernissées avec la résine du copalier, dissoute dans l'essence et le mobilier rustique était confortable.

Le maître de céans était un Pyrénéen d'une quarantaine d'années dont l'épouse était ravissante. La grâce et la fragilité de cette jeune femme contrastaient étrangement avec cet environnement sauvage et viril. Elle avait fait toilette pour notre arrivée et le rouge de ses ongles et de ses lèvres paraissait aussi irréel que la variété des apéritifs qu'elle nous servit. Comme nous la complimentions sur la qualité de son repas où figuraient des viandes de chasse finement cuisinées et des légumes exceptionnels, elle nous expliqua de sa voix douce qu'il y avait un troupeau d'éléphants dans un bois de parasoliers, à proximité, et qu'elle allait tous les matins avec son boy recueillir plusieurs sacs de bouse fraîche qu'elle déversait dans une compostière pour fumer son jardin.

Après le déjeuner, je m'avisai que nous n'étions pas très éloignés de la mission catholique de Sainte-Croix des Echiras, abandonnée depuis plusieurs lustres par suite de la disparition de la population. Je fis part de mon intention d'aller visiter les vestiges de ce lieu remarquable. Malheureusement notre hôte avait projeté d'écouter, à la radio, les reportages du tour de France qui franchissait ce jour-là les grands cols pyrénéens. Il relevait, depuis sa jeunesse, les temps d'ascension du Tourmalet et de l'Aubisque et je compris qu'il était inconvenant de le priver de ce rite sacramentel. Il nous prêta néanmoins un véhicule tout-terrain et un chauffeur qui connaissait les lieux. Après deux heures de trajet sur des pistes incertaines, tantôt en forêt, tantôt en savane, nous arrivâmes au pied des premiers contreforts des monts du Chaillu. Nous laissâmes la voiture et nous gravîmes une longue pente dégagée au sommet de laquelle se devinaient les deux clochetons d'une chapelle couverte de tôle. L'ascension dans les sissongos, parmi les tiges charbonneuses laissées par les derniers feux de brousse, se révéla particulièrement pénible. Enfin, l'église apparut dans toute sa nudité. Les parois de brique et le toit métallique semblaient encore solides mais la porte avait disparu. Nous pénétrâmes dans la nef dont le plafond de bois ressemblait à une carène renversée. Des trous noirs dans la voûte servaient d'habitat aux chauves-souris qui avaient déposé, au cours des années, à l'aplomb des orifices, des monceaux de guano grisâtre. La sainte table était effondrée ainsi qu'un tabernacle bancal qui s'effritait sur la pierre de l'autel ; quelques chandeliers noyés dans la poussière et les débris d'un chemin de croix parsemaient le sol défoncé. Un silence angoissant pesait sur les lieux, un oiseau de nuit effrayé voleta quelques instants. Notre guide, apeuré, se signa et sortit précipitamment. Autour du bâtiment, on devinait encore parmi les hautes graminées quelques lambeaux de constructions anciennes avec des poutres calcinées. Deux rangées d'orangers mutilés par les feux successifs conduisaient vers le haut de l'épaulement où se dressait une immense croix. Je me hissai jusqu'au calvaire qui portait un très grand Christ de bronze dont les bras, maintes fois foudroyés, s'étaient détachés du buste et pendaient en se balançant au gré du vent. Le corps ne tenait plus que par le clou des pieds et était incliné à 45 degrés sur l'horizon, le visage douloureux du crucifié semblait contempler la terre des Echiras, comme une quinzième station de son supplice, sous le signe du désespoir suprême.

Du pied de la croix indestructible, le regard embrassait un paysage grandiose où la chaîne des monts du Chaillu tentait vainement de soulever le manteau forestier qu'elle ne parvenait pas à percer. Les frondaisons d'un vert épais moutonnaient à l'infini avec, de-ci de-là, la tache jaune d'un ocelle de savane. Dans le ciel pâle et lavé des tropiques, de gros nuages de ouate au ventre ardoisé paressaient mollement, animant un ballet d'ombres fugitives sur le pelage changeant de l'immense forêt. Une atonie indéfinissable baignait notre planète où la rumeur du vent, des insectes et des oiseaux s'était tue. Mes yeux se portèrent sur le socle du calvaire et découvrirent parmi les broussailles un lot de crânes humains et d'os longs qui semblaient avoir été dissimulés sous les herbes. Je m'apprêtais à examiner cette trouvaille lorsque François Grange me dit qu'il s'agissait probablement d'un ancien cimetière. En déblayant légèrement le sol avec le pied, nous découvrîmes de nombreuses pierres tombales de religieux et de frères convers de l'ancienne mission, qui remontaient aux années 1860-1880 « Vous voyez, nous dit le chauffeur-guide, ce sont les gens de la forêt qui les déterrent pour faire des médicaments. » Tout naturellement, les vers de Paul Valéry me revinrent en mémoire :

Ils ont fondu dans une absence épaisse
L'argile rouge a bu la blanche espèce
Le don de vivre a passé dans les fleurs
Où sont des morts les phrases familières
L'art personnel les âmes singulières
La larve file où se formaient les pleurs.

Tant de générosité humaine, tant de foi et de sacrifices, tant de passion s'étaient ainsi dissous sans retour dans la puissante nature toujours indomptée, submergeante et barbare. Il me semblait tout à coup que l'objet de notre voyage avait quelque chose de dérisoire, que les branches et les racines se refermeraient toujours sur nos voies de pénétration, sur nos rails et nos routes. Je devais rencontrer, durant mon séjour gabonais, d'autres missions perdues à Sindara, à Achouka, d'autres peuplades à peu près disparues, les Apindjis, les Okandés, qui avaient succombé devant l'implacable forêt et pourtant le termite humain poursuivait inlassablement ses sapes et ses contre-mines, avançant son layon et cherchant sans fin de nouveaux maîtres et de nouveaux dieux.

Quelques mois plus tôt, à Mékambo sur l'Ivindo, une nouvelle religion était apparue sous les traits d'une demoiselle blanche, rayonnante de lumière.

Dans la nuit opaque de la grande rivière, alors qu'un piroguier attardé regagnait son campement de pêche, une lueur fulgurante avait jailli à l'avant de l'esquif. « Ne crains rien, avait dit l'apparition, je suis Mademoiselle, et voici mon message : " Si ta vie est malheureuse, si le pays ne va pas bien, si le mal et les obstacles se dressent de toute part, c'est parce qu'il y a trop de mauvais fétiches, aussi faut-il les détruire. Rejoins tes compagnons, vous êtes désormais mes mimbaras (messagers), laissez votre travail et partez sur les routes. " » La lumière s'éteignit et l'homme étourdi regagna à la hâte son lieu de couchage sans souffler mot à ses compagnons. Mal lui en prit, car le ciel réagit aussitôt. Un éclair puissant illumina la pièce et Mademoiselle, courroucée, apparut aux dormeurs stupéfaits. « Hommes de peu de foi, dit-elle en bakota, levez-vous et partez ! Voici ma force, elle s'appelle " boussole ". » Elle remit alors à l'élu défaillant une baguette d'ébène à bout d'ivoire et s'évanouit dans les ténèbres.

Dès le lendemain, les vecteurs du céleste message abandonnèrent leurs canots et leurs nasses et partirent sous la conduite du porteur de récade. Bien entendu, ce dernier n'était pas le produit du hasard mais un Fang de Souanké prénommé Emané Boncœur, qui avait travaillé longtemps au Cameroun voisin sous l'autorité d'un contremaître blanc, adepte du fakir Birman.

Ce charlatan fameux vendait par correspondance, dans les journaux européens, des onguents miracles et des talismans infaillibles. Nul ne saurait dire ce que le Français avait pu raconter à l'Africain, mais le savoir du premier joint à l'imagination fertile du second devaient donner les résultats suivants.

Parvenus sur les places de village, les messagers de « Mademoiselle », revêtus de chasubles taillées dans des sacs de farine, plantaient en cercle sept piquets sur lesquels brûlait une chandelle ou une demi-papaye emplie d'huile de palme et pourvue d'une mèche. Au centre du cercle, une image de jeune fille découpée dans une revue de mode européenne était fixée au sol par une longue épine. Les curieux affluaient aussitôt, les « mimbaras » leur oignaient la poitrine avec une eau blanche, recueillie, disaient-ils, la nuit, dans les cimetières et leur réclamaient cinq francs. Ensuite, Emané Boncœur prenait la parole et dépeignait en termes apocalyptiques les méfaits des mauvais fétiches. Qui ne dissimulait sur lui ou dans sa demeure un symbole maléfique ? Quel sorcier ne pratiquait pas des rites dangereux ? Qui n'avait pas planté un clou dans la figuration de son ennemi ? Qui n'avait pas occis et fumé des jumeaux humains pour les cacher dans son toit ? Bref, que celui qui était sans tache lève la première main, car pour les autres, l'heure de l'expiation était venue. La foule s'émouvait, chacun apportait son « grigri » et dénonçait les timides et les tricheurs. Les sorciers, contraints de s'agenouiller sur des cailloux pointus ou des grains de maïs, étaient battus et mis en demeure de livrer leurs secrets, des « biris » d'ébène, des brouettées de jumeaux sauris étaient déversées au pied des thaumaturges qui les incinéraient dans un brasier. En quelques mois, la forêt gabonaise fut gagnée par ce raz de marée, on trouvait sur les pistes éloignées des squelettes de sorciers chassés de leurs autels dont les sacs épargnés disaient l'identité. Pauvres hères dépouillés de leurs pouvoirs qui avaient tenté de regagner seuls et désemparés leurs tribus d'origine pour y mourir en paix. Les missions chrétiennes se montraient d'autant plus discrètes que la destruction des fétiches et des diables leur déblayait le chemin des âmes.

Les politiciens s'intéressèrent au mouvement pour des raisons électorales et de nouveaux candidats sorciers apparurent avec des formules de remplacement inédites. Bref, le mouvement déclina, se sublima et se transforma en un culte ritualisé, le « tsaka-tsaka », doté d'une hiérarchie propre et d'un évêque, monseigneur Pascal, qui se fixa, me dit-on, à Ouesso, sur la lointaine Sangha. Une religion nouvelle venait donc s'ajouter aux M'Buitis des Mitsoghos, au matsouanisme congolais, au kibanguisme des Bakongos, et aux milliers d'autres cultes syncrétiques qu'engendre chaque jour la soif métaphysique des enfants de l'Afrique.

J'en étais là de mes méditations lorsque nous

retrouvâmes, au campement de la compagnie forestière CGPPO, notre hôte hagiographe du tour de
France et sa jeune et souriante épouse dont je me
demandais comment elle faisait pour résister à la
solitude et à l'étouffement du décor. « Oh ! c'est très
simple, m'expliqua son mari. Dans la forêt, une
femme ne doit voir que son homme, ne pas rencontrer plus d'une heure par semaine sa voisine, ne pas
lire trop de revues et avoir des tâches précises à
exécuter. Sinon, le rêve s'installe, les comparaisons
se multiplient, l'insatisfaction s'exaspère et l'oiseau
s'envole tout bêtement comme une palombe perdue. »

Le bilan de ce voyage fut mitigé et les conclusions
de l'expert très pessimistes : la route d'accès au
gisement de fer était difficile, le marché mondial
était bien pourvu de minerai, les travaux s'annonçaient gigantesques et exagérément onéreux, les
financiers allaient réfléchir. Trente-cinq ans plus
tard, les bailleurs de fonds réfléchissent encore et les
génies de l'Afrique veillent toujours sans partage sur
les flots terreux de l'Ogooué, au défilé de l'Okanda.

La porte de l'Okanda ! Quiconque a franchi, ne
serait-ce qu'une fois, cette brèche gigantesque dans
la chaîne de la Lopé, portera toujours en lui la
marque indélébile de l'Afrique.

Le fleuve grondant, un instant étranglé dans la
gorge, se libère vers l'aval en vagues écumantes.
Bientôt les premiers rapides apparaissent, les
remous se creusent et se crêtent de crinières
blanches. La pirogue okandé accélère sa course et
vole comme une flèche au creux des maelströms. Le
passager, hébété par le fracas des eaux, se cram-
ponne au fond de l'esquif. Le pagayeur arrière
étreint sa large rame directionnelle, celui de l'avant
dressé, tout nu comme le dieu des ondes, l'œil rivé
sur les bouillonnements fusant à 10 mètres devant la
proue tient à deux mains sa perche chercheuse qui
ausculte le fleuve et écarte la pirogue du récif deviné
en une fraction de seconde. Après 40 kilomètres

d'une telle glissade, le voyageur abasourdi s'étonne d'être encore en vie et refuse de croire que demain ses nautoniers remonteront le fleuve avec 400 kilos de marchandises en utilisant seulement les biefs tranquilles et les contre-courants. Il ne croira pas davantage à l'exploit de Marius Rayan, un ivrogne fameux qui commandait un petit vapeur de la SHO, sur le bief amont de l'Ogooué. Cet hurluberlu fit un jour le pari de franchir les rapides, à minuit, le soir de Noël, et parvint miraculeusement à ses fins.

L'Enfant Jésus, le ciel et la crue du fleuve durent guider sa route, car l'exploit ne fut jamais renouvelé. La compagnie pétrolière Elf Aquitaine immortalisa quelques années plus tard cette prouesse en donnant le nom du héros de l'histoire à un de ses champs de pétrole au large de Port Gentil.

Tous les Blancs de la terre gabonaise n'étaient pas, heureusement, aussi fantasques que le pacha du bateau ivre, même si beaucoup avaient développé leur singularité. Soit qu'une grande liberté régnât dans cette thébaïde équinoxiale où l'administration française n'imposait pas grande contrainte économique et sociale, soit que la population autochtone fût d'une grande gentillesse et que le métissage et l'intérêt de tous eussent gommé, depuis longtemps, les aspérités sources de conflit, une véritable harmonie marquait tous les rapports humains : les entreprises étaient souvent de grandes familles paternalistes où les travailleurs se succédaient de père en fils. Les belles métisses et leurs sœurs des chantiers tenaient à l'ordre établi. Les personnages pittoresques et sympathiques abondaient dans les deux communautés.

Chez les Africains se détachaient des figures de premier plan comme celle de Léon M'Ba, notable fang, plein de sagesse et d'humour, qui témoignait toujours du libéralisme de la France en rappelant que, déporté vers 1935 en Oubangui Chari, pour d'obscures raisons administratives et judiciaires, il avait été chargé, au départ d'un administrateur engagé dans la colonne Leclerc, du commandement de la circonscription. Ami sincère de notre pays, il ne devait jamais le combattre ni lui faire défaut. Le député Jean Hilaire Aubame et le sénateur Paul Gondjoud étaient des politiciens nationalistes pleins de raison et de loyauté à notre égard. Les conseillers des différentes provinces savaient, à travers leurs parlers pittoresques, défendre consciencieusement les intérêts de leur tribu. Le clergé comptait d'éminents représentants dans toutes les nuances de la peau et l'abbé Walter Raponchombo Deemin était un savant respecté.

Du côté des Blancs, les seigneurs de la forêt formaient une caste particulière allant de l'homme d'affaires riche et distingué, vivant le plus souvent en France, comme Jean Wack, le baron Schmidt, Roland Bru, de Muizon, Mounier ou Dessombs, au vieux pionnier bougon vêtu d'un bleu de chauffe entre ses camions et sa pinasse comme Paul Flandres, Hublin ou Travadel.

Le temps était désormais révolu où les forestiers de l'Ogooué et du Fernand Vaz descendaient à Port Gentil à chaque passage du bateau des Chargeurs réunis, pour danser toute la nuit et scier le piano à la tronçonneuse au petit matin. La mécanisation accélérée des entreprises, la diversification des investissements, les besoins croissants du marché des bois dans la reconstruction européenne et l'apparition des inspecteurs du travail avaient précipité l'évolution et relégué les décors de western à la camerounaise au magasin du folklore.

Désormais, les industries de déroulage et de tranchage commençaient à dominer le marché et les pionniers de la hache abandonnaient un à un le café du Wharf pour les salons du Fouquet's sur les Champs-Elysées. En somme, comme disait le « père » Flandres devenu grand conseiller de l'AEF : « Tout se modernise, même le manioc ! »

Il y en avait pourtant un qui ne cédait pas aux sirènes du progrès, c'était le docteur Albert Schweitzer, qui, dans son hôpital rustique de Lambaréné, soignait depuis 1912 les pauvres villageois victimes des calamités tropicales. Ce personnage hors du commun a été si souvent décrit que j'aurais scrupule à apporter la moindre retouche à son portrait devenu légendaire. Ce vieillard, en casque colonial et grande moustache blanche, régnait en maître absolu sur un étrange royaume qu'il avait façonné de ses mains, à l'orée de la forêt vierge. Professeur de théologie à l'Université protestante de Strasbourg et brillant organiste, élève de Charles Widor, il avait décidé, à la trentaine, de partir comme missionnaire au Gabon. La mission évangélique de Paris, que des prises de position doctrinales antérieures du théologien de Strasbourg avaient inquiétée, ne l'accepta pas. Il décida alors de faire sa médecine et de partir comme docteur. Au terme de huit années d'études et après avoir investi ses derniers gains de concertiste dans des caisses de médicaments, il prit le bateau pour Lambaréné. Cette bourgade insalubre, au bord de l'Ogooué, était l'archétype du village de la forêt vierge humide, réceptacle de tous les miasmes. Le nouvel apôtre y choisit un emplacement sur la berge du fleuve et y bâtit, de ses mains, des installations de fortune. Au fil des ans, l'hôpital du « Grand Docteur » devint une sorte de caravansérail des infirmités sur lequel il régnait en divinité tutélaire. D'une robuste santé, industrieux et autoritaire, il menait de front ses tâches matérielles et spirituelles, construisant et soignant le jour, écrivant, méditant la nuit sur les penseurs de l'Inde ou sur les sonates de Jean-Sébastien Bach. Sa fidèle assistante Emma Hausknecht barrait d'une main ferme le radeau de « La Méduse » et son étrange équipage. Albert Schweitzer, à qui le Prix Nobel de la paix et son talent de musicologue avaient ouvert les portes de la renommée, pratiquait une médecine déroutante qui semblait être un pied de nez aux dernières trouvailles de la science et de l'hygiène. Ses salles d'hospitalisation étaient des hangars aux murs d'adobe et au toit de feuilles de palmiers, les lits étaient des bat-flancs traditionnels de bambous où le malade reposait sur une natte de raphia, le sol était de terre battue et des petits fourneaux en terre cuisaient de-ci de-là quelques brouets champêtres. Des poules et des canards allaient et venaient, des chèvres se sauvaient en mâchonnant des lambeaux de charpie, des visiteurs à l'œil sauvage venus des lointains villages déambulaient craintifs entre les grabats. Le grand docteur prétendait que chez les êtres primitifs, le psychisme était un facteur essentiel de guérison. Il importait donc de ne pas déstabiliser le patient en bouleversant ses habitudes pendant sa maladie. « Je leur donne des antibiotiques et les meilleurs médicaments, disait-il. Qu'importe la teinte du plafond ou le revêtement des murailles. » Ses magasins regorgeaient de matériel coûteux, d'appareils sophistiqués que lui envoyaient les communautés protestantes de toute la planète, mais il n'en faisait pas plus de cas que des chèvres laitières qu'il avait reçues du Canada ou de l'iceberg venant de Scandinavie. Il devait maintenir son entreprise généreuse jusqu'à son dernier souffle, clouant, sciant, diagnostiquant, soignant et morigénant sa troupe d'infirmières et quand il mourut, il fut inhumé au cœur de son royaume.

Malgré un don de soi aussi exceptionnel, en dépit d'une immense jonchée de bienfaits et de guérisons qu'il laissait derrière lui, il ne manqua pas de beaux esprits pour dauber sur ses défauts. Il paraît qu'il était orgueilleux, insuffisamment progressiste, trop attaché à sa culture germanique et moins savant qu'on ne le disait. Son institution périclita et sa tombe verdie par les mousses ne constitue plus aujourd'hui qu'un témoignage supplémentaire de l'ingratitude humaine.

A Libreville, la vieille colonie vivait ses derniers jours. Les grandes roussettes épomophores* qui

* *Epomophorus gambiensis* ou renard volant.

peuplaient les manguiers du gouvernement et que l'on appelait les pigeons du gouverneur, survolaient tous les soirs les magasins de traite de la grand-rue, noircis par les pluies tropicales et les villages de tôle et de paillotes qui s'étiraient de Glass à Lallala. Les cloches de l'église et de la mission sonnaient l'Angélus, la ronde des cargos aux ponts couverts de grumes se déployait comme une procession de lucioles le long de l'estuaire. La tornade grondait dans les lointains. Dans le quartier de Nombakélé, les boutiques et les cuisines en plein vent tendaient leurs guirlandes de lampions, balancées par la brise de terre, des éclats de voix et le rythme assourdi des tam-tams s'élevaient des ruelles. Les Blancs traînaient leur nostalgie au volant de quelques voitures ou s'affalaient dans les fauteuils canada de leurs terrasses, autour des tables à apéritif, pour les confidences du soir.

Le gouverneur prêtait une oreille attentive aux rumeurs qui venaient de Paris, et qui laissaient pressentir un bouleversement prochain des structures politiques. On disait que l'assemblée territoriale allait être élue au suffrage universel par un collège unique qui ôterait définitivement tout pouvoir réel à la minorité européenne ; on parlait de conseil de gouvernement dont les membres porteraient le titre de ministre et qui, sous la présidence du gouverneur, chef du territoire, dirigeraient l'Administration. Les chefs d'entreprise blancs s'inquiétaient de voir leurs employés prendre le pouvoir et prévoyaient un effondrement de la production, la fuite des capitaux, les faillites. Les commerçants prétendaient, au contraire, qu'avec un gouvernement d'incapables, les contrôles s'affaibliraient ; le bakchich deviendrait roi et le négoce prospérerait. Déjà, les plus avisés pensaient s'entendre avec des partenaires gabonais pour se présenter au collège unique. Les seuls qui se montraient sereins étaient les Africains qui n'avaient aucun prurit d'indépendance, ni aucune fringale de pouvoir. Il faut dire aussi qu'en dehors des conseillers territoriaux et des représentants parisiens, ils n'avaient aucune formation politique.

A l'Assemblée, les représentants des différentes régions n'étaient préoccupés que de leurs problèmes immédiats. « Mais enfin, disait le conseiller Yembit, pourquoi veut-on protéger les éléphants et les gorilles ? Ce sont les hommes qu'il faut protéger. » Un autre, originaire du Moyen-Ogooué, s'étonnait que l'on parlât tant de pétrole : « Soyons modernes ! s'exclamait-il. C'est de l'essence qu'il nous faut ! » Un certain Mabila demandait avec insistance le départ d'un infirmier de son village dont le comportement lui paraissait suspect. Quand une vieille femme, souffrant des intestins, arrivait au dispensaire : « Ouvre la bouche », lui demandait-il ; si c'était une jolie fille qui se plaignait d'un mal de dent : « Montre-moi ton ventre », ordonnait-il. Un autre souhaitait obtenir du commissaire du gouvernement des explications claires sur les épizooties aviaires en début de saison sèche ou sur la répartition des armes de chasse. Un autre encore refusait de voter le budget tant que les secours aux indigents ne seraient pas transférés sur les nécessiteux. Les indigents n'avaient qu'à travailler un peu plus, disait-il, la terre était à tout le monde et féconde pour tous, quant aux seconds, les plus nombreux, puisqu'il manquait toujours quelque chose à quelqu'un, il fallait faire un grand geste pour que chacun ait une petite douceur. Les grands travaux d'infrastructure, les chapitres de fonctionnement et les perspectives de développement étaient sagement laissés aux quelques têtes solides blanches et noires à qui l'on faisait spontanément confiance. L'autorité d'une vieille épicière européenne, madame Valentine Piraube, élue de Port Gentil, était stupéfiante. Connue de longue date pour sa grande bonté et sa gentillesse à l'égard des enfants, elle était respectée au point d'arrêter net d'une simple mimique et d'un petit geste de la main le plus intarissable des orateurs. De toute façon, Européens et Africains se reconnaissaient unanimement comme gabonais et chez les premiers beaucoup se montraient souvent plus gabonais que les Gabonais d'origine.

Pour visiter son personnel de commandement et maintenir le contact avec quelques notables influents, le gouverneur effectuait de fréquents déplacements dans les circonscriptions de brousse. Il empruntait un petit avion monomoteur de l'aéro-club de Libreville, piloté par un jeune casse-cou jovial et intarissable nommé Jean-Claude Brouillet. Ce personnage hors du commun était le fils d'une figure du vieux Gabon, le « Chief », entrepreneur polyvalent de tout et de peu de chose, aviateur, commerçant, mécanicien, infiniment serviable et populaire. Les deux fils et leur mère, bloqués en France par la guerre, avaient vécu des événements tragiques.

Les deux adolescents étaient revenus à Libreville dès la fin des hostilités. L'aîné, qui avait appris le pilotage, effectuait des vols à la demande et servait de facteur aérien aux chantiers de forêt. Le second était employé de boutique chez le conseiller Léon M'Ba. Un jour, le gouverneur apprit que l'avion qu'il empruntait était dépourvu de radio, ce qui était très dangereux pour le survol de la forêt vierge. Il renonça momentanément à ses voyages mais les reprit une semaine plus tard. « Maintenant, Jean-Claude a un équipement moderne », me dit-il. Je trouvai cette installation bien rapide et j'interrogeai le dieu des nues, qui finit par m'avouer qu'il avait fabriqué lui-même un micro avec une boîte de cirage, un manche de casserole et un câble électrique et qu'il se livrait, au moment des envols et des atterrissages, à des conversations du genre « Allô! ici Jean-Claude X.Y.Z., je vous reçois parfaitement. Tout va bien. Terminé! » Comme il n'y a que la foi qui sauve, je laissai le chef du territoire dans l'ignorance de ce subterfuge et fis confiance à Dieu et au pilote. Chacun de ses vols était une véritable aventure car il était non seulement dépourvu de moyens de guidage, mais de cartes et d'indications météorologiques. Un jour où je devais me rendre à Booué pour une inspection, il m'offrit ses services. « Je dois y transporter deux vaches, me dit-il, je peux vous ajouter sans problème, j'ai un de Haviland Dragon, un bimoteur biplan entoilé et haubané, avec un siège de copilote. » Au petit matin, quand j'arrivai en bout de piste, les deux moteurs tournaient déjà. Les deux vaches, de petite taille heureusement, emplissaient la cabine, plus entourées de bandelettes que la momie de Ramsès II et les cornes emboulées de paquets de coton hydrophile pour ne pas percer le fuselage. Je rampai sur les deux bovidés et m'installai à côté du pilote. Jean-Claude mit les gaz et nous décollâmes dans un vacarme assourdissant car il avait laissé deux hublots ouverts pour éviter, disait-il, les phénomènes de compression et de décompression à ses passagères. Les cumulo-nimbus étaient si bas que nous entrâmes immédiatement dans la crasse, la chaîne de son couteau accrochée devant le manche à balai donnait la verticale, le cap se lisait sur un compas en forme de boule qui était fixé entre les deux sièges. « Ce sont les contrôles d'instruments », me dit-il, dans un éclat de rire. Bientôt, un coin de forêt et un éclair de rivière apparurent entre deux énormes nuages. « Nous sommes par le travers de Hublin, tout va bien », annonça-t-il. La farandole des courants ascendants et descendants continua dans la brume épaisse puis il consulta sa montre et déclara : « Nous allons descendre car le terrain de N'Djole doit se trouver par là ! » Il piqua légèrement et nous débouchâmes à moins de cent mètres d'altitude au ras des frondaisons de la grande selve. « Tiens, dit-il, voici les feuilles rouges des " bongossis * ", l'Ogooué n'est pas loin. » Effectivement, le serpent du grand fleuve surgit entre les crêtes des

* *Lophira procera*, dont l'appellation commerciale est « azobé ».

195

ramures, il vira légèrement et se présenta, comme par hasard, en face d'une piste herbeuse en forme de haricot qui se terminait par un surplomb au-dessus de la berge. Il atterrit, légèrement incliné sur la roue gauche, pour épouser la courbure de l'axe de la piste et s'immobilisa. « Le temps de compléter l'essence, dit-il, et nous repartons. » Le ciel s'était légèrement éclairci et la visibilité était bonne. L'Ogooué s'étirait dans un large sillon bordé de grands marais herbeux, comme si une avenue géante avait été taillée dans la masse végétale. « On va faire peur aux buffles », fit Jean-Claude. Et le voilà qui fait du rase-motte sur les hautes herbes où, par-ci par-là, des petits groupes de bovidés s'enfuyaient en laissant derrière eux un long sillage frémissant. Après les buffles, ce furent les rapides d'Alembe puis la porte de l'Okanda que nous franchîmes à moyenne altitude et enfin Booué où nous déchargeâmes nos passagères qui meuglaient faiblement sous leurs bandages.

Ma tournée devant durer trois jours, Jean-Claude décida de m'attendre car il voulait me montrer un itinéraire inédit qui passait près de la « Roche qui pue ». On aurait cherché vainement sur une carte cet accident géologique car, non seulement mon guide ignorait la géographie officielle, mais il baptisait les points remarquables selon son humeur et sa fantaisie. En l'occurrence, la roche en question était appelée puante, « parce que la météo y sentait généralement mauvais ». Le survol de cette région malodorante se passa sans encombre malgré un vent assez fort et des lointains si bouchés et si menaçants que la tornade nous rattrapa à l'escale de N'Djolé. Pendant que nous transvasions l'essence, la pluie se mit à tomber si drue que mon pilote jugea qu'il valait mieux décoller sur-le-champ plutôt que d'attendre une hypothétique accalmie. De toute façon, l'après-midi était déjà très avancé et il fallait être à Libreville avant la nuit.

Le décollage se passa vent arrière sous les trombes

d'eau et l'appareil ne parvenait pas à prendre de la hauteur. Je voyais avec terreur le rideau vert de la forêt se précipiter sur nous, mais mon compagnon, cramponné au manche, restait impavide. « Ne vous en faites pas, ça passe, ça passe, ce sont des papayers ! » Un nuage vert nous environna brusquement, des fouets invisibles fouaillèrent la carlingue, mais les moteurs ronflaient au maximum et l'avion, qui avait légèrement viré sous l'effet du vent, s'éleva rapidement. A l'atterrissage crépusculaire à Libreville, des feuilles de papayers tremblaient encore dans les haubans.

Malgré des prouesses quotidiennes de ce genre, car Jean-Claude était prêt à toutes les missions, évacuations sanitaires, opérations de secours, transports de pièces mécaniques urgentes, survols de reconnaissance, transports de main-d'œuvre, les affaires du ludion des airs prospéraient, sa baraka avait quelque chose de magique, les peuplades les plus reculées parlaient avec dévotion de « l'avion du Blanc * » et la tribu des Blancs vantait ses prouesses.

Pourvu d'un solide viatique, il se lança, plus tard, à la conquête du Pacifique et ne tarda pas à découvrir l'Amérique : si vous errez un jour entre le Cancer et le Capricorne, au bord du grand océan, vous le rencontrerez certainement, en tenue de brousse du bon faiseur, jovial, loquace et sans façon, courant d'un de ses ranchs de Californie, du Montana ou du Paraguay, à son lagon du Pacifique où il cultive des huîtres perlières, avec son cœur sur la main, son enthousiasme communicatif et l'accent de Villeneuve-sur-Lot.

Jean-Claude avait un frère cadet que nous avions laissé au marché de Mont Bouet, au moment où il vendait des boîtes de sardines pour le compte d'un notable africain. Le jeune Michel était le contraire

* *L'Avion du Blanc*, de J.-C. Brouillet, éditions Robert Laffont, 1972.

de son aîné. Discret, taiseux, prudent, tout ce qui flamboyait chez l'un était voilé chez l'autre. Seuls leur courage et leur vaillance étaient de la même souche. Après avoir monté de toutes pièces une affaire forestière prospère, il partit pour le Canada et bâtit une petite fortune. Aujourd'hui, il a étendu ses activités au sud de l'Amérique latine. Si vous faites escale quelque part entre le Paranà et le Rio de la Plata, vous le rencontrerez nécessairement, mais vous ne le reconnaîtrez pas car, s'il a gardé l'accent de Villeneuve-sur-Lot, il n'use que rarement de la parole et sa tenue n'attire jamais le regard.

Sous les ailes de l'avion du Blanc, la vie s'accélérait à Libreville, mon schéma de modernisation avait été soumis à l'Assemblée et communiqué au gouverneur général de l'AEF à Brazzaville. Des crédits du Fonds d'investissement économique et social avaient été attribués, des travaux portuaires et d'infrastructures avaient commencé, la production forestière augmentait. La compagnie pétrolière SPAEF multipliait ses forages autour de Port Gentil, une grande usine de déroulage de contreplaqué avait ouvert ses portes et la recherche minière s'accélérait. La mise en place de la loi cadre était à l'ordre du jour, la date des élections avait été fixée à la fin mars 1957 et les candidatures au collège unique se négociaient dans l'ombre. L'aviso hydrographe « Beautemps-Beaupré » relevait les cotes au large de l'estuaire et de la baie de la Mondah. Une balise, installée par hasard sur un îlot désert, situé dans les eaux territoriales de la Guinée espagnole, fit lever les sourcils à l'Espagne qui envoya le croiseur « Canopas del Castillo » défendre la souveraineté ibérique, menacée par les géographes. Un malheureux sergent d'Estrémadure et trois laptots furent laissés en charge du drapeau sang et or sur une langue de sable déserte où, pour des raisons humanitaires, la France fut contrainte de les ravitailler en eau et en vivres. Chaque jour apportait sa collection de faits divers, de grands et de petits problèmes, et mes agendas débordaient de notations rapides. Une colonne de prospecteurs avait failli disparaître dans la région des Abeilles, une forêt vierge au nord-est du massif du Chaillu, et l'administrateur Rougeot, grand spécialiste des papillons nocturnes, venait de découvrir, dans les savanes de Lastourville, que des chrysalides tropicales de charaxès élevées en réfrigérateur donnaient des variétés laponnes identifiables. C'est à cette époque que, pour rompre le rythme des jours, je fis une dernière visite dans les circonscriptions de Mékambo et de Makokou, où se trouvaient les mines de fer de Bélinga en cours de prospection, non pas tant pour m'instruire sur les galeries et les travers-bancs que pour retrouver le contact vivifiant de la brousse et des populations forestières.

Je garde de ce retour dans la forêt vierge le souvenir d'une journée de chasse au filet avec les Bakotas armés de leurs couteaux de jet en forme de bec de toucan et la fin du dépeçage d'un éléphant par un village de pygmées.

C'était ma deuxième rencontre avec ces hommes d'un autre âge dont mon serviteur d'origine bandzabi ne voulait pas me dire le nom. « Voyons, Jean-Baptiste, comment appelle-t-on dans ton village ces petits hommes ? lui demandais-je. — Quels hommes ? faisait-il étonné. — Mais si, tu sais bien, ces hommes et ces femmes tout courts avec un nez large et triangulaire, des yeux enfoncés et des poils en grains de poivre sur la poitrine, ils ne font pas plus d'un mètre de haut et vivent dans la forêt. — Mais, patron, on ne les appelle pas, c'est la viande seulement, puis pris de scrupules, il ajoutait : moi, je les mange pas, je suis catholique ! »

Etranges pygmées qui vivaient dans de petites huttes rondes au cœur de la selve et dont les villages étaient défendus par des pointes de bambou empoisonnées, dissimulées sous les feuilles. Ils parlaient des langues « à click » et usaient de rythmes dodécaphoniques. Chasseurs et cueilleurs de fruits, ils étaient experts en piégeage et, souvent, leur présence n'était révélée que par une antilope pendue au sommet d'un arbre. Ils courbaient en effet la longue tige grêle d'une essence forestière et installaient, à son extrémité, un collet caché par les branchages. Quand le gibier passait sa tête dans le piège, il déclenchait le dispositif de blocage de l'arbrisseau qui se relevait brutalement en emportant dans les airs l'antilope étranglée. Avides de viande, ils s'attaquaient à l'éléphant qu'ils chassaient nus et enduits de la bouse du pachyderme. Leur arme préférée était une sagaie dont le fer consistait en une lame compacte de 50 centimètres de long et de 15 centimètres de large. Le manche de l'arme était très robuste et ne dépassait pas un mètre. Les chasseurs suivaient patiemment le troupeau en se dissimulant et choisissaient le plus gros spécimen ; ils se glissaient sous l'animal et lui enfonçaient la lance dans le ventre. Souvent, les malheureux nemrods étaient écrasés par les soubresauts de l'éléphant. Dans le meilleur des cas, la bête poursuivait sa route, les intestins fouaillés par la sagaie dont le manche pendant s'accrochait aux broussailles et succombait d'hémorragie interne au bout de deux ou trois jours de marche. La voyant morte, le troupeau l'abandonnait et les chasseurs alertaient le village. Surgies de partout et de nulle part, cent frimousses de femmes et d'enfants, portant d'énormes paniers, apparaissaient entre les feuillages. Quand les gaz de fermentation avaient bien gonflé la proie, le chef élargissait l'anus et perçait une ou deux fenêtres sur les flancs. Tout le monde, armé de coutelas, se précipitait à l'intérieur de la carcasse, dévidait les boyaux, arrachait les viscères, taillait des quartiers de viande et de peau. L'énorme masse ondulait, des visages et des bras enduits de glaires et de sanies apparaissaient par tous les orifices, les paniers se remplissaient, une mystérieuse noria de porteurs s'enfonçait dans le sous-bois, l'odeur des fumées du boucan s'insinuait entre les arbres. En deux journées de travail, tout avait disparu, il ne restait plus que des herbes et des feuillages piétinés, des traces de lymphe séchée, un énorme crâne récuré et percé et souvent les défenses d'ivoire dont les pygmées ne savaient que faire.

Ils troquaient ensuite une partie de cette viande aux grands Nègres qui vivaient à l'orée de la forêt. Une grosse pierre, dressée dans un lieu retiré, recevait discrètement les marchandises des deux parties qui ne se rencontraient pas : produits de chasse d'un côté ; armes blanches, objets manufacturés et sel de l'autre. Les Noirs, qui prétendent détenir le droit de la terre et les forces germinatives des pygmées, premiers habitants de la forêt, avaient, en général, grand souci de leur être agréables et de ne faire avec eux que des transactions régulières... n'en déplaise à Jean-Baptiste.

Bien moins spectaculaire était la chasse au filet. Les Bakotas d'alors vivaient complètement nus dans la forêt et ne portaient qu'un cache-sexe en peau, pour protéger des feuilles coupantes et des épines cette partie fragile de leur anatomie. Leurs filets étaient finement tressés en fibres de dah* ou de chanvre indien**, leurs couteaux de jet étaient forgés à partir du minerai de fer local, leur instinct du sous-bois et leur adaptation à la vie sylvicole étaient remarquables. Ils pouvaient détecter et identifier la moindre trace, la pose de leurs rets indécelables était un prodige de camouflage, leurs gibiers favoris étaient le céphalophe roux et le potamochère ou cochon des marais. Ils traquaient le situtunga, une grande antilope tachetée et la rabattaient sur des nappes de filets tendues en travers des passages.

C'est au cœur de leur terrain de chasse que se dressait le massif de Belinga, la montagne d'hématite de fer dont une compagnie franco-américaine explorait et évaluait les réserves. J'y consacrai une

---

* *Hibiscus canabinus.*
** *Corchorus olitorius.*

longue visite. Le chef prospecteur, un ingénieur américain nommé Tellfair, avait organisé son campement au flanc du gisement et recrutait ses employés parmi les Bakotas. Au bout de quelques jours, les chasseurs paléolithiques arboraient des combinaisons bleu électrique, des casquettes au sigle de la Bethleem Steel, des lunettes noires et des bottillons de mineurs. Ils mâchonnaient du chewing-gum, fumaient des Philip Morris, jonglaient avec les radios portatives et repassaient au fer électrique. L'Américain et sa femme, par contraste, ne retournaient pas le moins du monde à la vie primitive. Ils se contentaient d'aller tous les samedis chez le chef de subdivision de Makokou qui leur offrait l'hospitalité. Ils lui remettaient, en arrivant, leurs clés et leur portefeuille, se saoulaient consciencieusement et cuvaient leur alcool jusqu'au dimanche soir. Le lundi matin, ils revenaient à leur poste, l'esprit lucide, l'œil clair, l'âme lavée, mangeant des pop-corns et buvant de l'eau minérale jusqu'au samedi suivant.

De retour à Libreville, je trouvai un télégramme du gouverneur général de l'AEF qui me demandait de prendre le poste de directeur général des Affaires économiques et du Plan de la fédération de l'AEF à Brazzaville.

Je quittai donc avec regret cet aimable Gabon pour les rives du Congo en me promettant de continuer à suivre ses affaires et à les privilégier discrètement.

IV

ARPENTEUR DE MIRAGES

Ce changement de fonction intervenait à un moment où de profonds bouleversements se produisaient dans les vieilles structures coloniales. Les élections au suffrage universel et au collège unique venaient d'avoir lieu le 31 mars 1957 dans tous les territoires et avaient donné naissance à des assemblées pourvues d'un conseil de gouvernement d'une dizaine de membres qui allaient porter le titre de ministres. La nouvelle loi-cadre qui allait être appliquée dès le 4 avril laissait bien subsister les anciennes fédérations avec leurs gouverneurs généraux, mais les pouvoirs de ceux-ci et de leurs services étaient, désormais, largement décentralisés. Les grands conseils qu'ils avaient maintenant à côté d'eux et qui étaient choisis paritairement par les assemblées locales votaient effectivement un budget fédéral mais ils ne gardaient, dans la pratique, qu'un pouvoir de coordination et de recommandation. Le gouverneur général, Paul Chauvet, qui présidait toujours aux destinées de l'Afrique équatoriale française, appréhendait ces changements, non par esprit conservateur, mais parce qu'il doutait des capacités réelles de gestion des nouveaux responsables. Il redoutait, notamment, que le caractère précipité des réformes ne fragilise un édifice politique précaire et ne compromette l'effort de développement recemment entrepris. Il me fit part de ses réflexions désabusées et me souhaita bonne chance car il s'apprêtait à partir en retraite.

Je consacrai donc mes premières semaines à prendre en main les services économiques et du plan qui étaient menacés de démantèlement alors que leurs structures, récemment mises en place, commençaient à peine à donner des fruits.

Mon prédécesseur Paul Bordier avait mis au point des programmes cohérents, établi un calendrier de réalisations ambitieuses lancé grâce aux crédits du Fonds de développement de grands travaux d'infrastructure, stimulé la production et les échanges commerciaux.

Je rendis visite aux gouverneurs, chefs de territoire, et aux vice-présidents des nouvelles assemblées, pour faire le point sur nos attributions respectives, étudier les transferts de compétence et mesurer les conséquences pratiques des réformes entreprises.

Le chef-lieu administratif du nouveau territoire du Moyen-Congo était désormais à Pointe-Noire, le grand port sur l'Atlantique, au débouché du chemin de fer Congo-Océan. L'assemblée territoriale avait à sa tête, outre le gouverneur, le vice-président, Jacques Opangault, qui me reçut avec une cordialité et un bon vouloir étonnant. C'était un personnage grand et maigre dont la réputation de bonhomie était bien assise.

Il était né à Boundji, un petit village de la région de Fort Rousset, dans la partie centrale du Moyen-Congo et appartenait à la puissante tribu des M'Bochis. Eduqué à la mission catholique, il avait exercé, pendant de longues années, les fonctions de greffier auprès du tribunal de Brazzaville et s'était lié d'amitié avec les cheminots européens du Congo-Océan qui l'avaient intégré dans leur groupe. A leur contact, il s'était initié au socialisme, au vin rouge et au franc-parler.

« A la bonne vôtre, mon directeur », m'avait-il dit, un verre de pinot à la main, dans le hall de l'Assemblée. Il but d'une seule lampée, fit entendre un léger rot de satisfaction et déclara : « Encore un que les boches n'auront pas », puis clignant de l'œil, il ajouta : « C'est quand même meilleur qu'un coup de pied au cul ! »

Il portait une pochette rouge qu'il faisait bouffer en disant : « Vive la sociale ! » et quand il n'était pas d'accord sur un problème, il se frappait le front du plat de la main en disant : « Moi, vous savez, avec mon crâne de Breton... »

Jacques Opangault aimait la France d'une façon touchante. Un jour, deux navires de guerre anglais firent escale en rade de Pointe-Noire, et le commodore qui les commandait invita toutes les notabilités de la ville à un cocktail à bord. Quand le gouverneur de l'époque se présenta à la coupée, le pacha l'accueillit fort civilement mais lui dit d'un air pincé : « Je suis navré que votre vice-président ne soit pas des nôtres, ce soir. — Pourquoi ? demanda le chef du territoire, il s'est excusé ? — Oh non, reprit l'officier, il m'a renvoyé mon invitation d'une façon surprenante », et il sortit de sa poche le fameux carton qui portait en oblique, d'une large écriture au crayon feutre : « Non ! je n'ai pas oublié Trafalgar » !

Mon bref séjour ponténégrin, commencé sous d'aussi plaisants auspices, me convainquit rapidement que les nouvelles assemblées n'avaient aucune hâte à bouleverser l'ordre ancien, pas plus d'ailleurs que le centralisme parisien n'était disposé à laisser la bride sur le cou à des entités territoriales dont il connaissait les insuffisances et redoutait le destin probable. Chaque jour nous apportait pourtant la preuve d'une accélération imparable de l'Histoire. Les idées d'indépendance faisaient rapidement leur chemin, des frémissements presque imperceptibles parcouraient la jeunesse des écoles. Des rivalités anciennes prenaient des couleurs politiques et le syndicalisme pénétrait doucement la masse encore confuse des travailleurs. Des visiteurs étrangers ou nationaux venaient de plus en plus nombreux aux nouvelles, entrepreneurs, promoteurs, fonctionnaires parisiens en mission, parlementaires en visite, chacun apportant un projet, un point de vue, une perspective alléchante, faisant état de ses puissants appuis et de ses capacités à apprivoiser les capitaux : ah ! ces « kapitos », ces petits animaux fabuleux, dotés d'un bel appétit mais toujours mystérieux, craintifs et pleins de réticences. En fait, ces démarcheurs dissimulaient, en général, de grandes gibecières prêtes à recueillir toutes les proies qui passeraient à leur portée.

Cette noria était distrayante mais le travail quotidien m'accaparait chaque jour davantage et je ne pouvais opposer à l'hydre du développement qui m'enserrait que des effectifs réduits dans les bureaux et les Robinson Crusoé de toujours au fond des brousses et des villages. Car le principal handicap auquel se heurtaient nos réformes était l'absence d'hommes de terrain et le manque de bras qualifiés pour effectuer la tâche. S'il était facile de trouver des politiciens médiocres pour meubler les assemblées, on ne disposait d'aucun cadre valable, ni d'aucun ouvrier qualifié digne de ce nom sur les chantiers. Il fallait avoir recours aux entreprises métropolitaines et à leur personnel expatrié, hautement spécialisé, qui s'envolaient une fois le marché terminé en laissant les servo-moteurs aux mains des tailleurs de silex.

Ce qui m'étonnait également dans la planification française, c'était son caractère universel, autoritaire et parisien. Tout était pensé et dirigé depuis la capitale par des experts omniscients qui décidaient souverainement ce qui était bon pour l'outre-mer. Tous les fils semblaient émaner d'une énorme araignée qui veillait au cœur de sa toile.

Puisque la France donnait l'argent, disait-on, il était juste qu'elle fût maître de son utilisation.

Dès lors, les planificateurs avaient toute latitude pour sacrifier à leur démon favori : la construction généralisée de pyramides reposant sur la pointe. Si quelques exécutants coloniaux suggéraient, par simple bon sens, qu'il était préférable de commencer par la base en éduquant la société rurale, en privilégiant le petit équipement, en organisant l'écoulement des récoltes et les marchés, on lui répondait : dispersion, bricolage, manque de temps, étroitesse de vue et gaspillage d'argent. Tous les voyants de haut et de loin, ceux qui avaient visité l'Amérique et médité Keynes, Galbraith et Samuelson, préconisaient les grands ensembles, les axes de communication, les ports, les aérodromes, les chemins de fer, « ces poumons, artères, colonne vertébrale et innervation du grand corps économique ». Si quelqu'un mentionnait qu'un réseau de petits dispensaires de brousse en matériaux légers coûterait moins cher et toucherait plus de monde, il lui était démontré qu'un grand hôpital général, équipé d'un matériel dernier cri et doté d'un personnel de niveau élevé, drainerait le pays tout entier en faisant honneur à la science française.

Curieusement, ce que collecteraient ces routes, ces ports et ces temples d'Esculape et ce que coûteraient leur maintenance et leur fonctionnement ne faisaient l'objet d'aucune interrogation pressante — on verrait.

Le plan, une fois conçu et adopté par les instances suprêmes de la République, était confié, pour sa réalisation, à de grandes entreprises nationales qui révisaient fréquemment les prix et donnaient lieu à des visites officielles, à des inaugurations spectaculaires et à des discours philanthropiques et doctrinaux.

En d'autres circonstances et dans le domaine agricole, par exemple, où les paramètres échappaient aux poids et mesures précis du bâtiment, les agronomes locaux, entraînés par l'exemple, s'essayaient dans des réalisations de stations ou de fermes expérimentales ambitieuses dont certaines furent des réussites, mais dont beaucoup d'autres ne correspondirent que trop au scénario suivant : une équipe de géomètres délimitait, à grand renfort d'arpentage, un périmètre connu pour sa fertilité naturelle, sa richesse en eau, son micro-climat et ses facilités d'accès. Les premiers crédits se portaient, en priorité, sur la résidence « polyvalente » du chef de projet et sur des allées plantées d'arbres. Le directeur ne pouvant se concevoir sans adjoints ni techniciens, de nouvelles dotations budgétaires étaient consacrées aux locaux d'habitation du personnel et de la main-d'œuvre sans oublier la constitution d'un parc automobile et de matériel lourd avec son accompagnement de mécaniciens et de dépanneurs.

Je n'omettrai pas, qu'on me pardonne, la réserve d'eau en forme de piscine et le malaise des chercheurs qui réclamaient des laboratoires et des centres de documentation, ni le stress permanent du directeur accaparé à longueur d'année par la préparation de son budget et des programmes d'extension.

Après de longs tâtonnements, l'expérimentation pouvait enfin commencer. Sur un vaste terrain défoncé au Romeplow, au tracteur à chenilles ou à la sous-soleuse, étaient répandues des graines sélectionnées venues de loin, qui allaient apporter la preuve que sans souci de prix de revient, avec un outillage approprié, un sol moyen, des engrais choisis, de l'eau, du soleil et une surveillance assidue, tout pouvait pousser sur le sol de l'Afrique.

Le paysan noir du voisinage, qui assistait indifférent à ce manège et qui ne lisait pas les rapports scientifiques des colloques et des symposiums, continuait à longer chaque matin ces thébaïdes de Blancs en portant sa daba sur l'épaule, sa calebasse sur la tête et son pagne de travail traditionnel noué autour des hanches. Trois bons agents d'encadrement attachés au village lui auraient servi davantage à affiner ses méthodes ancestrales. Je ne m'expliquais cette conviction que seule la haute technologie triompherait du sous-développement que par la mauvaise habitude de transposer, sans nuance, des concepts métropolitains dans un monde encore hors du temps et de l'Histoire.

La pyramide européenne reposait depuis toujours sur une base solide faite d'accumulations historiques, de fertilité des sols et de savoir-faire ouvrier et paysan. Le développement ne dépendait que de l'agencement de ces multiples facteurs. En Afrique, la base était un désert néolithique sur lequel notre système ne pouvait avoir prise.

Il faut reconnaître, pour être équitable, que nos moyens financiers trop réduits pour l'immensité de la tâche à accomplir incitaient les planificateurs à choisir de préférence les opérations spectaculaires plus faciles à chiffrer et à réaliser, qui donneraient de belles photographies, des effets médiatiques et politiques plus satisfaisants que les divagations à tâtons dans le marécage des bonnes idées.

Enfin, nous éprouvions de grandes difficultés à sélectionner les types d'opérations les plus appropriés.

Les terres légères que le coq gaulois aimait à gratter, comme disait Gladstone, n'abondaient pas en trésors cachés, ni en sacs d'or sur lesquels certains ont l'habitude de faire dormir les pauvres pour dénoncer leur incapacité sans les vexer. De plus, comme il convenait d'aller vite et de donner à nos projets une teinte généreuse, sociale et philanthropique, on ne s'attardait pas sur les calculs et les questions de rentabilité. Voyons, disait-on, qu'est-ce qui pourrait bien pousser ? Tout ce qui portait fruit ou inflorescence était expérimenté : le coton, le café, l'arachide, le palmier à huile et jusqu'au figuier de Barbarie dont une cochenille tinctoriale avait coloré, au début du siècle, les pantalons de l'armée française. Mes collaborateurs ironisaient sur cette pratique. Un botaniste, disaient-ils, avait découvert que le serpolet poussait sur les plateaux batékés. On pouvait donc lancer un vaste élevage de lapins autour de Djambala. Ces satanés rongeurs seraient capturés au filet tournant, mis en conserve à Brazzaville, évacués par le chemin de fer du Congo-Océan et livrés dans le vaste monde. Les peaux alimenteraient une puissante industrie du feutre qui trouverait preneur dans les pays islamiques pour la fabrication des fez et en Mongolie extérieure pour les yourtes des nomades. La conséquence d'une telle méthode était de voir surgir trop souvent, au fond des brousses et des forêts, des superstructures industrielles destinées à moudre du vent ou à valoriser des productions indigènes dont la collecte et la rémunération étaient artificielles et sans avenir. Le commerce français avait enfin l'originalité d'être dirigiste jusqu'à la balance du commerçant et totalement libéral au-delà. Ce qui revenait à faire couver avec soin les faisans, pour les lâcher ensuite sous le feu roulant des chasseurs. A ce petit jeu, le paysan était toujours perdant et menaçait de réduire ses cultures, l'Etat n'avait alors d'autre alternative que de lui acheter à deux fois le cours mondial ce qu'il l'avait tant incité à produire.

En lisant ces lignes, le lecteur pourrait penser que les représentants de la France étaient des fantaisistes et de pitoyables planificateurs. Il n'en était rien, tout le monde travaillait avec ardeur, avec foi et du mieux qu'il pouvait, chacun était persuadé que ses idées étaient bonnes et que seul le manque d'argent retardait leur triomphe. Les ingénieurs, les bâtisseurs, les administrateurs faisaient chaque jour des prouesses mais ils n'étaient pas encore convaincus que le développement ne dépend pas de la seule accumulation des structures mais de l'aptitude à les utiliser. Or, l'évolution de la conscience collective est lente et aléatoire et le temps est son maître. Tous les peuples colonisateurs se sont heurtés à ces fossés infranchissables que sont, dans les sociétés humaines, les écarts d'évolution ; atteler sous le même joug une chèvre et un moteur diesel au char de l'Histoire ne peut être qu'une source de déboires. Il ne s'agit pas d'entonner le péan de la solidarité humaine, d'invectiver à la cantonade l'égoïsme des peuples, de brandir l'ordre moral et la charité ou de chercher les boucs-émissaires, il n'existe aucun exemple concret dans le monde d'un peuple ou d'une nation qui ait changé sa condition autrement que par ses sacrifices et sa volonté sans faille d'aboutir. Dans le concert des puissances avancées qui ont tenté la grande aventure de la promotion des pays sous-développés, la France a eu, comme toutes les autres, sa part de maladresses et d'échecs, mais elle est de celles qui sont allées le plus loin dans le désintéressement et le témoignage de sa bonne volonté.

C'est donc dans cette cohorte de chevaliers de l'impossible que je venais de faire mon entrée; j'y commis allègrement toutes les erreurs que je viens de dénoncer, j'y soutins de grands barrages qui n'ont jamais vu le jour, comme celui du Kouilou, par exemple, qui avait comme concurrent celui d'Inga, sur l'autre rive du Congo. C'est ce dernier qui l'emporta; il coûta plusieurs milliards de dollars pour produire progressivement 30 millions de kilowatts-heures qui ne servent toujours qu'à alimenter quelques lampadaires dans le paléozoïque zaïrois.

Tandis que je me débattais entre la tutelle parisienne, la survie de la fédération et la coordination des quatre Etats récemment émancipés, l'évolution des structures politiques s'accélérait.

Les premiers gouvernements se mettaient en place et déjà, les partis politiques s'organisaient. L'abbé Barthélemy Boganda, en Oubangui Chari, prenait la stature d'un leader. Jacques Opangault et Fulbert Youlou, au Moyen-Congo, s'opposaient pour le pouvoir, Léon M'Ba, au Gabon, s'affirmait contre Aubame. Au Tchad, Gabriel Lisette était chef de gouvernement, mais dans son ombre se profilait Tombalbaye. Au Cameroun voisin, l'UPC poursuivait sa rébellion ouverte avec quelques paroxysmes coupés d'accalmies. Dès le mois de décembre 1957, le gouvernement français entreprenait une véritable campagne de pacification qui tourna à son avantage.

Au début de 1958, le gouverneur général Pierre Messmer, venant du Cameroun, devint haut-commissaire général à Brazzaville. Entre-temps, je fus rappelé une troisième fois à Paris, comme conseiller technique du nouveau ministre de la France d'outre-mer, André Collin, dans l'éphémère gouvernement Pierre Pfimlin.

L'insurrection d'Alger ayant éclaté quelques jours plus tard, le 13 mai, et des mouvements de contestation se développant dans les troupes stationnées en Afrique et à Madagascar, la situation devint si tendue à Paris que Pierre Pfimlin dut démissionner le 28 mai, pour céder sa place au général de Gaulle. Ma seule tâche, durant ce bref séjour parisien, fut d'informer en permanence les hauts-commissaires généraux de Dakar, Brazzaville et Tananarive, de l'évolution de la situation politique à Paris.

Je retournai au Congo pour reprendre mon poste mais ce fut pour apprendre que Pierre Messmer, qui venait d'être nommé à Dakar, m'appelait auprès de lui pour diriger les services économiques et du plan de l'AOF.

Rodé au fonctionnement mouvant des institutions fédérales, je m'installai, sans trop de peine, dans l'énorme building administratif qui faisait face au palais des gouverneurs, et je fus immédiatement happé par les structures complexes de cet ensemble de neuf territoires qui s'étendait sur 4 425 000 kilomètres carrés et était peuplé de seize millions d'habitants.

Une grande animation régnait dans Dakar en ce début de saison des pluies, la température était étouffante et l'air moite, les brises apportaient entre deux averses l'odeur douceâtre de l'huile chaude d'arachide que pressaient les multiples usines de la ville.

Dans la vaste case délabrée promise à la démolition, qui servait de résidence aux directeurs de l'économie fédérale, le toit était si perméable que de tous les plafonds tombaient des cataractes. Le déplacement des lessiveuses et des cuvettes constituait, de jour et de nuit, l'occupation principale de mon épouse qui ne savait plus comment mettre hors d'eau nos trois jeunes enfants.

Les travaux de voirie et la construction de l'aéroport de Yoff, l'agrandissement du port où se pressaient les navires et la circulation automobile intense, créaient une atmosphère de fébrilité un peu angoissante qui laissait présager quelque orage. Cette tourmente redoutée occupait tous les esprits; des services du gouvernement à la chambre de commerce, de la mairie de Dakar où trônait le vieux Lamine Guéyé à l'assemblée territoriale et au Grand Conseil, il n'était question que de l'avenir de la fédération. Les différents territoires deviendraient-ils autonomes, garderaient-ils quelques relations et lesquelles avec Dakar, capitale un peu artificielle de l'ensemble ? La stature grandissante de certaines personnalités comme Houphouët Boigny, Sékou Touré, Modibo Keita, inquiétait l'opinion qui y voyait un risque supplémentaire de sécession des anciens territoires et de réduction dramatique des activités du grand port occidental et de l'arrière-pays sénégalais. Face à ces alarmes, la chambre de commerce et son président, Charles Gallenca, multipliaient leurs initiatives pour démontrer à leurs partenaires de l'AOF que leur intérêt passait par l'ancienne structure économique et qu'il fallait conserver à tout prix ce marché commun avant l'heure.

Le haut-commissaire général, Pierre Messmer, souhaitait surtout que la zone franc se maintienne, car, disait-il, si les fédérations venaient à éclater, la réalisation ultérieure de gros investissements industriels dont la rentabilité exige de larges marchés, serait impossible. Il me donna des consignes précises pour plaider cette cause auprès des gouvernements provinciaux et notamment ceux de la Côte d'Ivoire, de la Guinée et du Soudan. Le hasard fit que je commençai par la Guinée. En rentrant d'une mission à Paris par un vol de nuit, je voyageai côte à côte avec Sékou Touré, qui rentrait à Conakry. Je connaissais le personnage pour l'avoir fait entrer, quelques années auparavant, à l'école de la CGT, à Gif-sur-Yvette, pour se former au syndicalisme. Je n'eus pas de longs développements à lui faire, car il était, à l'égal de Senghor, un chaud partisan du fédéralisme et même de l'Union française à la nuance toutefois que l'indépendance devait être accordée d'abord, pour que la demande d'adhésion des nouveaux Etats ait une signification de liberté incontestable. On se rappelle que c'est sur cette divergence avec le général de Gaulle que la rupture de la Guinée avec la France intervint quelques mois plus tard.

Dans les jours qui suivirent, je me rendis en Côte d'Ivoire. Le président Houphouët Boigny, ministre d'Etat de la République française, était à Paris. Son ministre des Finances à Abidjan était l'ancien gouverneur Raphaël Saller, qui me parut, comme les quelques Français qui faisaient partie du gouvernement ivoirien, plus activiste que les nationaux eux-mêmes. Ils ne voulaient plus de Dakar comme capitale fédérale : la seule ville qui eût été digne de cet honneur était Abidjan, mais maintenant, il était trop tard. La vache à lait de l'AOF, ainsi se nommaient-ils, ne voulait plus payer pour les autres. Le ministre venait de faire adopter unilatéralement deux mesures fiscales qui équivalaient à une véritable sécession économique, l'indépendance serait totale, je pouvais porter la nouvelle à mes maîtres. Raphaël Saller m'exposa son programme qui devait faire de la Côte d'Ivoire la vitrine du progrès de l'Afrique moderne. Il était intelligent, brillant et bardé de certitudes. Il faisait confiance à l'argent, aux techniques et au savoir-faire extérieur pour bâtir une Côte d'Ivoire prospère comme on fait, en somme, de la culture en pots chez les pépiniéristes.

Par acquit de conscience, je visitai les installations portuaires et quelques plantations.

Mon troisième voyage fut pour Bamako où siégeait Modibo Keita, l'ancien secrétaire d'Etat au Travail, rattaché au ministre de la France d'outremer. Il me reçut dans le palais de Koulouba, sur le rocher qui domine la ville, et me tint un discours stupéfiant d'anticolonialisme. L'ancien Soudan avait été paralysé par le colonisateur qui lui avait caché ses richesses. C'est ainsi qu'il flottait sur une mer de pétrole dont l'existence ne lui avait été révélée que par les techniciens russes qui venaient d'arriver. Il n'y avait pas de progrès sans industrie lourde, aussi allait-il construire des aciéries pour travailler le fer du Hombori, un gisement pauvre et siliceux connu depuis longtemps et jugé sans valeur. Des sociétés d'Etat seraient créées dans tous les secteurs clés de la production. Pour le moment, il restait le partenaire du Sénégal mais ce dernier devait renoncer à le considérer comme sa vache à lait. Au Niger, autre vache à lait du Dahomey et à Ouagadougou, vache à lait et réservoir de main-d'œuvre de la Côte d'Ivoire, l'idée d'indépendance absolue avait toutes les faveurs. Je rempochai mes statistiques et ma documentation et je retournai à Dakar.

Au cours du mois d'août, les événements se précipitèrent. Les dépêches des gouverneurs faisaient état d'un vent d'indépendance dans tous les territoires et l'opinion métropolitaine se faisait peu à peu, comme le général de Gaulle lui-même, à l'idée de se débarrasser, au moins pour une large part, des charges que lui coûtaient les colonies.

Dans un premier temps, l'ancien chef de la France libre, spéculant sur son prestige personnel et l'estime dont il jouissait en Afrique, pensait convaincre les dirigeants des territoires d'outre-mer qu'il était de leur intérêt d'accepter d'entrer dans une « communauté » dont la métropole garderait le portefeuille et les leviers de commande essentiels.

Mais le « oui » qu'il devait obtenir de la totalité d'entre eux se heurtait, comme nous l'avons vu, à une tentation de plus en plus forte d'accéder à la souveraineté internationale. Dès lors, le destin de l'empire était inéluctablement scellé : la loi-cadre de 1956 et l'Union française avaient vécu. Quant à la « communauté » que le général proposait, elle ne ressemblait plus qu'à un montage habile pour conserver une apparence d'ensemble français sous sa haute et lointaine autorité.

Sans se faire d'excessives illusions sur l'avenir de la formule, il entreprit néanmoins, vers la mi-août, une tournée africaine, un peu comme un général qui passe une dernière fois ses troupes en revue et leur donne les ultimes consignes. C'est ainsi qu'il fit comprendre sans ambages à tous ses interlocuteurs qu'ils n'avaient d'autre choix que d'« entrer dans la communauté ou de risquer le chaos ». A l'exception de la Guinée où le tonitruant Sékou Touré reçut ces propos comme un intolérable chantage, tous les responsables soucieux de ne pas se priver brusquement de l'aide financière, de la protection et de l'assistance technique française acceptèrent de prendre part à un référendum qui eut lieu le 28 septembre 1958.

La Guinée fut la seule à répondre négativement, tous les autres approuvèrent massivement la nouvelle Constitution de la Ve République française et la fameuse communauté dont une ordonnance devait fixer, le 19 décembre, les modalités de fonctionnement.

En fait, cette approbation à plus de 90 % par des électeurs qui se seraient tout aussi bien prononcés contre si leurs leaders le leur avaient demandé et si le gouvernement français ne s'en était pas beaucoup mêlé, inaugurait une année de jeux de dupes, de faux-semblants et de confusion sémantique.

Tout d'abord, la brouille entre le général de Gaulle et Sékou Touré jeta la consternation chez beaucoup d'Africains et d'Européens A Dakar

216

même, Senghor, Lamine Guéyé et Mamadou Dia s'étaient absentés lors du passage du général. Avant même de savoir ce que contiendrait l'ordonnance sur la communauté, il apparaissait clairement que le glissement vers l'indépendance s'accélérait. Pierre Messmer m'envoya une nouvelle fois à travers l'ancienne AOF pour évaluer les chances d'une organisation économique commune fondée sur la monnaie et le marché extérieur. Je fus encore plus mal reçu que la première fois, non pas par les chefs de gouvernement, mais par les fonctionnaires français détachés auprès des nouveaux gouvernements qui faisaient du zèle pour complaire à leurs maîtres, sacrifier à d'hypothétiques intérêts de carrière ou céder à un travers national propre à la condition gauloise.

Je constatai en effet avec surprise les ravages chroniques de l'individualisme chez beaucoup de mes compatriotes et particulièrement leur tendance instinctive à se regrouper autour d'un clocher pour en épouser les querelles. « Nous, pauvres Nigériens, toujours les derniers, nous n'avons plus rien à f... des directives de Dakar. » « Nous, malheureux Voltaïques, on en a marre de faire suer les burnous pour les beaux yeux d'Houphouët. » Sans doute la vanité du Français n'est-elle que personnelle et, comme il aime plaire, il ramène tout à lui-même et n'est que modestie pour ses semblables.

Dans les premières années de l'indépendance, ce travers devait se traduire par l'apparition d'une catégorie de conseillers que l'on appela « les pieds rouges », sortes de courtisans qui croyaient gagner la faveur de leurs maîtres africains en dénigrant la colonisation et en mettant en avant leurs convictions révolutionnaires flamboyantes malgré leur incompétence.

Une longue randonnée automobile dans l'est nigérien me conduisit, en compagnie du commandant de cercle, de Tahoua à Katsina, importante localité du nord du Nigeria, sous domination anglaise, peuplée de Haoussas et centre producteur important de bétail et d'arachides. Nous débarquâmes chez le commandant britannique qui nous accueillit avec une grande cordialité et cette solidarité professionnelle sans faille qui marquait les rapports des administrateurs de ces contrées lointaines. Il comprenait notre langue mais n'en prononçait pas un mot ; quant à son interlocuteur français, qui parlait bien l'anglais, il refusait, étant breton, d'en articuler une syllabe. La conversation n'avait donc lieu qu'en haoussa où les deux compères étaient experts, ce qui m'excluait pratiquement du groupe, vu que j'ignorais tout de cet idiome.

Le repas, à base de produits locaux, arrosé de thé sans sucre, fut expédié ; notre hôte nous fit monter sur sa terrasse où des rafraîchissements nous attendaient. La chaleur sèche était annihilante, de rares brises, chargées des odeurs de la nuit, frémissaient de temps à autre sur nos épidermes. Le ciel de velours sombre n'était qu'un fourmillement d'étoiles, la conversation en haoussa de mes deux compagnons s'animait au rythme de leurs libations et semblait passionnante, mais je n'en comprenais pas un mot. Ce n'est que le lendemain que j'appris qu'elle avait porté sur les tendances de la littérature russe contemporaine. Comme la fatigue de la route me tenait éveillé, je me laissai aller à comparer, en songe, l'épopée de nos deux colonisations dont je sentais déjà venir la fin prochaine. Le Français, avec ses pionniers solitaires, débarqués par hasard sur des côtes inhospitalières et s'enfonçant dans les terres inconnues de l'intérieur, paysans, citadins et toujours fantassins et, de l'autre, l'Anglais, marin et commerçant, arrivant sur son précieux bateau dans une rade protégée des vents et des marées, jetant précautionneusement l'ancre devant une grosse bourgade, puis descendant à terre pour voir ce qui pouvait se vendre et s'acheter, choisissant une colline bien ventilée par l'alizé pour établir son cottage et son green, puis rendant visite aux *natives* pour en faire des *clerks in charge*.

Le paysan venu de France rencontrait, après cent lieues de marche, un bon et solide village avec des champs et des agriculteurs. Des champs ! Il se sentait encore chez lui, il amadouait le chef, goûtait sa soupe, lutinait sa fille, palabrait avec les notables et il parvenait bientôt à les convaincre qu'une grande place carrée, plantée d'arbres, avec une étoile de ruelles convergentes et quelques boutiques à arcades, embellirait considérablement leur hameau. Il partageait tous les proverbes de l'internationale paysanne avec ses interlocuteurs et leur parlait de la Révolution française.

L'Anglais, quant à lui, étudiait en priorité les flux et reflux des produits tropicaux, les pistes caravanières, disposait quelques tôles sur des sacs de cacao qu'il baptisait *general store* et emmenait sur son bateau, en Angleterre, ses premiers auxiliaires pour les persuader de la supériorité du produit britannique et les familiariser avec la différence anglaise. Ils en revenaient avec des chaussettes ornées de fils tricolores qui montaient jusqu'au genou, des shorts dépassant la rotule, des vareuses de policemen et des perruques de laine blanche pour les juges. Pour le reste, l'Anglais était convaincu que le caractère archaïque de ses institutions, le mythe de la reine et l'attrait de ses titres nobiliaires l'exemptaient de tout prosélytisme auprès des élites locales. Il favorisait l'*indirect rule* et multipliait les statuts politiques au gré de son humeur, selon les latitudes et les longitudes. Sur ses terres mitoyennes, le Gaulois transposait ses principes et ses malaises. L'arrivée des militaires et des marchands de goutte lui posait, en effet, quelques problèmes car l'armée engendre toujours des méfiances, surtout quand elle est chargée d'apporter la civilisation et de faire régner l'ordre. Le drapeau était dressé, matin et soir, sur la place du village. Les soldats battaient du tambour et présentaient les armes. Le recrutement allait bon train dans les tribus et, chaque jour, une colonne s'enfonçait dans la brousse pour aller punir quelques salopards ou quelques dissidents.

Les marchands de goutte, eux, préfiguraient la longue cohorte des boutiquiers, mange-mil, essoreurs de burnous, tricheurs de bascule qui prospèrent comme la lèpre sur la carcasse du tiers-monde. Heureusement, les fonctionnaires et les militaires étaient liés par l'argent pur de leurs soldes que distillait le Trésor de la métropole et pouvaient faire front à l'argent impur provenant du négoce et des circuits louches de la spéculation. C'est toujours en fonction de cette lointaine ségrégation que les crédits destinés au développement viennent en priorité des pouvoirs publics et, très accessoirement, du secteur privé qui profite de l'aubaine.

Enfin, comme la République est une et indivisible, le Walisien de Polynésie et le Dogon de Bandiagara ne pouvaient avoir qu'un même régime, une même loi et une seule capitale, Paris.

Le Gaulois ne s'organisait économiquement que sur instruction de ses chefs et, si possible, sous la protection de son gouvernement. Il construisait en priorité de grands ponts qu'il reliait ultérieurement par des routes conçues par des polytechniciens héritiers de la tradition romaine et que ne fréquentaient, dans les premiers temps tout au moins, que les piétons et les animaux de bât.

Il était toujours à court d'argent et prêchait la libération de l'homme, la démocratie et l'indépendance. Quand ses sujets le prenaient au mot, il renâclait et ergotait comme un paysan à qui on arrache son lopin de terre.

L'Anglais ne connaissait pas ces soucis ; il avait installé tant de Maltais, de Chypriotes, de Grecs, de Pakistanais et d'Hindous dans ses magasins, qu'il pouvait, quand l'heure du retrait avait sonné, les laisser sans dommage en charge de la livre sterling. Les problèmes juridiques, éthiques et constitutionnels de l'avenir ne le tourmentaient pas, et je songeai à nos insomnies présentes sur la décolonisation...

En fait, je ne pensais plus à grand-chose, car le jour allait se lever et une grande fatigue me gagnait. Mes deux compagnons s'étaient assoupis dans leurs rocking-chairs. Je ne voyais plus que le visage de sir Henry Lugard*, incliné vers le sol, et celui du général Faidherbe**, tourné vers le ciel et les étoiles, quelques bouteilles vides de bière et de whisky à portée de leur main.

Je repris la route de bon matin pour atteindre Niamey à la tombée du jour, je laissai le commandant de cercle à Maradi et je m'engageai sur l'interminable piste de sable et de latérite qui s'enfonçait dans la savane maigre des confins sahéliens. Le chauffeur, un Djerma de Dosso, s'endormait au volant et faisait des embardées dangereuses. Aussi, j'entrepris de le tenir éveillé en l'interrogeant sur son paradis. Tous les hommes sont sensibles à l'au-delà et dissertent volontiers sur ce qu'ils imaginent comme lieu de délices éternels. Pour Mamadou, le paradis était entièrement peuplé de Noirs qui retrouvaient tous leurs ancêtres depuis le commencement des temps, toutes les filles étaient vierges et avaient dix-huit ans. A la réflexion, il y avait également des Blancs, mais les bons seulement, et là-haut, ils n'avaient pas le commandement ! On ne voyait pas Dieu mais c'était quand même lui qui assurait la police. Il n'y avait pas de chefs ni de sorciers car ils étaient tous chez le diable. Evidemment, on ne se reproduisait plus au paradis et c'était dommage car c'est très triste de n'avoir pas d'enfant. Toutefois, avec tant de filles éternellement jeunes, on pouvait se consoler. Mamadou s'amusait beaucoup de ce paradis où, sans problèmes d'argent, de nourriture, de sorcellerie et de femme, on était forcément heureux. Il paraissait même, ajoutait-il,

---

* Sir Henry Lugard, grand organisateur du Nigeria au début du siècle.
** Le général Faidherbe, gouverneur du Sénégal.

qu'il y avait des Noirs très méritants qui devenaient blancs en récompense.

Parvenus à un lieu fameux appelé Maïdjirgui, il s'arrêta pour me montrer les tombes de deux mauvais Blancs. C'était un petit bosquet formé de quelques volumineux acacias qui ombrageaient deux pierres tombales. La première était celle du capitaine Voulet, et l'autre, celle de Chanoine. Ces deux officiers avaient trouvé la mort en 1899, près de cet endroit, à la suite d'une tragédie qui ne fut jamais complètement élucidée. Brillant explorateur de la région du Mossi et du Yatenga quelques années auparavant, Paul Voulet, neveu du ministre de la Marine, avait été chargé, avec le lieutenant Chanoine, de conduire une colonne militaire de reconnaissance à travers le vaste pays s'étendant du Niger au lac Tchad et d'établir, si possible, une jonction avec deux autres missions venant du nord et du sud, sur les rives du Chari. Durant la traversée des confins du Soudan, la colonne Voulet-Chanoine se livra à toutes sortes d'exactions, dont les échos plus ou moins déformés parvinrent aux oreilles de l'état-major dakarois. Celui-ci décida de relever le capitaine Voulet et envoya le colonel-inspecteur Klobb prendre le commandement de la troupe. Parvenu à hauteur de la colonne, le colonel tenta vainement de parlementer avec les deux officiers, mais ceux-ci refusèrent d'exécuter les ordres de Dakar. Ils firent ouvrir le feu sur lui et le tuèrent. Le lendemain, les tirailleurs, scandalisés par cet acte d'insubordination, se révoltèrent et massacrèrent les deux coupables. Les lieutenants Joalland et Meynier parvinrent à reprendre leurs hommes en main, enterrèrent les deux victimes et reprirent la route du Tchad. Cet incident tragique alimenta aussitôt la légende. Le capitaine Chanoine, qui n'aurait été que blessé, se serait réfugié chez les Touaregs du nord. Voulet lui-même était-il dans sa tombe ? Bref, je me contentai de m'imprégner de la solitude du lieu et de méditer sur le destin de ces hommes de trente ans, grisés d'aventures et de fantasmes, qui avaient perdu leur vie pour donner à leur patrie quelques éphémères conquêtes. Mamadou, qui était du pays et connaissait cette histoire de Blancs qui se battaient entre eux, ne fit aucun commentaire car il est inconvenant de rappeler à quelqu'un ses turpitudes familiales. De toute façon, il était convaincu qu'il ne rencontrerait jamais ces deux mauvais Blancs sous les frais ombrages de son paradis.

Nous reprîmes la route après une brève collation. La chaleur était intenable, le gibier, pourtant fréquent dans ces parages, avait déserté la piste et aucun village ne venait rompre la monotonie du parcours. La voiture donnait de plus en plus souvent des signes de faiblesse, le moteur chauffait de façon inquiétante, car le radiateur était encrassé par la poussière de latérite, et il fallait multiplier les haltes pour permettre le refroidissement. Je calculai qu'à ce train il était impossible d'atteindre Niamey avant la nuit et je dis au chauffeur que nous dormirions à Dogondoutchi. Ce programme renfrogna Mamadou : non ! ce n'était pas bon, ce village était mal famé, il était trop près de nous et trop loin du Niger, on pouvait encore rouler une partie de la nuit pour atteindre Dosso, son pays ; là-bas, il connaissait tout le monde, il y avait un campement fameux, et des mécaniciens pour la voiture. Seulement, le soleil était à trois doigts de l'horizon et son village était à 100 kilomètres, nous resterions donc à Dogondoutchi. Le crépuscule allait s'abattre quand nous atteignîmes le pays maudit et il est vrai que le site était étrange. Une dizaine de pitons géants aux parois verticales, les « doutchis », se dressaient, comme des chandelles, au-dessus de l'agglomération blottie à leur pied. Des troupeaux de chèvres rouges divaguaient dans les ruelles, des bergers peuhls, aux grands chapeaux coniques et des commerçants haoussas poussant leurs ânes nous dévisageaient sans aménité, les courettes des cases résonnaient des pilons à mil, les fumées âcres des cuisines vespérales

223

s'exhalaient déjà des toits de paille. Nous profitâmes des dernières lueurs du jour pour atteindre le campement rustique, peuplé de bourricots placides, de grands moutons aux oreilles tombantes et de cabris errants. Mamadou était inquiet, il dressa mon lit, à contre-cœur, dans un coin d'étable et me recommanda de ne pas acheter de beignets pour le dîner. Il tripotait fébrilement son bracelet de cuir et me dit : « Ici, il n'y a que des sorciers, ils grimpent la nuit au sommet des doutchis pour sacrifier les chèvres. D'ailleurs, tous les gens du village prennent leur envol à la tombée de la nuit et se promènent en longue file dans les airs. On les reconnaît à la petite lumière qu'ils ont au derrière, tu verras toi-même. » Les ténèbres s'établirent brutalement et le ciel devint d'obsidienne, les grands pitons se fondirent dans l'espace, laissant à peine deviner leurs lugubres silhouettes. « Regarde, me dit Mamadou, en me montrant une étoile filante qui rayait le firmament, ils commencent à sortir ! » Un deuxième, puis un troisième, puis dix aérolithes traversèrent le ciel, et ce fut un ballet de traînées lumineuses qui s'entrecroisaient, se cachaient derrière les doutchis puis réapparaissaient. Était-ce la transparence de l'air qui rendait leur lumière si vive ? ou bien la terre qui traversait ce soir-là les céphéides ? Je n'avais jamais assisté à un tel festival. Une heure plus tard, le phénomène cessa, mais Mamadou, anxieux, scrutait toujours les ténèbres.

Le lendemain, au petit jour, nous rinçâmes le radiateur à grande eau et reprîmes la piste.

A Niamey, le gouverneur Don Jean Colombani me plongea à nouveau dans les manœuvres et les intrigues politiques consécutives à la mise en place du gouvernement d'Hamani Diori. Quand j'eus rejoint Dakar, je trouvai Pierre Messmer, marmoréen comme à son habitude mais intimement affecté par l'effilochage de l'empire. Ma moisson avait été peu encourageante mais je ramenais néanmoins la conviction que le franc CFA surnagerait et que l'empreinte française ne s'effacerait pas de sitôt, un peu comme les légendes et les songes dont se nourrit l'âme humaine.

Ma dernière mission fut pour Sékou Touré, celui qui avait dit non à la communauté et avait pris son indépendance. Il me reçut très amicalement dans l'ancien palais des gouverneurs et m'expliqua pendant plusieurs heures le quiproquo qui s'était produit. Il me fit lire le discours qu'il avait prononcé devant le général de Gaulle, lors de son passage à Conakry. Il l'avait préalablement montré à ses amis qui l'avaient approuvé. Il l'avait même confié avant la fameuse séance de l'Assemblée au ministre de la France d'outre-mer, Bernard Cornut-Gentille, qui accompagnait le Général. Il ne voulait pas quitter l'Union française, il désirait simplement accéder d'abord à l'indépendance, puis rallier ensuite, de son plein gré, la communauté. Il était plein d'aigreur à l'égard de son père spirituel, Houphouët Boigny, qui l'avait abandonné ; sévère à l'égard de ses amis sénégalais, Doudou Guéyé, Valdiodio N'Diayé et même Senghor, « fédéraliste » comme lui, mais Senghor, disait-il, ironique et amer, n'était pas un vrai Nègre, c'était un pingouin qui avait le dos noir et le ventre blanc ! Il ne comprenait pas le général de Gaulle qui avait tout fait pour se débarrasser de la Guinée et la jeter entre les bras de « ces abrutis » de Russes et de Chinois. Bref, il y avait chez ce mandingue orgueilleux, conquérant, éloquent et cruel des accents de sincérité si pathétiques que je les rapportai à Pierre Messmer « Je vais à Paris, me dit-il, et j'en parlerai au général de Gaulle. » Il en parla en effet et s'attira cette réponse, dont il me fit part à son retour : « Ça suffit, Messmer, votre Sékou Touré n'est qu'un crachat. » Etonnante susceptibilité de grand homme qui ne désarma jamais. Huit ans plus tard, Jacques Foccard, l'homme le moins suspect de complaisance à l'égard de Sékou Touré, me raconta qu'il venait d'intervenir auprès de son grand maître pour plai-

der la cause du despote de Conakry. « Arrêtez-vous,
lui avait dit le Général, votre petit copain vous fera
dans la main ! » Ainsi s'écrivent parfois les grandes
pages de l'Histoire.

Quelques semaines plus tard, je fus nommé gouverneur haut-commissaire de la République française au Congo et je pris l'avion pour Brazzaville.

V

LE CAÏMAN DE LA FOULAKARI

A mon arrivée au bord du grand fleuve, la situation politique que j'avais connue l'année précédente, quand j'étais directeur général des Affaires économiques de la fédération de l'AEF, avait notablement évolué. Le référendum constitutionnel du 28 septembre 1958 qui avait institué la communauté franco-africaine, avait donné naissance à la République du Congo qui succédait à la vieille colonie du Moyen-Congo et au gouvernement de la loi-cadre, mis en place en avril 1957. Le premier travail de la nouvelle République avait été de se doter d'une constitution et d'un premier ministre. Le vice-président du régime sortant, Jacques Opangault, chef du Mouvement socialiste africain (MSA) avait tenté de se succéder à lui-même avec l'appui du Parti progressiste congolais (PPC) de Félix Téhicaya, mais il s'était heurté à l'Union de défense des intérêts africains (UDIA) de l'abbé Fulbert Youlou qui avait réduit sa majorité à une ou deux voix. L'Assemblée siégeait toujours à Pointe-Noire et l'abbé, dont la base était à Brazzaville, multipliait les obstacles pour provoquer une crise et prendre le pouvoir. Il y parvint d'ailleurs, d'une façon rocambolesque.

Au cours d'une séance de l'Assemblée particulièrement agitée, Jacques Opangault s'était mis en colère, était monté à la tribune et avait brisé un micro sur la tête du porte-parole de Youlou, un conseiller européen nommé Christian Jayle, qui présidait la séance. Effrayé par les conséquences de son geste, le pauvre vice-président quitta précipitamment la salle sans plus réfléchir. Christian Jayle ne fut pas long à s'apercevoir qu'avec ses amis, il disposait, à cet instant, d'une voix de majorité. Il en profita immédiatement pour faire voter le projet constitutionnel qu'il avait préparé et faire élire l'abbé Youlou premier ministre. Dans la foulée, il demanda à l'Assemblée de décréter le transfert du Parlement à Brazzaville, fief du nouvel élu, et obtint satisfaction. Au cours de la nuit, il fréta un train spécial pour enlever les partisans du nouveau président, lequel exultait et portait, me dit-on, un fusil à chaque épaule pour marquer sa détermination.

Ma résidence officielle étant toujours à Pointe-Noire et le gouvernement à Brazzaville, il s'ensuivait un chassé-croisé permanent, une sorte de ballet qui m'obligeait à partager mon temps entre les deux capitales distantes de 510 kilomètres. Les services administratifs étaient également coupés en deux, l'échelon de la capitale fédérale étant le plus léger, faute de bâtiments et d'effectifs suffisamment nombreux. J'avais dû organiser une sorte de cabinet volant et je passais de nombreuses heures en avion et parfois dans le train car la route à travers le Mayombe était impraticable. Le chemin de fer Congo-Océan, construit en 1934 par le gouverneur général Antonnetti pour désenclaver le bassin du Congo, était une réalisation audacieuse qui avait exigé des sacrifices en vies humaines et en matériel considérables. C'est peut-être pour adoucir le souvenir de cette lourde histoire que les ingénieurs avaient reproduit, au terminus, la gare de Deauville. Le tracé mouvementé de la ligne, à travers la chaîne montagneuse couverte de forêt vierge, était particulièrement spectaculaire. Le chapelet de viaducs, de tunnels, de remblais et de torrents sauvages qui s'égrenait tout au long du parcours, dans la luxuriance tropicale, émerveillait toujours mes enfants et les familles de mes collaborateurs, quand je les invitais dans le confortable « wagon du gouverneur ». Le trajet aérien était évidemment plus rapide, mais les émotions fortes ne s'y comptaient plus. Les avions de petite taille volaient à faible altitude au-dessus des cimes forestières, la plupart du temps dans la brume équatoriale et les coups de tabac des tornades et des courants ascendants ou rabattants. Je prenais parfois le courrier Nord 2 500 de la compagnie UAT sans me douter du destin qui l'attendait. C'est ainsi qu'avec mon chef de cabinet, Philippe Mestre, nous l'empruntâmes le 29 mars 1959, quelques heures avant qu'il ne se désintègre en vol, entraînant dans la mort l'abbé Barthélemy Boganda, président de l'Oubangui. L'origine de cet accident ne fut jamais complètement éclaircie, mais il résultait sans doute de l'utilisation de petits réacteurs d'appoint fixés au bout des ailes qui avaient fait vieillir prématurément le métal.

A Pointe-Noire, je disposais d'une résidence ancienne et confortable située sur une anse intérieure de la rade, mais malheureusement trop près des marécages et des moustiques.

A Brazzaville, je logeais dans la « Case de Gaulle », une prestigieuse construction de l'architecte Roger Lelièvre, auteur de la fameuse cathédrale Notre-Dame-du-Congo, qui avait été offerte en 1941 par un groupe d'amis au chef de la France libre. Le « modulor » de cette bâtisse représentait sans doute le général de Gaulle à cheval et sabre au clair, car les plafonds étaient à 7 mètres de hauteur et les ouvertures en proportion. Les salons y étaient immenses, la chambre à coucher avait un lit quadrangulaire de 2,50 mètres de côté et la salle de bain comportait une baignoire de 2 mètres carrés. Ce palais, qui devait devenir l'ambassade de France, était situé sur la haute berge du fleuve, à l'extrémité du village de Bakongo, et était entouré d'un grand parc planté de manguiers sauvages. Les enfants du voisinage venaient y chaparder les fruits et d'énormes pythons venus des roselières du Congo s'égaraient parfois sur les vérandas.

La vue sur le « pool » du fleuve était incomparable, les orages prenaient des proportions dantesques et les couchants provoquaient des éclairages merveilleux. Je n'eus malheureusement pas l'occasion, dans les premiers temps de mon gouvernorat, de goûter les charmes de cette thébaïde car, depuis le retour de l'abbé Youlou sur ses terres natales, la tension montait dangereusement entre les communautés Laris et les M'Bochis de Jacques Opangault.

Comme d'habitude, ce fut un incident mineur qui mit le feu aux poudres. Une altercation au village de Bakongo, entre un Lari et un M'Bochi de Poto-Poto dégénéra en affrontement général. Les deux quartiers antagonistes étaient séparés par la ville européenne. Les partisans de l'abbé Youlou se mirent un bandeau autour du front et, armés de leurs machettes, partirent à l'assaut de leurs ennemis. Les adeptes de Jacques Opangault saisirent leurs sabres et leurs redoutables sagaies et s'efforcèrent d'endiguer le flot. Les serviteurs des Blancs, appartenant aux deux ethnies, se réfugièrent, terrorisés, chez leurs patrons qui assistaient impuissants à ce sauvage affrontement. Je disposais, par chance, de forces de gendarmerie et de deux compagnies de parachutistes français qui tentèrent d'établir un barrage entre les belligérants. Je m'installai à la mairie de Brazzaville où siégeait le premier ministre Fulbert Youlou, pour me rapprocher du théâtre des opérations. Je ne pouvais, de toute façon, intervenir dans le conflit que sur réquisition du premier ministre. Je remplissais donc les formulaires et les lui faisais signer au fur et à mesure que se présentaient les événements. L'abbé Fulbert était si agité que je craignais de le voir disparaître à tout instant, ce qui m'aurait contraint à enfreindre la loi et à assumer personnellement toutes les responsabilités.

230

Malgré une stricte vigilance, il parvint à s'échapper pendant quelques heures mais revint, dans un état d'excitation indescriptible.

Il voulait se dépouiller de sa soutane et revêtir un pyjama pour aller se battre et mourir avec les siens. Il s'était emparé d'un pistolet et hurlait : « Tue-tue, du sang, du sang ! Caligula ! Caligula ! » Par quel étrange mécanisme cérébral prenait-il ainsi à témoin l'empereur sanguinaire pour faire serment que tant qu'un petit Balali sortirait du sein de sa mère, il serait là pour lui souffler la haine du M'Bochi ? Je n'aurais pas su le dire, pas plus d'ailleurs que je ne compris son étrange revirement de prêtre quand il se jeta brusquement à mes genoux et me baisa la main. « Pitié mon Dieu, disait-il, pardon mon frère, tu ne tueras point, tu pardonneras à ton ennemi. » Pathétique conflit d'un homme qui, à l'image de sa génération, était déchiré entre deux mondes.

Les M'Bochis, en situation d'émigrés sur les terres bakongos et coupés de leur lointaine tribu, se battaient avec courage mais sans leur fougue traditionnelle. La ligne de fumée qui avançait sur Poto-Poto marquait inexorablement la progression de leurs ennemis.

En accord avec le haut-commissaire général Yvon Bourges et le général commandant supérieur, nous décidâmes de porter toutes nos forces sur ce front pour arrêter un probable massacre. Nos troupes déroulèrent leurs réseaux de barbelés, les parachutistes se déployèrent en formation de combat, les bandes reculèrent devant nos blindés légers et nos armes, car, par chance, elles ne disposaient d'aucune arme à feu et s'égorgeaient artisanalement au sabre et à la sagaie.

Quelques années plus tard, quand la patrie de l'internationalisme prolétarien eut truffé l'Afrique de kalachnikovs, de tels combats auraient tourné au génocide.

La fin de la journée et la nuit se passèrent à lutter

contre les petits commandos qui tentaient de s'infiltrer entre nos mailles. Des troupeaux de femmes hébétées des deux ethnies, serrant contre elles des grappes d'enfants aux grands yeux terrorisés, tentaient de se regrouper au sein de leur village pour retrouver l'abri et la chaleur du clan. Peu à peu, les escarmouches décrurent et la fièvre tomba. Le bilan était sévère, plusieurs centaines de morts jonchaient les ruelles et les abords des quartiers incendiés, l'hôpital regorgeait de blessés, tout notre personnel médical mobilisé dut recoudre, pendant trois jours, les malheureux estropiés. Heureusement, la nature africaine est généreuse et robuste, les miraculés furent légion. La tornade était passée, il n'y avait plus qu'à reconstruire la maison et à renouer les fils. Désormais, les Laris et les Bakongos étaient les maîtres du pouvoir, mais les gens du nord, M'Bochis et Kouyous, moins scolarisés, plus pauvres et supportant mal leur défaite, faisaient peser une lourde menace sur le gouvernement Youlou. Celui-ci manœuvra avec habileté jusqu'à l'indépendance proclamée le 15 août 1960 et, devenu chef de l'Etat, il prit dans son gouvernement plusieurs leaders des populations du nord et jusqu'à Jacques Opangault lui-même.

La période de dix-sept mois précédant l'indépendance correspondit à la dernière étape de la colonisation française sous ma responsabilité de gouverneur haut-commissaire. Elle fut riche en péripéties parfois comiques, souvent délicates et toujours inattendues. La paix régnait mais déjà se mettaient en place les hommes, les situations, les antagonismes et les aberrations qui allaient marquer le destin chaotique de la nation congolaise. L'Histoire nous a appris, depuis, que ce petit pays allait connaître, aux mains des civils ou des militaires, six chefs d'Etat, un nombre encore plus élevé de chefs de gouvernement, huit constitutions, toute une gamme de régimes allant du libéralisme plus ou moins dirigé aux paroxysmes du marxisme-léninisme, tour à tour allié de Pékin, de Moscou, de La Havane, allant de procès retentissants en exécutions sommaires, d'expériences révolutionnaires en clins d'œil à l'Occident capitaliste.

En ce printemps 1959, je passais le plus clair de mon temps à gouverner le pays, au côté de l'abbé Youlou, m'attachant à lui transférer, en bon ordre, les compétences du pouvoir colonial, veillant à la poursuite de la coopération, détachant certains de nos agents dans les différents ministères et services africanisés et maintenant le dialogue avec Paris où Jacques Foccart veillait au salut de l'empire.

Une réalité ambiguë qui oscillait entre l'autoritarisme théorique et le pragmatisme para-légal. Le commandement territorial étant encore entre les mains des administrateurs français, je profitai de ce sursis pour effectuer quelques tournées en brousse, pour tester les réactions des populations aux nouvelles parvenues des chefs-lieux et, surtout, pour retrouver le contact avec la terre et les paysans que je ne voyais plus depuis quatre ans. Ici, rien n'avait changé, et l'agitation politique semblait se dérouler au loin, très loin, sur une autre planète. Les hommes vaquaient à leurs affaires, les femmes s'activaient autour de leurs cuisines et de leurs champs, la ronde des jours tournait au rythme des saisons. Les vieux fumaient devant leur porte, en méditant sur l'écoulement du temps et les rapports complexes des dieux et des âmes, les enfants et les cabris gambadaient à l'ombre des grands arbres, un tam-tam résonnait quelque part, la cloche de la mission tintait pour l'angélus. La misère des uns s'estompait dans l'aisance relative des autres. Je connaissais les drames anciens, j'appréhendais ceux de demain. A Mouyondzi, un sculpteur de village me vendit un sac de masques blancs bapounous, qu'il venait de tailler pour quelque fête. Aux questions que je lui posai sur leur symbolique, il ne me donna que des réponses techniques sur la qualité du bois, le sens des fibres qui conditionnait la taille, etc. Quelques semaines plus tard, à l'occasion d'un bref passage à Brazzaville, André Malraux s'empara de l'un de ces spécimens que j'avais posé sur mon bureau et me parla de sa signification profonde pendant plus d'une demi-heure, ce qui aurait certainement provoqué un grand étonnement chez mon sculpteur s'il l'avait entendu A Komono, je fus mis, pour la première fois, en présence du fétiche N'Gol, une nouvelle divinité du panthéon local, peinte en jaune et noir, qui représentait un personnage ayant un grand nez, des yeux plissés, et un képi de général orné de deux étoiles.

A Makabana, je rencontrai enfin le célèbre prospecteur d'or du Mayombé, Toto Avoine, qui préparait, dans la forêt vierge, le tracé du futur chemin de fer d'évacuation du minerai de manganèse de Franceville. Ce titi parisien, aux bras curieusement retournés, qui défrayait depuis longtemps la chronique du Congo, m'expliqua que pour filer une courbe de niveau dans l'épaisseur de la selve, rien ne valait une piste d'éléphant. « Cet animal, me dit-il, est si fainéant qu'il a horreur de monter ou de descendre, aussi se fraie-t-il toujours un chemin horizontal. Après, on peut toujours fignoler l'itinéraire aux instruments. » Je dédie cette recette aux prospecteurs de l'avenir, s'il reste encore des éléphants.

Quelques mois plus tard, je fus invité, avec mon chef de cabinet Philippe Mestre, par l'ancien président Jacques Opangault, dans son village natal de Bundji, chez les M'Bochis de Fort Rousset. Nous passâmes trois jours inénarrables et pleins d'enseignements chez ce brave homme à la fois pittoresque et touchant de sincérité.

En traversant les grands marécages du pays kouyou, je recueillis le témoignage de reconnaissance le plus émouvant des populations, à l'égard de mon camarade de promotion, Albert Mignon, qui avait commandé le pays pendant douze ans. Cet

234

administrateur exemplaire qui avait appris à la perfection les dialectes locaux et était un apôtre et un bâtisseur infatigable, était si unanimement respecté et admiré que, vingt ans plus tard, un ministre congolais natif de la région, rencontré dans une ambassade lointaine, me fit, devant un public idéologiquement sévère pour le colonialisme, l'éloge « de Monsieur Mignon, le roi des Kouyous » ! Sur le chemin du retour, nous fîmes escale à la mission catholique de Gamboma et le père supérieur nous fit une étrange révélation sur la puissance des sorciers de la cuvette congolaise que je veux dédier également aux déchiffreurs d'énigmes.

« C'était vers 1925, dit-il, j'étais jeune missionnaire entre Mossaka et Tengo sur l'Alima. L'évêque de Fort Rousset m'avait envoyé, avec quelques collègues de brousse, suivre une retraite à la mission de Ouesso, à 400 ou 500 kilomètres dans le nord. J'étais revenu par le seul itinéraire possible à l'époque, en pirogue, à travers la forêt inondée de la Likouala et du Kouyou. Une randonnée épuisante qui durait une bonne semaine. Ayant retrouvé ma petite église, je passai un soir, en allant rassembler les enfants du catéchisme, devant la case du sorcier, un vieillard sympathique que je connaissais bien, mon concurrent, en somme. Il était assis devant sa porte et surveillait une marmite qui cuisait sur deux ou trois tisons et d'où dépassaient quelques herbes.

« Je le saluai à mon habitude et il me dit : " Tu vois, je me prépare car je vais voyager cette nuit. — Et où vas-tu ? lui demandais-je. — A Ouesso, comme toi, répondit-il, nous avons une réunion de sorciers cette nuit. " Je crus qu'il se moquait de moi et je ne résistai pas au plaisir de le taquiner. " Puisque tu vas à Ouesso, ne pourrais-tu pas me faire une commission à la mission catholique ? — Mais bien volontiers, dit le vieux, et qu'est-ce que tu veux que je lui dise ? "

« Là, alors, je trouvai qu'il exagérait et j'entrai dans le jeu, piqué au vif :

« " C'est très simple, tu demanderas le frère Mathias, et tu lui diras : le père Trille voudrait que tu lui envoies le fusil calibre 16 et six paquets de cartouches qu'il a laissés à la mission, les canards sont revenus sur l'Alima et c'est meilleur que le calibre 12 pour les chasser. "

« Le vieux me fit répéter deux fois sans s'émou voir, alors je lui portai une dernière estocade. " Tiens ! il pourra ajouter les deux paquets entamés de 12 qu'il a conservés par-devers lui, le frère Mathias. "

« Il commençait à m'agacer, ce vieux païen, et je partis à mon catéchisme un peu hargneux. Le lendemain, vers neuf heures, je repassai devant sa porte et je le vis paisiblement assis sur un tabouret, fumant sa pipe, les pieds au soleil.

« Dès qu'il m'aperçut, il me fit un signe amical de la main. " Alors ! tu n'es pas encore parti ? lui dis-je, goguenard. — Mais si, fit-il, non seulement je suis parti, mais je suis revenu, d'ailleurs j'ai bien fait ta commission, tu sais ! "

« Je grognai quelque chose et je partis à mes travaux, une pointe d'humiliation dans le cœur. Huit jours après, très exactement, un piroguier de la mission de Ouesso arriva par l'Alima en m'apportant le fusil calibre 16, les cartouches correspondantes et les deux paquets entamés de 12.

« Stupéfait, je lui demandai : " Mais qui t'a dit de m'apporter tout ça ? — Le frère Mathias, répondit-il. C'est le sorcier de Ouesso qui est venu à la mission et lui a fait la commission. "

« Voyez-vous, me dit le père supérieur, j'ai passé ma vie à chercher vainement une explication. Il n'y avait à l'époque ni téléphone, ni TSF, ni tam-tam, ni homme capable de porter le message en une nuit. Seul l'esprit du sorcier pouvait le faire, j'ai ébauché toutes les hypothèses sans résultat, mais ma conviction personnelle est que la formation des sorciers de la cuvette congolaise est très longue et complexe, comme celle de nos druides qui étudiaient pendant vingt ans, paraît-il. Par des exercices psychiques dans un état second que provoquent certains brouets de plantes, ils parviennent, entre initiés, à transmettre, à longue distance, les messages les plus compliqués. »

Après ces escapades rafraîchissantes, je retrouvai la Brazzaville politique préoccupée de la montée du syndicalisme, des querelles de personnes, des slogans marxistes révolutionnaires que colportaient, sous le manteau, les étudiants revenus de Paris, et des rumeurs sur l'indépendance du Congo belge dont un des contempteurs, Kasavubu, avait ses grandes et petites entrées et son trésor de guerre chez son ami Fulbert Youlou. Les relations avec la France ne manquaient pas non plus de pittoresque et d'imprévu; c'est ainsi qu'au début de février 1960, un télégramme hautement secret me parvint de Paris, pour m'annoncer que le général de Gaulle avait décidé de procéder à l'explosion d'une bombe A, sur le polygone de Reggane, dans le Sahara. Nous étions, comme nous l'avons vu, en pleine euphorie communautaire et le gouvernement français qui préparait, un peu contraint, l'accession à l'indépendance de ses colonies, continuait à rêver à des formules d'association avec ses anciens administrés. Une solution qui aurait atténué la rupture brutale avec le passé et permis de bâtir une sorte de Commonwealth à la française, formule que l'on enviait aux Anglais. Le général de Gaulle, toujours circonspect, s'était finalement rallié à cette perspective qui aurait permis de conserver, sur la mappemonde, les grandes taches roses d'un ensemble français. Il multipliait donc les gestes communautaires et mettait l'accent sur tout ce qui pouvait constituer un patrimoine commun. La maîtrise de l'atome et le premier tir de Reggane lui semblaient entrer dans cette ligne. « Demandez à votre président, disait le télégramme, de désigner une personnalité de confiance de son entourage que vous dirigerez sur Paris dès que le " Notam " vous parviendra. J'attire votre attention sur le secret de votre démarche et vous ferez en sorte que rien ne s'ébruite prématurément dans l'entourage du chef de l'Etat. » Je me rendis donc chez l'abbé Youlou, président du Conseil, et lui dit : « Le général de Gaulle vous fait savoir qu'il a l'intention de faire éclater la première bombe atomique française dans le désert du Sahara. — Une bombe atomique, me demanda l'abbé en écarquillant les yeux. Qu'est-ce que c'est que ça ? » Bien que Hiroshima et Nagasaki eussent, quinze ans plus tôt, ébranlé le monde et que les journaux eussent publié maints reportages sur les essais américains de Los Alamos, les tirs anglais de Woomera en Australie ou les explosions russes de Nouvelle-Zemble, l'abbé Youlou, accaparé par son sacerdoce et ses ambitions politiques, n'y avait pas prêté attention.

Je lui donnai quelques explications sur la puissance dévastatrice de cet engin, les millions de morts que son explosion pouvait provoquer, la maîtrise décisive en matière de guerre que cette arme constituait pour celui qui la possédait. L'abbé se signa et me dit d'une voix enjouée : « Ah ! le général de Gaulle, c'est bien un vrai militaire, n'est-ce pas ? Il aime les bombes, les obus, les canons, la guerre, mais il est très gentil, il est un peu pour nous comme Dieu le père. Aussi, je vais lui envoyer un représentant. Qui verriez-vous, par exemple ? — Je n'en sais rien, lui dis-je, peut-être le président de l'Assemblée nationale, M. Massembat Debat. — Oh ! non, oh ! non, me fit l'abbé, surtout pas celui-là, il veut ma place, je vais chercher quelqu'un de plus sûr. » Je repris la parole pour souligner le caractère « top secret » de cette affaire, les précautions qu'il convenait de prendre pour que rien ne transpire. « De toute façon, ajoutai-je, il n'y a pas péril en la demeure. Je dois partir en brousse pour quelques jours et si quelque chose venait à se produire avant mon retour, vous n'auriez qu'à appeler mon premier conseiller, M. Jacques Sagnes, qui est parfaitement au courant. » Je pris congé, sans me douter du labyrinthe dans lequel je venais de m'engager. Dans le courant de la nuit, l'abbé Youlou s'avisa que son vieil instituteur qui jouissait paisiblement de sa retraite à Malibu, au pays balali, avait toutes les qualités requises pour représenter le Congo aux expérimentations françaises. Il lui fut demandé de se présenter, dès le lendemain matin, à son bureau à Brazzaville, pour une communication urgente. Dûment prévenu, le brave retraité ficela son balluchon, prit deux bâtons de manioc pour tout viatique et attendit patiemment au bord de la route qu'un camion le prenne à son bord pour le conduire à la capitale. Dès son arrivée, il se présenta à la mairie de Brazzaville où le président avait son siège. L'abbé était très occupé et se contenta d'entrebâiller la porte pour lui dire : « Ah ! c'est toi, Zéphirin, écoute, c'est très compliqué et très secret, tu es mon représentant, va-t'en chez le gouverneur et présente-toi, de ma part, à M. Sagnes, il fera le nécessaire ! » Le vieux n'était pas familier des lieux et se rappela seulement le nom de Sagnes. Il demanda au chef de cabinet où se trouvait ce M. Sagné — il faut savoir qu'au Congo, le e muet n'existe pas et que Sagnes se prononce Sagné. « M. Sagné ? dit le chef de cabinet. Ah ! tu veux dire le capitaine Sanier. C'est le médecin qui s'occupe des fonctionnaires à l'hôpital général. Je vais te donner un bulletin de visite pour aller le voir. » Ainsi fut fait ! Le brave homme se réclama fièrement de la protection du président Youlou et fut présenté à un lieutenant qui remplaçait le capitaine Sanier pendant ses absences. « Je vois ce que c'est, dit le praticien, une vieille histoire vénérienne, sans doute du paludisme ou une amibiase. Déshabille-toi ! » Le vieux fit glisser son boubou, le médecin l'examina, le palpa, l'ausculta. « Enfin, qu'est-ce qui ne va pas ? » finit-il par lui demander, en constatant que ce malade n'était pas en trop mauvais état. En fait, le patient avait un peu mal partout : le foie sensible, la rate un peu grosse, les misères de l'âge —

sans compter un rhumatisme tenace qui... « Ce doit être quand même un cas spécial, pensa le docteur, pour que la présidence me l'envoie. Il faut, de toute évidence, que je fasse un rapport détaillé. » Il prescrivit, sans plus tarder, une série d'analyses, sang, urine, selles, tension, etc. La matinée se passa au laboratoire et l'après-midi à la radio. Les bronches, la colonne vertébrale, le bassin furent examinés et photographiés. Au fur et à mesure que la journée s'avançait, le représentant du président se sentait de plus en plus dolent. On lui demanda de revenir le lendemain pour prendre les analyses. Il passa la nuit chez un frère de race à Bakongo et fut, de bon matin, à son rendez-vous. Vers midi, un volumineux dossier lui fut remis contre paiement immédiat d'une somme de 400 francs dont il n'avait pas le premier sou. On lui conseilla d'aller chercher de l'argent à la présidence. Il s'y rendit mais personne ne voulut régler la facture. « C'est le général de Gaulle qui invite, prétendit l'abbé Youlou, c'est à lui de payer le voyage. » Quelqu'un fit observer que la somme de 400 francs paraissait bien faible pour un aller et retour. « 400 francs, dit l'abbé, mais ce n'est pas le prix d'un billet pour Paris. Au fait, qui t'a demandé cette somme ? — L'hôpital, répondit l'instituteur. — L'hôpital ? mais qu'est-ce que tu faisais là-bas ? — On m'a dit d'aller voir M. Sanier le médecin », larmoya le vieux. On comprit enfin la méprise et tout le monde s'en divertit. Seulement, le compte à rebours de Reggane était commencé et le fameux « Notam » venait d'arriver. Il fallait mettre le représentant du Congo dans le premier avion. Le conseiller de l'ambassade, le vrai M. Sagnes, se mit à sa recherche, et sans lui donner d'autre explication, le conduisit à l'Institut Pasteur, pour le faire vacciner contre la variole et la fièvre jaune, détail qui avait été omis au cours de l'intermède médical des jours précédents. On lui procura une valise avec un costume de rechange, et sans lui dire ce qu'il allait faire, car tout le monde pensait qu'il le savait, on l'expédia avec un ordre de mission mentionnant, sans aucun autre détail, qu'il était le représentant du Congo. Avec le beau fatalisme de la race noire, le brave homme se blottit dans son fauteuil et s'endormit. Il débarqua à l'aéroport d'Orly, où une hôtesse parvint à le dénicher dans le flot des voyageurs et l'enleva dans une fourgonnette jusqu'à la base aérienne militaire de Brétigny où stationnaient les avions de l'opération saharienne. Le temps pressait, les premiers arrivants étaient déjà en route, les quelques retardataires furent happés par un Nord-Atlas, cargo dont le personnel militaire était peu communicatif. Le vieil homme, qui s'attendait à visiter Paris, commençait à s'étonner de ce long voyage où on le nourrissait de rations militaires. Il fut encore plus inquiet quand l'avion se posa dans le désert. Il n'eut pas le temps de s'interroger car, déjà, quelques gaillards vêtus de blanc s'emparaient de lui pour lui faire endosser une sorte de scaphandre et chausser des bottes. Ainsi attifé, il fut conduit dans un bunker souterrain où des écrans fluorescents scintillaient de toute part dans la pénombre. Des voix bizarres semblaient sortir des murs et lui qui n'avait jamais vu de télévision sentait une terreur panique le gagner. Tout à coup, un grand silence se fit dans la salle et les Blancs qui l'entouraient se levèrent, battirent des mains, se mirent à rire, à s'embrasser et débouchèrent force bouteilles de champagne. Ils lui offrirent si généreusement à boire qu'il s'enivra et s'endormit. Quant il revint à lui, il était étendu sur un lit d'hôpital, à côté de sa valise et de son costume.

Un officier dont il reconnut les galons vint le saluer très poliment en l'appelant « Monsieur le Représentant » et l'invita à se rhabiller et à le suivre. Il monta dans une auto qui le conduisit à un avion, lequel décolla, quelques instants plus tard, pour la France. Il atterrit de nouveau à Brétigny, puis à Orly, enfin à Brazzaville où on lui demanda ce qu'il pensait de la bombe atomique. La bombe atomique ? Non ! il n'avait ni entendu parler, ni vu éclater rien de semblable. Il regrettait seulement de n'avoir pas visité Paris, un lieu fabuleux où, disait-on, l'Administration avait tant travaillé à bâtir des immeubles. Pour le moment, il était très fatigué et ne souhaitait rien d'autre que de retrouver sa petite case de retraité à Malibu. Seul homme au monde, je pense, à avoir assisté à l'explosion d'une bombe atomique sans s'en être aperçu.

Pour être équitable, je dois mentionner que les Congolais n'avaient pas le monopole de la cocasserie et que la France leur prêtait parfois main forte. C'est ainsi que je fus la victime d'un autre montage franco-congolais particulièrement ubuesque.

Quelques mois avant l'indépendance, le président Youlou m'invita à inaugurer, à ses côtés, un comice agricole qui se tenait près de l'ancienne mairie de Brazzaville. Je me rendis à la cérémonie et tandis que nous déambulions parmi les monceaux d'ananas, de poissons fraîchement sortis du fleuve et de charges de manioc, le bon abbé me dit sans préambule : « Savez-vous que j'ai un petit éléphant ? — Ah ! bon, lui dis-je, et où l'avez-vous trouvé ? — Ce sont des chasseurs de la région de Boko qui me l'ont apporté la semaine dernière, je voudrais l'offrir au général de Gaulle ! Qu'en pensez-vous ? — Heuh ! je trouve que ce n'est pas une mauvaise idée, mais comme il s'agit d'un geste très symbolique, il vaudrait mieux, auparavant, s'informer auprès du Général pour savoir ce qu'il en pense. — C'est ça, dit le président, informez-vous, mais je suis certain que le général de Gaulle sera très content car Dieu l'a fait naître comme un éléphant spécial pour les Français, on le voit bien, il est plus grand et plus gros que tout le monde, il a un grand nez, de larges oreilles, des petits yeux malins et il ne ressemble à personne. »

J'étais, à vrai dire, moins frappé par cette vision originale que par les conséquences imprévisibles que cette nouvelle lubie ne manquerait pas d'avoir.

« Faisons le mort, pensai-je, et dans quelques jours il aura oublié. » La semaine se présentait d'ailleurs sous de bons auspices. Rien ne laissait prévoir d'événements mémorables si ce n'est un télégramme du Quai d'Orsay qui m'annonçait la prochaine visite officielle à Paris du président des Etats-Unis, le général Eisenhower. Le général de Gaulle tenait à rassembler, à cette occasion, les responsables de la jeune communauté française pour les lui présenter. « Vous voudrez bien, ajoutait le message, transmettre cette invitation officielle à votre président, nous tenir au courant et prendre toutes dispositions en conséquence. »

Je fis aussitôt le nécessaire auprès de l'abbé Youlou qui accepta avec empressement et s'envola, trois jours plus tard, pour la France.

Le président américain reçut à Paris un accueil fastueux et, à l'occasion du repas de gala qui lui fut offert au palais de l'Elysée, en présence d'une bonne quinzaine de chefs d'Etat africains, le président congolais s'avisa de proposer le cadeau qu'il avait en tête. Il se pencha vers son voisin qui était, je crois, Raymond Triboulet, le ministre de la Coopération de l'époque, et lui dit : « Monsieur le ministre, je veux offrir un éléphant au général de Gaulle. — Quelle merveilleuse idée ! » dit le brave homme, tout heureux de jouer un petit rôle devant les grands de ce monde. Il fit appeler l'aide de camp du Général et le pria de porter la nouvelle aux oreilles de son maître.

Quand le Général eut compris ce qu'on lui susurrait, il plissa ses yeux d'éléphant et dit : « Mais, c'est au président Eisenhower qu'il faut offrir cet animal, c'est le symbole du Parti républicain. » Ainsi fut fait et l'abbé Youlou, radieux, orienta son cadeau vers les Etats-Unis. Le général Eisenhower, qui n'avait qu'une confuse idée de l'Afrique et qui confondait sans doute les deux Congos, manifesta une joie d'enfant à Disneyland. Peut-être voyait-il, dans cette allégeance d'un chef africain au représentant de la

243

puissante Amérique aux 20 millions de Noirs, le plus bénéfique des présages. Bref, il donna quelques ordres et les prodigieux circuits du nouveau monde se mirent mystérieusement en marche dans la nuit.

Celle-ci avait à peine basculée dans l'autre hémisphère que le téléphone sonna sur mon bureau à Brazzaville. « Allô ! disait une voix suave aux inflexions recherchées. Ici Merveilleux du Vignaud, secrétaire général de la présidence. Savez-vous, mon cher ambassadeur, que son Excellence le président Youlou a fait cadeau d'un éléphant au président Eisenhower et que la remise officielle aura lieu après-demain, à quinze heures. Pouvez-vous nous faire parvenir d'urgence ce... pachyderme, je crois... »

Je calculai qu'il fallait dix-sept heures de vol à un avion DC 4 pour atteindre Paris et qu'il ne me restait qu'un peu moins de quarante-huit heures pour organiser l'expédition.

Tout d'abord, je devais retrouver ce maudit pachyderme. Personne ne l'avait vu, ni n'en avait entendu parler. J'étais, de toute évidence, le seul dépositaire du secret. Le directeur de cabinet du président, furieux de n'avoir pas été du voyage à Paris, me fit répondre d'un ton sec qu'il avait autre chose à faire qu'à compter les éléphants ; mon chef de cabinet, l'actuel député de la Vendée, Philippe Mestre, téléphona, en vain, à tout l'entourage du président Youlou, sans obtenir plus de succès. L'idée me vint enfin d'interroger le petit monde des plantons du gouvernement. Il y en existait peut-être un qui avait fait une corvée de foin ou de bananes ou rencontré les petits chasseurs de Boko. C'était la bonne piste, le petit éléphant avait été déposé dans un enclos zoologique, près du terrain d'aviation de Maya-Maya. Je sautai dans ma voiture et me rendis sur les lieux. L'enclos en question était une sorte de parc broussailleux, entouré d'un grillage de volière. Quelques antilopes y traînaient mélancoliquement leur captivité entre des cages à poules. Je fus reçu, à la porte d'entrée, par une harpie de race blanche qui me gratifia d'un « Qu'est-ce que vous voulez encore ? » et se lança dans une violente diatribe où il était question d'un retard de trois mois dans son salaire, de pétaudière administrative où les Blancs et les Nègres jouaient au plus incapable, de sa hâte de tout f... en l'air, etc. Je pus, quand même, lui faire entendre que je ne manquerais pas d'examiner son cas, mais que pour l'instant, je voulais la débarrasser d'un petit éléphant qu'elle avait en pension. Sa colère redoubla. « En pension ! en pension ! ricanat-elle, dépêchez-vous de l'exporter, cet avorton, avant qu'il ne crève et ne comptez pas sur moi pour le nourrir de lait en poudre ou de concentré suisse... » Je la laissai à ses vociférations et me dirigeai vers le refuge de l'éléphant qu'elle me désignait d'un doigt menaçant. Dans un coin du poulailler était blottie la masse grise, informe d'un éléphanteau rachitique : hâve, efflanqué, vacillant, la trompe molle et l'arrière-train verdi de diarrhée, ce déchet physiologique offert à l'immense Amérique par le protocole de la République française me parut tout à coup si dérisoire que je repris sur-le- champ ma voiture et démarrai en trombe pour Brazzaville. Parvenu à mon bureau, je convoquai le chef du service vétérinaire, un Landais bien en chair qui portait un nom célèbre de rugbyman, et lui fit part de mon anxiété. « Je vois ce que c'est, fit-il, avec l'accent de Mont-de-Marsan, c'est cette gorgone qui l'empoisonne. Je ne sais pas quelles étaient ses relations avec mon prédécesseur mais moi, je ne mange pas de ce painlà, etc. » Je l'arrêtai pour le remettre sur la voie et il me jura qu'il allait faire quelques piqûres à l'animal pour lui consolider le cœur, calmer sa fringale, lui relustrer le poil et que sais-je encore. La nuit brutale des tropiques tomba sur la fin du discours et je commençai une longue méditation sur le grotesque de la vie et le difficile métier d'ambassadeur.

A l'aube, des coups frappés à sa porte d'entrée éveillèrent la charmante et matinale épouse de mon chef de cabinet qui reçut de plein fouet un Européen exalté, vêtu d'une blouse blanche, qui lui disait, sans autre préambule : « Madame, l'éléphant d'Eisenhower vient de mourir ! » Apeurée, elle recula précipitamment dans sa chambre en criant : « Philippe ! qu'est-ce que c'est que ce fou et son histoire d'éléphant mort ? »

Philippe Mestre eut vite découvert l'énigme et m'annonça la nouvelle par téléphone. « Ouf ! lui dis-je, nous voilà bien débarrassés. Dès la vacation radio de neuf heures, appelez-moi l'Elysée. » Ainsi fut fait et après quelques déclics téléphoniques, j'entendis une voix impatiente qui me disait : « Ici Jacques Foccard, que me voulez-vous ? » Je compris que j'avais été branché sur le secrétaire général de la Communauté. Je déclinai mes nom et qualité et lui fis part de la malheureuse nouvelle du trépas de l'éléphant. « Comment ! fit la voix, de plus en plus impérieuse, mais vous n'y songez pas, vous croyez peut-être que c'est simple de modifier le protocole d'une visite officielle. Ecoutez ! faites ce que vous voudrez, mais trouvez-en un autre. Achetez-le ou capturez-le, mais il m'en faut absolument un demain à 14 h 30 à Orly », et il raccrocha ! On peut juger de mon émoi. Je convoquai le ban et l'arrière-ban de mes collaborateurs et leur fis part de l'étrange mission qui m'incombait. Chacun émit son hypothèse, on avait entendu dire qu'il en existait un à Bangui, un autre à Libreville, mais il s'agissait là de pays souverains dont les chefs d'Etat ne pouvaient céder leurs éléphants à celui du Congo pour étayer ses libéralités. Finalement, quelqu'un suggéra de s'adresser aux Belges de Léopoldville, qui n'avaient pas encore proclamé leur indépendance. Le gouverneur général, Pierre Cornelis, était, par chance, un de mes amis depuis le temps où nous dirigions, de part et d'autre du fleuve, les affaires économiques de nos colonies respectives. « Pierre, lui dis-je au téléphone, voici ce qui m'arrive » et je lui racontai l'affaire de l'éléphant. Le truculent

Flamand fut pris de fou rire et m'assura qu'il allait se renseigner auprès de son directeur du parc zoologique.

Quelques minutes plus tard, je reçus la réponse. Oui, le zoo avait bien deux éléphanteaux sevrés et en excellente santé, mais ils appartenaient à un chasseur du Kivu, qui les laissait en dépôt en attendant de les vendre. Je suppliai le gouverneur général, au nom de l'inaltérable amitié franco-belge et de notre commune reconnaissance envers les Etats-Unis d'Amérique, de mettre en alerte son réseau de sécurité pour retrouver, coûte que coûte, son Nemrod oriental.

Deux heures plus tard, le téléphone sonna de nouveau. C'était fait ! Le chasseur était un peu gourmand sur le prix mais, si j'étais d'accord, je pouvais prendre immédiatement livraison de l'animal de mon choix.

Je fis armer la vedette de l'ambassade, un puissant Crisscraft qui servait autrefois aux déplacements du gouverneur sur le fleuve et je mis le cap sur l'autre rive.

Au débarcadère, notre consul général, Henri Mazoyer, dûment alerté, m'attendait avec sa camionnette. Nous nous rendîmes aussitôt au parc zoologique où le directeur, affable et empressé, nous attendait. Il nous conduisit au carré des éléphants où deux charmants Jumbo dévoraient une botte de foin. C'était deux robustes éléphanteaux d'au moins 400 kilos qui nous regardèrent d'un air bourru. Je choisis celui qui me parut le moins volumineux et les aides du zoo l'approchèrent pour le saisir. Malheureusement, c'était le plus caractériel. Il dardait sa trompe vers nous, battait furieusement des oreilles et trompettait comme à Jéricho.

Peu de gens savent combien il est difficile de manipuler un éléphant. C'est gros, c'est rond, dense, lisse, sans prise réelle et d'une force incroyable. Grâce à un jeu subtil de cordes et de boucles qui permettaient au pied arrière de faucher en ruant le pied avant, l'animal fut jeté à terre et immobilisé par des cordages et des serpillères pour éviter les blessures. En un tour de main, le jeune fauve, barrissant de toutes ses forces, ressembla à une momie égyptienne ou à quelque pelote cyclopéenne pour un tricot de géant. Il n'y avait plus qu'à le faire glisser sur la camionnette. Un pont de visite de véhicules et quelques planches firent le nécessaire et le paquet hurlant, coincé entre les ridelles, prit le chemin de l'estacade. Du haut de l'appontement, le niveau du fleuve m'apparut tout à coup dramatiquement bas. Comment faire glisser, sans moyen de levage, l'animal récalcitrant sur la plage arrière du Crisscraft? Des mariniers de bonne volonté amenèrent un chaland et à l'aide d'un plan incliné fait de palettes de déchargement et de poutrelles, parvinrent à le transférer, sans trop de dommages, sur ma fragile embarcation.

Sous le poids du colis, la coque s'enfonça jusqu'au bordage et quand les deux moteurs furent lancés, l'arrière du bateau ne dépassa plus que de quelques centimètres les turbulences du sillage. De toute façon, il était trop tard pour changer l'arrimage, notre esquif fonça vers l'autre rive distante de 4 kilomètres, se frayant un passage parmi les îles dérivantes de jacinthes d'eau dites « concessions portugaises » qui, à cette époque, encombraient le lit du Congo. Le soleil déclinait rapidement et je fixais la berge lointaine de Brazzaville comme jamais Moïse ne contempla la Terre promise. A mi-course, le chef des laptots me tira par la manche et me dit d'une voix apeurée : « Patron, la corde de l'éléphant est cassée ! » Je frémis en voyant que l'emballage prenait du mou et je me vis en un clin d'œil sombrant, corps et bien, à moins d'un kilomètre des rapides du Djoué avec un éléphant dansant sur notre barque. Il n'en fut heureusement rien, la pelote tint bon et le wharf de Brazzaville, bordé de bérets rouges, se dessina peu à peu devant nous. Des parachutistes, avec un camion grue et des filets de débarquement, nous attendaient. L'éléphant fut hissé sur la terre ferme et acheminé, sans autre formalité, sur l'aéroport où un DC 4 d'Air France lui était réservé. Il y eut bien encore quelques contretemps avec la cage de l'animal qu'il fallut refaire car le menuisier s'était trompé dans les dimensions mais à neuf heures, tout fut prêt et l'éléphant, flanqué du vétérinaire à qui je l'avais confié, décolla pour la métropole.

Je n'ai jamais su comment les présidents Youlou et Eisenhower échangèrent leur animal, ni ce que contenaient les discours qu'ils ne manquèrent pas de prononcer. Ce n'est que beaucoup plus tard que j'appris que l'éléphant avait été déposé au zoo de Saint-Louis où il avait vécu plusieurs années.

L'épilogue de cette histoire me fut fourni par une facture de 800 000 francs CFA qu'à la veille de son indépendance, le gouvernement du Congo belge m'adressa.

Je la transmis à Paris pour règlement mais les crédits destinés à la visite du président Eisenhower avaient été consommés et « ventilés ». De plus, la réintroduction d'un éléphant dans une enveloppe financière épuisée bouleversait les comptables. Je fus donc contraint, pour l'honneur de la France, d'imputer cette dépense sur mes crédits de fonctionnement.

Après s'être bercé d'illusions pendant plusieurs mois sur la volonté des chefs d'Etat du Congo, du Gabon, de l'Oubangui Chari et du Tchad, de créer une Union des républiques centrales (URAC), le gouvernement français avait dû se rendre à l'évidence qu'en dépit de la bombe atomique, l'indépendance souveraine et totale de chaque pays était inéluctable. Jusqu'à la dernière minute, les chefs africains n'avaient pas voulu le détromper par discrétion, par gentillesse. En Afrique, on évite autant que possible de contredire ou de contrarier ses rois et ses maîtres. Ce n'est qu'à l'ultime conférence de Paris, au siège de la Coopération, que les quatre présidents dirent tout simplement non ! Avec un aplomb sans fêlure et un sourire désarmant : comment n'avions-nous pas compris que trop de postes de ministres, de députés, d'ambassadeurs et d'officiers supérieurs, trop de possibilités de prébendes étaient en jeu, pour qu'un nouvel Etat sacrifie sa chance historique de promotion ?

Pour être honnête, il faut dire que l'abbé Youlou n'avait jamais fait mystère de son penchant pour l'émancipation rapide de son pays. A la différence de ses collègues de l'ancienne AEF, il avait des liens très étroits avec ses frères de race du Congo belge voisin et rêvait de les attirer dans sa mouvance. Il était particulièrement informé par Kasavubu et les militants de l'Association des Bakongos (Abako) de la situation intérieure de l'ensemble belge et des tensions populaires qui, dans les dernières années, avaient ébranlé le territoire. Il sentait que l'heure d'un bouleversement général était venue et qu'il lui fallait garder l'avance que lui valait la politique française.

Or, il faillit être dépassé : l'indépendance du Congo belge fut proclamée le 30 juin. Kasavubu fut élu président de la nouvelle République, mais, cinq jours plus tard, une véritable lame de fond déferla sur l'ancienne colonie avec la mutinerie de la Force publique. Cette armée, exaspérée par l'absence de promotion intérieure, par des salaires trop bas et une utilisation massive comme force de répression, profita d'un incident mineur pour se répandre dans les rues, ceinturon au poing en clamant sa révolte. Face à cette subversion, les autorités réagirent en ouvrant inconsidérément une course aux promotions. C'est ainsi qu'un jeune journaliste, ancien sergent dactylo comptable, nommé Joseph Désiré Mobutu, qui s'était glissé dans le sillage de Lumumba, se retrouva, le 6 juillet, chef d'état-major, tandis qu'un certain Lundula, sergent de son état, était promu général et commandant en chef.

Cette pluie d'étoiles, trop tardive, ne conjura rien

et le soir même, une vingtaine de soldats du camp de Thysville s'emparèrent de fusils et semèrent la terreur dans la ville en forçant les maisons des Européens, pillant, violant et tiraillant à tort et à travers. Rapidement, de nombreuses autres garnisons se soulevèrent et un vent de panique gagna tous les grands centres et la capitale Léopoldville. Ce fut le sauve-qui-peut général. En pleine nuit, les Européens se précipitèrent vers les bateaux de la compagnie fluviale Otraco et franchirent le fleuve pour se réfugier à Brazzaville. D'autres se mirent sous la protection de la toute nouvelle ambassade de France. L'ambassadeur, Pierre Charpentier, qui avait pris son poste le matin même, voyant ce flot humain poursuivi par les mutins pénétrer dans ses jardins, eut un réflexe méritoire. Il mit sa casquette aux broderies d'acanthe sur la tête et alla se poster en pyjama devant le portail d'entrée; quand la horde des soldats avinés se présenta, il leur demanda d'une voix ferme mais distinguée : « Chers amis, que me voulez-vous, je suis l'ambassadeur de France. — Ah! c'est toi, l'ambassadeur de France, bonjour mon ambassadeur, tu vas bien? dirent les mutins. Vive la France! » et ils continuèrent leur route sans plus se soucier des trois ou quatre cents personnes qui croyaient leur dernière heure venue sur les pelouses du jardin.

Sur l'autre rive du Congo, Brazzaville, ahurie, reçut à trois heures du matin les flottilles de la panique. Je mobilisai immédiatement tous mes moyens civils et militaires pour improviser l'accueil. Ce fut une aventure à la fois cocasse et tragique où tout le monde fit de son mieux pour secourir nos frères malheureux d'outre-Quievrin. Nos parachutistes firent merveille dans un rôle inattendu d'assistance sociale et l'abbé Youlou en personne, au volant de sa propre voiture, faisait le va-et-vient entre le débarcadère et la ville, pour transporter les arrivants. Je m'émerveillai de ce geste que j'attribuai naturellement à sa charité chrétienne spontanée, mais je le soupçonnai, néanmoins, de savourer une vieille revanche sur ce Congo belge tout-puissant qui parlait depuis un demisiècle avec condescendance du Petit Congo des Français et de sa colonisation de bouts de chandelle.

En quelques jours, notre puissant voisin se trouva sans armée, sans finances et sans administration. Le 11 juillet, Moïse Tchombé proclama la scission du Katanga où arrivèrent, comme par enchantement, près de dix mille militaires belges et Albert Kalonji, un politicien du Sud, se proclama empereur du Kassaï.

Le Congo français ne pouvait demeurer en reste et retint la date du 15 août pour la proclamation de l'indépendance. Cet événement devait, selon les vœux de Paris, revêtir un grand éclat, il fallut mettre les bouchées doubles pour réaliser les textes constitutionnels, prendre les dispositions matérielles et préparer les cérémonies de transmission des pouvoirs.

Des commissions de juristes parisiens se mirent à l'œuvre, les assemblées territoriales furent convoquées et siégèrent sans désemparer. Le gouverneur troqua son casque immaculé pour la casquette de haut-commissaire et la puissance coloniale prépara mélancoliquement ses bagages. Le 13 août, alors que tout semblait prêt, constitution, accords organiques, structures étatiques, listes de nouveaux dignitaires, je m'aperçus qu'on avait oublié le drapeau et l'hymne national de la jeune République indépendante du Congo. J'appelai aussitôt le président du Conseil et lui recommandai de soumettre sans plus tarder à l'Assemblée, les caractéristiques de l'emblème national et les paroles et la musique de la « Congolaise ». Le mot de Congolaise eut aussitôt la faveur de l'abbé Youlou. « Je vois, me dit-il, c'est quelque chose comme la Marseillaise. Quant au drapeau, je ferai comme tout le monde, je prendrai le vert, le jaune et le rouge. Peut-être pourriez-vous me faire une suggestion pour l'emplacement des couleurs et puis également préparez-moi un petit hymne national, il y a de bien jolis cantiques, vous savez ! ce serait un peu comme les Anglais. » Je me retranchai derrière mon incompétence musicale et littéraire, mais il insista avec tant de gentillesse que je lui promis de faire de mon mieux. Mais que pouvais-je faire ? Nous avions tant tardé que toutes les combinaisons de couleurs et d'emplacement étaient déjà prises par d'autres pays comme le Sénégal, le Cameroun, la Côte d'Ivoire. A la verticale, à l'horizontale, par bandes minces ou par larges panneaux, il ne restait plus rien à combiner. Ni les planches de pavillons du dictionnaire Larousse, ni l'édition spéciale de *Paris-Match* ne m'apportaient de solution. Je suggérai donc, en désespoir de cause, de mettre les trois couleurs en biais dans n'importe quel ordre. C'est ainsi que la République du Congo eut un emblème un peu de guingois jusqu'au jour où, à la faveur d'une révolution marxiste-léniniste scientifique, elle se dota du drapeau de l'Union soviétique.

Il restait l'hymne national. Je demandai au jeune et brillant directeur de Radio-Congo, Jacques Alexandre, s'il n'avait pas, dans ses collections, quelques marches militaires qui pourraient être mixées en mineur avec des réminiscences grégoriennes. Il m'avoua la faiblesse de ses équipements techniques, le manque d'appareils d'enregistrement et son ignorance de l'harmonisation. Il comprenait bien mon embarras, mais ne voyait pas comment me tirer de là à moins que... et après tout — pourquoi pas — il venait d'apprendre l'arrivée, pour quelques jours, dans une boîte de nuit de Brazzaville, appelée La Cloche fêlée, d'un accordéoniste qui accompagnait habituellement la fantaisiste Joséphine Baker. Peut-être ce musicien compétent pourrait-il composer une marche ou arranger un air populaire sur son instrument. En tout cas, on pouvait toujours essayer. J'appelai, toute affaire cessante, le gérant de La Cloche fêlée, un brave homme jovial et serviable qui me répondit que son client faisait la sieste. J'insistai pour qu'on le réveille ! et c'est finalement un quidam grommelant et de mauvaise humeur qui vint au bout du fil. Il ne comprenait rien à cette mauvaise plaisanterie d'hymne national, confondait haut-commissaire de la République et commissaire de police et n'était pas prêt à faire rire à ses dépens les farceurs du Landerneau local. Heureusement, le bon tenancier sut lui faire entendre raison et le convainquit de recevoir, au cours de l'après-midi, un de mes collaborateurs. En quelques heures, le travail fut bouclé, et une partition toute fraîche, transcrite au stylo bille, parvint sur mon bureau. A vrai dire, cette page de signes hâtivement tracés ne me disait pas grand-chose, mon messager avait beau déborder de louanges sur le brio de l'accordéoniste, la mélodie me restait hermétique et de toute façon je n'étais pas au bout de mes peines puisqu'il me fallait glisser, entre les portées, des paroles acceptables pour un hymne national. Une fois de plus, le salut me vint de Jacques Alexandre : il y avait, depuis la veille, me dit-il, un nouveau journaliste d'origine espagnole qui était arrivé à Radio-Congo ; il était poète à ses heures et pouvait, peut-être, ébaucher un chant mémorable à la gloire du Congo. C'est ce rimeur d'occasion qu'il m'amena une demi-heure plus tard. Le malheureux débarquait sous les tropiques et n'avait aucune idée des élans lyriques des Bantous. Il se demandait ce qu'il pourrait bien célébrer dans son poème. Je le rassurai. En général, lui dis-je, les monuments de ce genre ne brillaient pas par leur originalité : en principe, il fallait mettre quelque part « debout » car les peuples étaient censés vivre couchés ou rampants avant l'indépendance. Il convenait également de mentionner que la nuit s'achevait et que le soleil se levait, que les enfants du pays étaient braves et fiers, qu'ils étaient prêts à mourir pour que la torche de la liberté ne s'éteigne pas, que, de toute façon, Dieu était avec eux, et qu'ils devaient être plus unis que jamais pour remporter la victoire sur toutes les calamités à venir. Il s'embarqua aussitôt sur cette nacelle inspirée et accorda son luth. J'ignore quelle muse secourable vint le bercer durant la nuit, mais le lendemain, il m'apporta un livret encore humide de transpiration qui me parut du plus bef effet pour la postérité.

L'Assemblée ayant adopté le pavillon national et la Congolaise, il n'y avait plus qu'à mettre la dernière main au cérémonial de passation des pouvoirs. Nous étions le 14 août et André Malraux, représentant personnel du général de Gaulle, venait de débarquer à Brazzaville au cours de l'après-midi. Tout échauffé par les morceaux d'anthologie dont il avait gratifié le Tchad et l'Oubangui, il songeait à une évocation lyrique de la France libre, du gouverneur général Eboué, de la conférence de Brazzaville et du fétiche N'Gol que certaines tribus congolaises commençaient à vénérer dans les forêts du Mayombé. Après un bref tour de ville dans la moiteur du soir, il se retira vers minuit sous une véranda de la Case de Gaulle et se mit à écrire. Là, devant un pichet de whisky-jus de fruit et une secrétaire ensommeillée, il entreprit la rédaction d'un morceau inoubliable. Les feuillets zébrés de sa large écriture s'envolaient de sa table, je les recueillais précieusement et les transmettais à la dactylographe qui les tapait en somnambule.

Aux premières lueurs de l'aube de ce 15 août mémorable, tous les fils de la pièce se trouvaient enfin noués et il n'y avait plus qu'à apporter les dernières touches au décor de la scène. La journée se passa en conciliabules congolo-français. Les militaires répétèrent leur numéro d'ordre serré, le canon apte à tirer les salves symboliques fut traîné devant le mât du pavillon. André Malraux visita les quartiers de Bakongo et de Poto-Poto qui lui rappelèrent l'Asie et me parla longuement d'Hölderlin et de la Baghavad Gita.

A onze heures du soir, l'ancien palais du gouvernement général de l'AEF ouvrit les portes de ses salons illuminés ; le gouvernement congolais et les autorités coloniales prirent place sur l'estrade d'apparât qui y avait été dressée. Deux fauteuils, placés côte à côte, attendaient le président de la République du Congo et le représentant personnel du général de Gaulle. Le haut-commissaire général Yvon Bourges, le général commandant supérieur et moi-même, complétions, de part et d'autre, ce dispositif athénien. De chaque côté de la vaste salle de réception, une foule d'invités, triés sur le volet, attendait l'évènement. A onze heures trente, l'huissier qui avait été posté près de la porte d'entrée annonça, d'une voix mal assurée, l'arrivée de son Excellence le Président de la République du Congo. L'abbé Fulbert Youlou, en soutane blanche barrée du grand cordon du mérite congolais, acheté la veille à Paris, fit deux ou trois pas timides en redressant sa petite taille et s'arrêta tandis que les applaudissements et les vivats éclataient dans la pièce. Le gouvernement congolais se porta alors, d'un seul élan, à sa rencontre. Les ministres, conduits par le plus corpulent d'entre eux, Stéphane Tchitchéllé, ministre des Affaires étrangères, s'emparèrent du président et le hissant à bout de bras, s'avancèrent en dansant vers la tribune d'honneur sur un air à la mode, scandé par l'assistance enthousiaste : « Indépendance, Tcha-Tcha-Tcha ! » Ainsi porté, le président atterrit sur son siège, sous l'œil ébahi du grand voyageur André Malraux à qui ses souvenirs innombrables des grands de ce monde ne rappelaient peut-être rien de comparable. Les discours commencèrent. L'orateur français évoqua, d'une voix tremblée, le pas lourd des légions africaines en marche pour les champs de bataille historiques où s'était défendue la liberté de la France et du monde. Il parla de la fraternité des armes et du tribut de sang généreusement payé. Il souhaita tous les bonheurs possibles au jeune Etat et l'assura de la solidarité affectueuse et de la protection de notre pays. L'abbé répondit dignement et sans emphase avec une bonté et une sensibilité naturelle où perçait, comme toujours, le sentiment d'amour qu'il portait à son peuple et une part de naïveté qui était sa marque personnelle.

A minuit, les hautes autorités et la salle entière se transportèrent sur le perron du palais du gouvernement pour assister au lever des couleurs et aux salves de joyeux avènement de la République congolaise. Quand tout fut en place, le canon se mit à tonner et un sergent de parachutistes s'approcha du mât du pavillon pour abaisser le drapeau français et hisser à sa place le nouvel emblème national. Il avait à peine tendu la main vers la drisse que le président Youlou manifesta à haute voix son désaccord. Il n'était pas question, disait-il, de séparer l'enfant de sa mère et il exigeait que le drapeau congolais monta aux côtés de celui de la France et non pas à sa place. Je fis une tentative de négociation pour lui expliquer que le protocole prescrivait ce cérémonial et que les grincheux ne comprendraient pas la noblesse de son geste. Rien n'y fit. Comme il y avait, heureusement, depuis l'existence éphémère de la Communauté, trois mâts de pavillons côte à côte, un pour la France, un pour la Communauté et l'autre pour le Congo, on hissa les couleurs congolaises sur le plus rapproché d'entre eux. Il va sans dire qu'au petit matin, on monta le seul pavillon congolais à sa vraie place. Le canon continua à tonner dans la nuit et mit le feu à la pelouse desséchée, ce qui créa une ambiance imprévue de feu d'artifice qui réjouit l'assistance.

Dès le lendemain, la nouvelle République du Congo-Brazzaville se mit fébrilement au travail pour organiser ses services

Gouverneur haut-commissaire, devenu ambassadeur, je prêtai une bonne partie de mon personnel pour transférer l'appareil administratif et les dossiers en cours. Certains de mes agents devinrent les collaborateurs directs du président de la République. Tous les problèmes d'ajustement et de compétence furent réglés progressivement, bref, tout se déroulait sans encombre dans le plus improvisé des mondes. Quand je reçus un coup de téléphone alarmé d'un agent de sécurité, attaché à la personne de l'abbé Youlou. « Nous avons perdu le président, ne serait-il pas chez vous par hasard ? » Non ! personne ne l'avait vu dans mon entourage. Les recherches se poursuivirent durant toute la nuit dans la ville et les villages d'alentour, sans le moindre résultat. Au petit matin, le président de l'assemblée vint m'interroger sur les mesures constitutionnelles à prendre. Y avait-il vacance du pouvoir et devait-on prévenir Paris ? Je conseillai la prudence et l'attente car je connaissais la fantaisie du personnage. Vers les neuf heures, un camion chargé d'arachides et couronné de passagers fit son entrée dans le faubourg de Bakongo avec le président souriant, assis à côté du chauffeur. Après le soupir de soulagement que l'on devine, chacun voulut avoir la version des faits. Elle était des plus banales, l'abbé Youlou, épuisé après une journée harassante, avait voulu prendre l'air et s'était éclipsé avec sa voiture. Il avait malheureusement choisi la route des plateaux Batékés pleine de sable et de fondrières et s'était enlisé dans la jungle déserte à 60 kilomètres de la capitale. Il avait passé la nuit dans son véhicule et avait arrêté, au lever du jour, le premier camion de passage pour le ramener à bon port.

Ce qui frappait chez le président, c'était le caractère imprévisible de ses réactions qui semblaient dictées par un autre code. Il était l'image même de cette Afrique arrachée brutalement à son identité ancestrale par les accélérations foudroyantes de l'Histoire. Né dans un petit village du pays bakongo, il avait connu, en quelques années, l'école primaire, le séminaire, appris le français, le latin, la théologie, dirigé une paroisse urbaine, plongé dans la politique, conquis la mairie de Brazzaville, gagné un siège de député puis de premier ministre, accédé à la magistrature suprême, sans cesser d'être un petit enfant de Malibu dont la mère cuisait son manioc et surveillait trois poules. Il mélangeait allègrement sa tradition originelle et les valeurs enseignées par ses maîtres. Chez lui, les dogmes chrétiens se mêlaient aux sortilèges de la grande forêt, l'eucharistie au brouet magique, la rationalité au merveilleux.

Il me parlait parfois de Dieu le père qui résidait, me semblait-il, dans « les verts pâturages », un personnage de race noire, toujours vêtu de blanc comme un planteur de Virginie avec un chapeau à large bord et un collier de barbe grisonnante. Ce père éternel était un brave homme plein de miséricorde pour ses enfants mais ne badinait pas avec la discipline. « C'est que, me disait l'abbé, quand on arrive devant lui et qu'il pointe le doigt : " Fulbert, quel péché as-tu commis ? ", c'est que là, ce n'est pas l'homélie de Monseigneur », et il agitait sa main droite en signe de détresse.

Sa fortune politique ne s'expliquait d'ailleurs que par cette curieuse dualité faite de synchrétisme bantou et de catholicisme romain. D'un côté, il était l'héritier naturel de « Jésus Matsoua », un agitateur politico-religieux du Bas-Congo au début du siècle qui avait donné quelques soucis à l'administration coloniale et faisait toujours figure de Messie et, de l'autre le thaumaturge chrétien qui fascinait ses électeurs. Il était, de plus, le protégé d'un caïman mythique qui lui était apparu un soir, près des chutes de la Foulakari, un affluent du Congo proche de Brazzaville, et il l'avait adopté comme emblème de son parti. Ce saurien, auquel il faisait souvent référence avec un petit sourire d'excuse, « Caïman a dit, caïman a fait », représentait le génie du Congo, les forces telluriques de l'Afrique, le symbole de la race noire.

Dans la barrique de l'abbé Youlou, tous les liquides venant de l'extérieur n'avaient pas eu le temps de se mélanger et selon la hauteur à laquelle on plaçait la cannelle, on recueillait une des composantes à l'état pur. De même, son comportement habituel relevait plus du télescopage de valeurs hétérogènes que de l'application de règles coutumières authentiques.

Un jour, à l'issue d'un repas de gala, donné en l'honneur de sir Gladwin Jebb, ambassadeur de Grande-Bretagne à Paris, qui effectuait une mission d'information dans les anciens territoires français, il invita son hôte à danser au rythme d'un orchestre afro-cubain. Le diplomate, qui était de très haute taille et plus raide qu'un noyé dans l'Océan arctique, n'osa pas lui refuser et esquissa quelques pas. Il formait avec le petit abbé en soutane blanche un couple si ridicule que je me précipitai pour les séparer et les sauver de quelque photographe malveillant.

Une autre fois, il avait oublié de se rendre à un banquet, donné en son honneur, parce que des petits chasseurs de son village lui avaient apporté du gibier. Quand sa secrétaire s'aperçut de la négligence et lui eut conseillé d'envoyer quelques fleurs pour s'excuser, l'abbé, qui était finaud, lui demanda de ne pas s'en occuper. Chez les invitants où le repas avait pris beaucoup de retard en raison d'une trop longue attente, un brouhaha se produisit à la porte de la salle à manger car un messager du président voulait entrer à tout prix. Il força d'ailleurs le passage, se dirigea vers la maîtresse de maison et lui remit, sous les yeux ébahis des convives, deux superbes lapins de la part de son maître.

Ces démarches comiques n'étaient pas seulement le fait du président mais de beaucoup de ses ministres. C'est ainsi que le nouveau responsable des Finances, maire de Dolisie, ne voulait pas prendre son portefeuille tant que la clé du Trésor ne lui aurait pas été remise, en main propre, par son prédécesseur. Il n'avait que faire, disait-il, de toutes ces pages de chiffres et d'écriture, c'est de l'argent et des billets qu'il voulait compter. Quand il fut convoqué à Paris pour discuter de l'avenir de la zone franc, il préféra se rendre aux établissements Dunlopillo pour acheter quelques matelas qui étaient plus souples que les couches congolaises. Il faut dire également, qu'en d'autres circonstances, le fond primitif pouvait resurgir brutalement entre deux discours lénifiants.

C'est ainsi qu'au moment où l'abbé Youlou prit conscience que les matsouanistes ne lui servaient plus à rien politiquement, il entreprit, froidement, de les exterminer. Il attaqua leurs villages, brûla leurs cases, chassa leurs femmes et leurs enfants qui se réfugièrent dans les forêts. Quelques milliers d'entre eux furent enfermés dans un camp à Brazzaville et ne durent leur salut qu'à l'intervention de la gendarmerie française et à mes remontrances vigoureuses auprès de son gouvernement que je menaçai d'une plainte aux Nations unies.

Après quelques semaines de rôdage, les nouvelles institutions se mettaient en place. J'étais surpris de l'étonnante faculté d'adaptation des Africains. L'abbé Youlou donnait des interviews aux journalistes et s'émerveillait de ce qu'ils lui faisaient dire. « C'est miraculeux, disait-il en lisant les journaux, on croirait que c'est un autre qui a parlé, on vous prête des projets que vous n'avez jamais eus, des manœuvres politiques que vous ignoriez, on est surpris d'être aussi intelligent. » Les ministres avaient désormais de belles voitures avec chauffeur, des résidences, des cabinets pléthoriques, des visiteurs de toute nationalité qui se pressaient à leurs audiences.

On voyait s'organiser rapidement le tiers-monde que nous allions connaître désormais avec ses surenchères et ses chantages.

La langue de bois des non-alignés et des progressistes s'affinait, le microsillon de Bandœng tournait sur toutes les ondes. Le colonialisme « impénitent » donnait déjà naissance au néo-colonialisme, les capitalistes étaient sommés de rendre gorge en ayant, au préalable, réglé quelques fins de mois difficiles. Des amis insoupçonnés se faisaient connaître, de bons apôtres, qui avaient des recettes miraculeuses et des experts prodigieux, vilipendaient la chape de ténèbres sous laquelle les bourreaux colonialistes avaient étouffé les peuples méritants. Dans la réalité, le Congo était devenu un tout petit pays d'un million et demi d'hommes sans véritable richesse minière, si ce n'est un peu de pétrole, sans production agricole notable et qui avait perdu, de ce fait, toute possibilité d'attirer les capitaux extérieurs. Il était dépourvu de cadres et de techniciens compétents, ses élites intellectuelles se préoccupaient de leur avenir personnel, ce qui était légitime, mais pour la plupart, n'avaient d'autres perspectives que d'entrer dans une fonction publique pléthorique et fort peu payée. Parallèlement, des armées surdimensionnées autant qu'inutiles se constituaient et se dotaient d'un matériel moderne grâce aux bonnes âmes du monde entier qui trouvaient, dans ce marché, un débouché précieux pour leurs affaires. Disposant enfin de ces armes que les colonisateurs avaient toujours si attentivement contrôlées, les militaires pourraient, désormais, s'en servir pour leurs ambitions personnelles, voire les retourner contre leur peuple et semer, sous leurs pas, la destruction et la ruine puisqu'ils étaient, disaient-ils, les meilleurs garants de l'intérêt national.

Ainsi, tous les ingrédients du théâtre kafkaïen que le tiers-monde devait nous représenter inlassablement pendant les décennies qui suivirent, s'assemblaient sous les yeux des grandes puissances et des Nations unies, sans que la fameuse conscience universelle obnubilée par le mythe de l'indépendance ne s'émeuve. Je ne devinais pas, moi non plus, tous les effets du processus amorcé, mais je voyais très nettement le montage des tréteaux et des décors, les détails de la mise en scène et le livret. Tout le monde connaît aujourd'hui ce spectacle attristant en trois actes que le Tiers-monde nous prodigue.

Le premier se passe dans les coulisses : un vaste espace éclairé par des chandelles où l'on distingue de grandes toiles pendues aux murs, sur lesquelles des artistes internationaux, perchés sur des échelles, peignent en teintes idylliques des tableaux enchanteurs : la venue de l'âge d'or, l'ascension en flèche du PNB, le développement infini des ressources terrestres, la justice et la paix foudroyant la misère. Au milieu de la salle, des hommes bien nourris sont assis devant une longue table et reçoivent une procession de visiteurs aux visages angéliques, mais dont les robes de lin blanc taillées trop court laissent dépasser des queues de loup. Ces étranges personnages colportent des projets mirifiques, des affaires en or et tous les raisins de la Terre promise. De grosses aumônières passent de main en main et disparaissent dans les poches ou sous la table. Les messieurs bien nourris portent des bagues aux doigts, des montres Rolex et fument le cigare.

L'acte II se déroule sur une immense scène dont la toile de fond, aux peintures éraillées, représente un palmier poussiéreux, au pied duquel des gens font la sieste. Sur le côté gauche, se dresse une estrade soutenue par des piles de rapports jamais lus et des colonnettes corinthiennes. Des parachutistes, en tenue de camouflage et bérets verts et rouges, veillent sur l'ensemble, un groupe de policiers semble chercher quelque chose. Sur le podium doré et tendu de pourpre, un « roi-prince-président-général-capitaine-commandant » gesticule devant un micro et débite, à longueur de journée, un discours immuable. Il se déclare marxiste-léniniste, parfois scientifique, libéral de troisième voie, pro-capitaliste, socialiste ou simplement guide inspiré, ses programmes sont interchangeables. Il est urgent de changer de décor, de faire appel aux bailleurs de fonds, de stimuler les masses et de mobiliser les amis. D'ailleurs, il va entreprendre un long voyage pour se faire connaître.

Sur le côté droit, est installée une grande roue portant des nacelles en forme d'avion, sur lesquelles sont inscrits les noms de toutes les capitales du monde. Des voitures de luxe et des motocyclistes attendent au départ et à l'arrivée.

A l'aller le roi-prince-président... déclare qu'il se rend à Paris-Moscou-Pékin, pour un voyage d'études et d'amitié. Au retour, il annonce qu'il a resserré les liens traditionnels, que les échanges ont été fructueux et la compréhension totale. Puis il regagne son estrade où, à peine arrivé, un policier, s'étant assis par mégarde sur le déclic du système, l'escamote dans les oubliettes. L'appareil se redresse aussitôt avec un nouveau roi-prince-président... ou le même que précédemment qui saisit le micro et répète, vingt-quatre heures sur vingt-quatre, le discours interrompu.

Au centre enfin, se trouve le trou du souffleur d'où monte une cacophonie de langues différentes car les souffleurs sont nombreux et n'ont pas les mêmes partitions.

Le troisième acte se joue dans la salle vétuste qui tient de l'entrepôt et du caravansérail. Elle est bourrée de monde et privée d'électricité. Les sièges ont la particularité de tourner le dos à la scène, mais ceci n'a pas d'importance puisque les spectateurs ne comprennent pas la langue des acteurs et ignorent de surcroît la pièce du répertoire. Sur cette foule que sillonnent quelques ouvreuses internationales, porteuses de seringues et de cachets d'aspirine, il pleut, car le toit est percé depuis longtemps et les crédits d'entretien font défaut. Au loin, très loin, de riches architectes sont penchés sur le problème et établissent des modèles mathématiques qui n'apportent pas de solution.

Peu importait d'ailleurs d'ironiser, de jouer les Cassandre ou d'épiloguer sur le pourquoi et le comment de cette situation, les faits étaient ainsi, et personne n'y pouvait rien. L'indépendance était-elle intervenue trop tôt, sa préparation avait-elle été trop négligée et trop tardive ? La communauté humaine avait ses principes et ses engouements et les hommes leurs turpitudes, il n'y avait plus qu'à pousser sa barque et à vivre les temps nouveaux. C'est ce que je m'apprêtais à faire lorsque le secrétaire général des Nations unies, M. Dag Hammarskjöld, passa par Brazzaville et me rendit visite. C'était un Suédois imprégné de droiture, de morale religieuse et de foi en l'avenir de l'homme. Nous nous installâmes sous les manguiers couverts de fruits encore verts qui dominent le pool du Congo. C'était un merveilleux couchant d'Afrique avec des nuages en châteaux majestueux et des gloires féeriques. Le secrétaire général me parla alors de l'avenir du monde et du continent noir. « Il y a déjà une quarantaine de pays indépendants en Afrique, me dit-il, c'est beaucoup trop, mais c'était une étape indispensable. Maintenant, le rassemblement des Noirs, enfin libres de toute contrainte extérieure, devient possible autour de quelques pôles d'attraction : le Nigeria, le Zaïre, la Confédération ougando-tanzano-kéniane et l'Afrique du Sud. La société nègre éminemment grégaire n'aspire qu'à l'union, l'ère coloniale aura au moins servi à en hâter l'avènement. L'union sud-africaine et sa grande expérience technique constituera le modèle et le moteur de l'ensemble. — Mais l'apartheid et les rivalités tribales, lui dis-je, qu'en faites-vous ? — Réminiscences du passé, me répondit-il, tous ces obstacles fondront comme neige au soleil. Songez qu'en 1946, quand les peuples du monde arrivèrent aux Nations unies en pleine *color bar*, les Noirs durent se loger au Bronx ou à Harlem. Aujourd'hui, cela a disparu et l'Afrique a désormais toutes ses chances et grâce à la similitude de ses races et à ses richesses intactes, elle deviendra, à n'en pas douter, une des pièces maîtresses de la planète. »

Pauvre Afrique, pensai-je, voilà qu'une fois de

plus, par idéalisme des uns, par opportunisme politique des autres, par esprit de système, par intérêt mais également par optimisme et générosité, elle va continuer à subir les effets de l'activisme du monde évolué.

« Pourquoi doit-on lui mentir, monsieur le Secrétaire général ? lui demandai-je. Vous savez bien qu'elle ne sera jamais la clé de voûte de la société moderne internationale, elle qui a accumulé tant de retard et qui a encore tant de chemin à parcourir. Pourquoi lui laisserait-on croire qu'elle est capable de franchir, d'un bond, les fossés qui cernent les civilisations alors qu'elle manque tragiquement de structures mentales appropriées, du sens de l'organisation, des techniques et de l'outillage indispensable ?

« Pourquoi lui affirmerait-on que la liberté est un principe miraculeux qui peut résoudre instantanément tous ses maux alors que c'est un alcool dangereux qui nécessite une longue accoutumance et une consommation contrôlée ?

« Croyez-vous que le progrès soit un don du ciel ou un cadeau philanthropique d'une nation ou d'une banque ?

« Quelle étrange conviction nous permettrait d'affirmer que la tendance dominante de l'Afrique libre sera la coopération et l'union alors qu'elle est constituée d'une myriade de tribus batailleuses et antagonistes ? Est-ce honnête de la flatter en approuvant sa déplorable habitude de rechercher les boucs émissaires et les alibis pour masquer ses faiblesses ? Ce colonialisme, vieux comme le monde, qu'il est devenu de bon ton de dénigrer et d'attribuer de préférence aux seuls peuples de l'Occident alors que la présence de ces derniers, sur le continent noir, aura duré moins d'un siècle et laissé derrière elle tant d'équipements et de germes de progrès.

« Croyez-vous sincèrement que la démocratie, fruit savoureux, mûri dans les plus vieilles nations, va s'épanouir du jour au lendemain, dans des sociétés sans passé organisé, sans éducation politique de base ? où le chef est toujours le père, où le fils est sa chose, où la loi du plus fort est toujours souveraine et où le premier potentat sera, comme chez nous d'ailleurs, un soldat heureux ou un aventurier sans scrupule.

« Aujourd'hui, où nous célébrons la pluie bienfaisante des indépendances qui s'abat sur l'Afrique, allons-nous continuer à lui faire miroiter nos formules magiques, nos recettes miracles et nos utopies politiques qui ne sont souvent universelles que parce qu'elles émanent du plus fort ? Laisserons-nous nos penseurs en chambre et nos expérimentateurs d'un matin transformer ses sociétés balbutiantes en cobaye de démonstration ? En tout cas, si nous devons poursuivre nos ingérences, ne perdons pas de vue que l'indépendance est essentiellement liée à la responsabilité, à l'éveil d'une conscience collective et au respect de l'homme citoyen.

« Je suis convaincu que les nouvelles nations ne feront l'économie d'aucune épreuve. Leur gentillesse souvent désarmante, leur insouciance, leur épicurisme et leur imprévoyance ne leur vaudront, soyez-en certain, que les gouvernements qu'elles méritent et la cohorte d'heurs et de malheurs qui en sont la conséquence.

« Le premier devoir des sociétés étant d'assurer leur subsistance, il est indispensable que l'Afrique tire d'abord de sa terre par ses propres moyens et son savoir-faire, son pain de chaque jour et surtout, comme le recommande le proverbe chinois : " Ne lui donnons pas de grain, car elle nous haïrait et deviendrait une éternelle assistée. " Quand tous ses enfants auront de quoi manger, l'Afrique pourra alors penser à leur promotion au sein des sociétés originales qu'elle se sera construites. Elle pourra alors nous demander des aides ponctuelles que nous devrons lui apporter, mais de façon responsable, contractuellement débattues et assorties de garanties de bonne gestion, comme il convient entre partenaires qui se respectent.

« Nous sommes encore bien loin de cet objectif », concluai-je.

Dag Hammarskjöld, tout à ses rêves, me jugea trop pessimiste et dépourvu de la foi qui soulève les montagnes.

« En tout cas, lui dis-je, l'avenir de ce continent m'apparaît comme un Himalaya d'incertitudes. Que pouvons-nous lui souhaiter sinon qu'on le respecte, qu'on le regarde avec sympathie et moins de propension à nous occuper de ses affaires, qu'on lui laisse le temps de tirer ses propres leçons. Il en coûtera, évidemment, à notre activisme naturel, à nos intérêts et à nos ambitions mais nul n'est en charge du bonheur des autres et chacun doit pouvoir tracer sa route sous sa seule responsabilité. Pour me résumer, ajoutai-je en conclusion, un proverbe que cite souvent l'abbé Youlou me paraît de circonstance : " Quand le caïman se coud un pantalon, il sait toujours où il fera passer sa queue. " Avec son pantalon neuf aux couleurs de l'indépendance, espérons que l'Afrique saura en faire autant. »

Pourquoi avais-je parlé de caïman ? Un gros remous venu du fleuve agita les jacinthes d'eau et les sissongos de la rive. J'eus le pressentiment que le caïman de la Foulakari nous écoutait depuis longtemps et qu'il venait de regagner sa mystérieuse retraite. Cet antre inconnu des hommes dans les profondeurs de l'Afrique où il entasse, dit-on, ses victimes, avant de les dévorer et d'où il veille sur le destin de la négritude.

Caïmans sacrés, caïmans fétiches, hommes caïmans que l'on révère et que l'on redoute, ne venaient-ils pas hier encore de capturer l'ambassadeur d'Allemagne fédérale, qui se baignait imprudemment dans le fleuve ? Ou de dévorer, il y a quelques années à peine, le colonel Kerharo, sur le Ouham, l'administrateur Ferry sur le N'Kam et je ne sais combien d'ecclésiastiques amateurs de plages retirées et tous ceux dont la disparition brutale restait inexpliquée.

Quelques mois plus tard, mon interlocuteur, M. Dag Hammarskjöld, qui se rendait en Afrique du Sud, pour vérifier sans doute l'exactitude de ses pronostics, disparut lui-même mystérieusement à bord de son avion — quelque part dans le ciel de Zambie.

Ce tête-à-tête vespéral venait raviver le sentiment de nostalgie et de désarroi que je traînais depuis quelque temps au fond de mes pensées. Je prenais encore un peu plus conscience, à travers les propos du secrétaire général, du véritable état d'esprit de la communauté internationale et je comprenais qu'elle allait précipiter l'Afrique dans un cycle d'illusions et d'aventures dont elle ne mesurait pas les conséquences.

Je connaissais suffisamment la vulnérabilité de ces sociétés encore primitives et la précarité de leur système économique pour savoir que nous allions bâtir des châteaux de cartes. Je songeais à ces millions de créatures disséminées au fond des brousses, dans leurs villages rustiques et leurs campements, à ces myriades de tribus que les ethnologues enchevêtraient à plaisir, dont la vie n'était faite que du caprice des météores, de rythmes saisonniers, de semailles, de sortilèges et de dieux. Je revoyais Paul Medza et ses M'Bida-M'Banes, Yaya Dahirou, ses bergers et ses meskines, les tribus forestières, les paysans du Sahel et les gens de Dogondoutchi qui volent dans les airs comme les ânes à Gonfaron. Tous ces paysans que j'aimais tant. Je me demandais qui détiendrait jamais les formules magiques qui changeraient instantanément les univers mentaux et feraient pousser les sociétés de consommation et les démocraties comme les cèpes à la Saint-Martin.

Je voyais sur la rive belge un paternalisme chrétien qui avait cru qu'il était possible, grâce à une administration efficace, d'arrêter l'évolution politique et sociale de ses sujets et sur notre berge les rêves assimilationnistes de la France. Je connaissais l'empirisme marchand des Anglais et les postulats du marxisme qui fermait ses paradis à double tour pour empêcher les catéchumènes d'y regarder de trop près. Tout se terminait finalement en fiasco. Quant aux Indiens et aux Noirs d'Amérique qui avaient déjà connu tant d'expériences, leur cas me paraissait désespéré, malgré la présence de l'ONU, entre l'Hudson et l'East River.

Sans doute n'y avait-il qu'une formule dans le monde, la vieille loi de l'espèce : du travail, encore du travail, toujours du travail, une volonté farouche d'aboutir, l'esprit de sacrifice et l'art de choisir ses bergers.

Petit soldat de l'empire colonial de mon vieux pays, appelé par le destin à ramener les aigles de ce qui avait été « la colonisation française » au Congo, j'évoquais avec mélancolie, comme dans le célèbre *Rêve* du peintre Detaille, les visages de tous les acteurs civils, militaires et religieux qui avaient illustré cette aventure longue de soixante-quinze ans.

Une rude épopée qui avait commencé avec Savorgnan de Brazza, laissant le sergent sénégalais, Malamine, en charge du drapeau tricolore, sur une anse déserte du grand fleuve. Une longue marche marquée par l'ouverture de la forêt vierge, la rage de construire des routes et des villes, de répandre le savoir et de bâtir « avec ces pierres vives qui sont hommes », comme disait Montaigne, un étrange matériau instable, imprévisible, exaltant et désespérant à la fois.

Aujourd'hui, le temps de l'aventure était révolu et les petits-enfants du Makoko des Batékés ou de la reine Galifourou, à peine sortis des écoles du colonisateur, ouvraient une nouvelle page en dissertant à

l'infini des mérites comparés du marxisme-léninisme, de l'anarcho-syndicalisme et du maoïsme
comme moyen de navigation. Ils s'apprêtaient, dans
l'enthousiasme de leur juvénile certitude, à lancer
leur pirogue, dépourvue de rames, dans les rapides
du Congo.

Quand je fus rappelé à Paris dans les semaines qui
suivirent, le premier ministre, Michel Debré, me
demanda si je voulais poursuivre une carrière de
préfet ou de haut-fonctionnaire de l'Economie et des
Finances. Je lui exprimai mon désir de troquer mes
boutons à l'ancre de marine pour les feuilles
d'acanthe de la diplomatie. « Dans ce cas, me dit-il,
où aimeriez-vous être ambassadeur ? »
    « Dans un pays, lui répondis-je, où je pourrai
apprendre tout ce qu'il ne faut pas faire pour sortir
du sous-développement quand on vient d'accéder à
l'indépendance. »

*Cet ouvrage a été composé
par l'Imprimerie BUSSIÈRE
et imprimé sur presse CAMERON
dans les ateliers de la S.E.P.C.
à Saint-Amand-Montrond (Cher)
en juillet 1992*

N° d'édition : 13862. N° d'impression : 1420.
Dépôt légal : mai 1992.
Imprimé en France

Nº d'édition : 1380 / 47 (Impression 1410)
Dépôt légal : août 1992
Imprimé en France